戴國煇全集 

採訪與對談卷・二

◎台灣史對話錄

目次

contents

台灣史對話錄

輯三　台灣史的悲情與後悲情

輯四　日帝的台灣和朝鮮的殖民統治之比較

戴國煇全集 19

探訪與對談卷・二

台灣史對話錄

代序

◎ 林彩美

戴國煇出生於殖民地台灣，不可迴避地接受皇民化教育、殖民者的價值觀與二等國民的現實。

新竹中學〔初中〕二年級時，全台為迎接可恢復民族尊嚴的台灣光復而狂歡。然而好夢不長，不久即發生「二二八事件」，繼之「白色恐怖」籠罩全台，又遭逢祖國分裂的慘痛而幻滅。

大學畢業後，為避開無謂的政治陰霾，追求自由，藉留學的機會，遠離是非之島台灣，順道去日本探望睽別已久的二哥於東京。不由得自此滯留日本長達41年，且宿命地踏上台灣史研究之艱難又孤獨之路。

他的經歷使他無形中萌生為百年來多災多難的台灣，以及替台灣的民主化而犧牲的前輩們寫「台灣史」的意念而終成職志。

他於1956年考進東大研究所後，即開始踏遍舊書店，逛舊書展，盡其所能蒐集台灣關係史料與新舊各類相關書籍，並且勤作訪問，採訪相關人士為史留見證。

在東大組織讀書會與東大中國同學會，又蒐集並整理二二八事件史料。接待來自台灣島內外或與在日的左、中、右，以及自由派或台獨人士交往，或為之安排記者會、演講會與座談會等，這些做為觸犯了台灣高層的大忌，列上了黑名單，並被吊銷護照，他依然故我保守不偏不黨的立場，更不肯放棄當中國兒女的權利，且堅持到底。

他人在東瀛心繫故鄉，無時無刻不把台灣放在心上，他也愛他的原鄉，所以海峽兩岸的紛爭、對罵、和談的進展與後退，對時代參與感甚強的他，其內心的焦躁是可想而知。1983年他請了一年長假，在美西柏克萊大學當訪問學者，受聶華苓女士之邀到愛荷華，戴國煇初遇第一次獲准出國訪美的陳映真先生。陳先生甫自台灣打過「台灣結與中國結」的筆戰，相見旋以「台灣人意識與台灣民族」對談起來。由葉芸芸女士整理，刊載於她所主持的《台灣與世界》，又轉載於《夏潮論壇》（1984年3、4月號），在台灣又引起一陣爭論的高峰。戴國煇指出，台灣結的根源只是恐共、批評台灣民族論的荒謬與無稽。1994年他出版《台灣結與中國結——睪丸理論與自立・共生的構圖》提出反對台灣獨立與急統的觀點，並主張台灣應自立、兩岸應共生，並相互提升然後達到統一的遠景。

接著又與李哲夫教授就「台灣社會與省籍問題」對談。戴國煇批評海外的政治言論，把台灣的省籍矛盾無限上綱成民族、種族的矛盾問題，深怕讓台灣蒙受如希特勒納粹的災害。他們把消弭省籍矛盾的希望寄託於新生代。

朝鮮（韓國）人在日本人數多、聲音大、對日本政府爭取外國人應享的權益也最積極。做為在日的中國人，戴總覺得自己坐享其成，對不起朝鮮（韓國）人。其實戴也經常寫文章、著書，藉以批評日本在殖民地所犯的罪惡、篡改教科書問題與戰後賠償等問題。他與朝鮮（韓國）人維持深厚的友誼與共識，且贏得朝鮮（韓國）朋友的尊敬。

戴國煇完全把自己投入台灣史研究，台灣可以說就是他自己的肉體，生命與精神的一部分。他認為歷史的過去、現在與將來是連貫、川流不息，不能斷章取義、任人切割、造假編故事。所以拚生命維護她，並追求台灣人的「自我認同」與「台灣的主體性」。他愛他的原鄉，所以他昂首理直主張自己是「出生於台灣的客家系中國人」。

於新店梅苑

2002年3月15日

編按：本書係經戴（國煇）師校閱，但是沒有來得及在生前出版的最後一本書。（陳淑美）

輯一

台灣社會的變遷與台灣意識

台灣人意識與台灣民族

——與陳映真先生對談於美國愛荷華

時間：1983年9月29日

地點：美國愛荷華市，呂嘉行府上

出席：戴國煇（立教大學教授）

陳映眞（小說創作家與評論家）

呂嘉行（詩人）

譚　嘉（文藝評論家）

葉芸芸（《台灣與世界》發行人）

前言

台灣出身的小說家陳映真，應美國愛荷華大學國際寫作計畫（International Writing Program）之邀，於八月底來美短期訪問。

這是陳映真首度獲准出國旅行，很引起各方人士的關心。

1967年，陳映真第一次應邀，正在準備來美參加國際寫作計畫之前，被逮捕而坐了七年的「思想」牢獄。陳映真一直是台灣最受期待的一位文學家，他的小說不斷地寫出在台灣這塊土地上生活的人們、他們的愛惡與掙扎。深刻地探討在「台灣」這個特

左起：戴國煇、葉芸芸、呂嘉行、陳映真，攝於美國愛荷華，1983年（林彩美提供）

定的環境中，沉悶的政治以及資本主義高度物質化的經濟生活對人們的心靈、對文化的重大影響。他的重要作品有小說集《將軍族》、《第一件差事》、《夜行貨車》、《雲》，以及文學評論集《知識人的偏執》等。

陳映真也是當今台灣文學界最受爭論的人物。1976年的鄉土文學論戰，以及不久前台灣黨外雜誌《生根》、《前進》等的「中國結」與「台灣結」的論戰中，他都是浪頭上的人物。近年來，海外「台灣民族」論者也以他為「大中國沙文主義」的象徵人物來看待。

旅居日本28年的日本立教大學史學系教授戴國煇，係1966年獲得日本東京大學農學博士（農業經濟）學位。多年來他先後在亞洲經濟研究所、立教、東京、一橋、學習院等大學研究和教授歷史與社會學。

自1970年來，戴氏在東京主持「台灣近現代史研究會」，這個學術團體的研究成果廣受美、日各地學術界的看重。戴國煇的重要著作有《中國甘蔗糖業之發展》、《台灣與台灣人》、《華僑》、《台灣霧社蜂起事件——研究與資料》等。

今年三月間，戴國煇應聘到美國加州柏克萊大學，任訪問學者一年。九月下旬，正在美國各地旅行的戴國煇教授應聶華苓女士之邀，來到愛荷華大學訪問。聶華苓女士是現任國際寫作計畫的主持人，她與戴國煇多年來有許多共同的朋友——已故名記者，作家司馬桑敦（王光逖）和日本著名現代詩人田村隆一，這次雖是他倆初次見面卻一見如故，實神交已久。

9月29日陳映真、戴國煇與本人〔葉芸芸〕同在詩人呂嘉行家中作客。呂嘉行、譚嘉夫婦近年來接待了蔣勳、吳晟、宋澤萊、楊逵……等許多台灣來的訪問作家。在主人夫婦的盛情招待、酒菜俱佳的熱絡氣氛之下，初次見面的陳映真與戴國煇有一段精采的對談，話題是陳映真出國前在台灣發生的那一場「中國結」與「台灣結」的論爭。本文即根據當晚的對談整理而成。

恐共是「台灣結」的根源

戴國煇（以下簡稱戴）：我是今春到了美國以後，才有機會讀到較多的黨外雜誌。日本的學界向來對台灣不很重視，來往也少。

日本雖然有六萬多的「中國人」（包括已歸化日籍者），地理上也與台灣接近，但是台灣的「信息」卻往往是透過美國、香港才傳到日本的。因而，我在日本時通常只能看到部分受贈閱的黨外雜誌。來美後發現柏克萊和史丹佛兩所大學的東亞圖書館都有很多台灣的黨外雜誌，（似乎是有意識的收藏），因此我才看到有關這次論爭前後幾篇文章。然則，我雖很努力想了解，初步印象卻是看不下去。為什麼呢？似乎大家都不敢明講，吞吞吐吐地都有禁忌。於是我乃對這個問題做了一番思考，有一些看法──表面上，大家在談論的「台灣結」、「中國結」或「台灣人意識」、「中國人意識」，並不是什麼學術性的問題。最重要的是目前主張「台灣結」這部分人有一種恐懼感，恐懼的是共產黨何時要過海來？一夜之間易幟的事會不會發生？更恐懼國共會不會和談？在和談之中會不會被「犧牲」。

去年林正杰父親在大陸被關了二十多年後回台的事，確實在黨外人士間引起很大的猜忌。首先是中共為什麼放這個人？其次國民黨為什麼又接受呢？這都因為他是林正杰的爸爸！葫蘆裡頭到底賣的什麼膏藥？簡直太叫人不安了。因此，這暗流中蘊藏的乃是反共、恐共的心態，在這種心態下自然就忙著努力主張維持現狀。做為以台籍中產階級為核心，改革體制的大眾媒介黨外雜誌，帶著二二八的歷史傷痕，對大陸有抗拒的心理是可以了解的。尤其是四人幫垮台，文革的失敗都暴露出來後，對中國大陸的期望感更是茫然若失了。這當然是世界性的問題，無論對共產主義或中國共產黨有無好感，過去大家都認為大陸好像在進行一場很大的實驗，內容雖不清楚，卻普遍有一種期待感。但是後來蓋子打開來，文革的真相似乎很慘。期待感變成了失望，剩下一條路就是主張維持台灣現狀了。因為國民黨的言論抑制，人權問題雖然可以批判，但推翻國府體制的話，在島內「台獨」是不方便明講的，再者，台籍中產階級在高度經濟成長以及中共統戰攻勢逼迫之下，與國民黨也慢慢地形成利益一致。因此就以要求1,800萬台灣人（或含糊的說台灣居民）的自決來對抗中共的統一。說得通俗一點，這種心情就像是一個由鄉下到都市去求發展的普通老百姓，發跡以後過著有汽車、洋房的摩登生活，就不屑與鄉下故里的窮親戚認同來往了，更何況窮親戚還具有共產主義威脅有錢人的武裝。

因而，我認為這次「中國結」與「台灣結」論爭的背後暗流，乃是在國際政治關係的動盪不安中，一部分人企圖以強調承認台灣現狀並維持現狀來對抗中國大陸對台灣的影響。

分裂國家的困擾

陳映真（以下簡稱陳）：我想提出兩點，來補充戴教授精闢的分析。第一，為什麼在其他那麼多的分裂國家中，沒有一個分裂國家的任何一方要求根本地棄絕自己民族根源的？我問過來參加寫作班的南韓詩人許世旭，「南韓為什麼不主張自己建立一個共和國？」為什麼所有看到的文獻，無論是教會、學生或反對黨，都主張祖國統一？他說，南韓「獨立」對韓國人民來說，是不可思議的。祖國的自由化、民主化與統一，是每一個韓國人民的悲願，南韓的反對派有他們自主的全韓國觀點，總是同時批評南、北韓的不民主與不自由，並且呼籲在自由與民主的基礎上，統一祖國。據他解釋，這是有歷史原因的，韓國有中、蘇、日三個強國壓境，一個統一而強大的祖國是民族生存相關的事情，而南韓統一意願的力量主要是來自前仆後繼的學生運動。因此，我曾經這麼想，假設共產黨和國民黨以長江為界，長江以南地區仍為國民黨統治，那麼台灣的民主資產階級大概就不會有「獨立」的理念，而會與大陸的自由主義民主派資產階級結合成為中國資產階級的政黨，而嘗試按照中國資產階級的形象改造和建設中國。若是以長江為界，中國資產階級會有統一中國的信心和希望，也的確還有可能吧。但是國府到了台灣之後，這種可能性成為泡影。大陸的資產階級力量完全被摧毀，而在1960年代中，興起的台灣的資產階級自量絕無信心去依照自己的形象改造中國，因此只好把範圍縮小只管台灣，從而有台灣獨立的理念出現吧。

戴：關於分裂國家的問題，我認為大陸與台灣的分裂，與南、北韓或東、西德的分裂比較，形式邏輯上雖相似，在國際權力政治中卻有所不同。第一，分裂的歷史原因不同。東、西德和南、北韓的分裂都是第二次世界大戰的後果，大陸和台灣的分裂則是國、共內戰尚未完全解決遺留下來的局面。

第二，大陸和台灣被殖民地化的過程是很不一樣的，大陸始終是半殖民地，任何一個帝國主義都無力完全併吞她，台灣卻是以台灣海峽劃線被整個割裂的。前前後後，直接或間接，台灣受到日本的影響已有80年，這80年的體驗，使得台灣的資產階級與大陸的資產階級已具有一定程度的隔閡，隔閡原是可以透過時間來彌補的。但是因為戰後的國際關係以及國共內戰而喪失了構成

「共識」的時機。演變的結果是國民黨來統治台灣，大陸的資產階級則分散流亡在香港、台灣以及北美各地。

第三，台灣資產階級與大陸到台灣的資產階級，雖然在1960年代後期以來，逐漸有交流、合資、通婚，但是因為台灣與大陸根本上力量的不成比例，無論人口或地理面積比例的懸殊非常大，不像東、西德或南、北韓雙方力量旗鼓相當，頂多是四、六的比例而已。這種情況下，在台灣的資產階級，無論蔣經國再怎麼鼓勵、給他們打強心針，恐怕都很難樹立起信心，都很難教他們不往外國跑。

因此你剛才那個假設——如果長江以南給中國那個尚未充分成長的資產階級留下發展的餘地，台灣的本地資產階級和大陸的本地資產階級也許會結合成立政黨，而嘗試其民族資產階級在中國的發展——可能是太樂觀了一點。主要因為中國資產階級不夠成熟，世界史的胎動沒有來得及提供時間，讓他們找出「生機」。

陳：戴教授說的一點都不錯。我剛才說的完全是一種假設，是把歷史固定在以長江為界，也固定了這30年。我為什麼有這種想法？是因為在台灣生活中有太多的實例說明了這實在是階級的問題，而不是什麼「民族」的問題。

以「自由中國」運動為例，在整個「自由中國」運動中，台灣籍與大陸籍的自由思想分子，民主派聯合得非常之好，甚至推了雷震為領導人，他們舉辦的全省巡迴演講、座談會，所受到的歡迎、雷震受到的尊敬，都是極為熱烈感人的。後來雷震被捕入獄，像以前的五虎將楊金虎等人都還常到牢裡去看他。這就說明了在一定條件下，在共同的社會階級利益之下，台灣人和大陸人是絕對可以合作無問題的。再舉例說，賀兆雄的工會（海員工會）中，外省工人和本省工人是團結的。在Rotary Club（扶輪社）中，外省的John Chen與本省的Frank Chang也是團結的。

戴：但是國民黨政府是絕不會容許政治層面上有這種情況產生的，所以雷震要坐牢。後來，余登發的案子也頗類似。

時不我與的焦慮感

陳：方才戴教授說，台獨運動，是台灣資產階級的政治運動，我是同意的。在台灣，有些黨外也這麼提。時序進入1970年代，隨著美國對華政策的根本改變，台獨運動失去了最好的時機。美國在政策上，至少是公開裡，放棄了對台獨的支持。時不我與，而台灣內部的獨立蜂起似乎遙不可期，於是以「台灣民族論」為北美的自己和台灣內部的同好打氣。據說，民族論在北美的高潮這一兩年來已是退潮，但因台灣內部「兩個結」的「討論」，又使他們大喜過望，於是又匆忙地祭起旗來。

事實上，台灣民族論，除了訴諸台灣人，也訴諸美國人。他們在美國的參院公聽會上，向美國人苦苦說明台灣人不是中國人，因此《上海公報》中說，台灣問題由兩岸中國人自己和平解決是不對的……。我來美後讀到這些文件，心中有說不出來的感慨。

「台灣民族論」的演進與困惑

戴：關於「台灣民族論」，我們應該具體一點的分析。由廖文毅的混血「台灣民族論」開始，台獨就提倡「台灣民族論」的。但是自從尼克森訪問北京及上海後（1972年2月21日～28日），張燦鍙的台獨聯盟系統起了很大的變化，一度曾經準備要放棄「台灣民族論」。為什麼呢？主要乃是廖文毅、邱永漢、辜寬敏等人，放棄台獨運動返台。意思就是說，他們認為過去藉主張「台灣民族論」來製造要求民族自決的國際輿論，以期在美國的支持下達到台灣獨立目的的道路是走不通了。現在主張「台灣民族論」的則是史明和許信良等標榜台獨「左派」的人，他們並且強烈批判「右派」資產階級的台獨聯盟放棄了「台灣民族論」。

舊的「台灣民族論」──也就是台獨聯盟的代表思潮──是非常閉鎖、排外的，不僅不接納在台灣的外省人，甚至主張台灣人和中國人是不同的民族。但是因為過分閉鎖牽強的主張根本行不通，而漸漸有了修正。到了現在的「台灣民族論」是不得不被迫完全由現實出發的了，表面上不再歧視外省人，號召認同台灣、以共同的「台灣意識」或「台灣人意識」對抗中共。這種變化乃是因為資產階級的台獨右派在極微妙的國際政治變化中，體認到他們自身與國民黨政府還有利害一致的地方，可能有攜手合作以維持台灣現狀之時：另一方面「左派」的台獨，是藉以馬列的語言來重新建構「台灣民族論」，對右派不堅定的「民族」立場有很尖銳的批評。這點在島內的黨外民主運動中要如何看待，是個非常重要的課題。

「台獨保守派」和「台獨左派」

陳：隨著不同的歷史時期，相應於台獨運動在國際政治架構下的變化，所謂「台灣民族論」也有不同的內涵。以我的了解，史明這套理論很早就有，但是在當時的台灣資產階級民主運動中並沒有市場，直到最近兩三年才在北美洲達到高峰。以我在台灣生活的經驗，黨外運動真正的高舉了「台灣人」、「台灣民族」的旗幟還是最近的事情。有如陳鼓應以前說過的，台灣的民族運動可分成兩個部分，主要的本質還是地方資產階級要求在那個政治體系下的資產階級辦公室中找個位置，而且愈是到地方上愈清楚感覺到這種情況才是主要的。過去雖然或者有個別帶有「台獨」意識的黨外人士，但是無論他們的語言或實際民主運動的手段，「台獨」的色彩都很淡，從未像今日黨外少數一些年輕人那麼喧囂的主張。然而，就像所有外來的思潮流到台灣時經過扭曲與折扣的過程一樣，目前台灣黨外雜誌所談論的「台灣民族論」比起北美的同類文章，無論在濃度或深度上都顯得粗淺多了，這並不單是不敢說的問題。

這種情況與您剛才所說的正好吻合，就是目前的「台獨」仍有兩個流派，比較喧鬧、聲音聒噪的是台獨「左派」，但是實際的「力量」恐怕並不在他們一派手上。理由很簡單，在北美的台灣人多半是屬於郊區中產以上階級的律師、醫生、教授……等，他們怎能認同史明的「二〔階〕段革命論」呢？島內的情況就更不如了，以《生根》雜誌為例，雖然大談「台灣民族論」，卻不一定懂得或同意史明的全套「理論」，恐怕還是討厭那樣的說法吧，這些可由《生根》對待勞工問題的態度反應出來。而康寧祥的支持力量來自穩健的台灣資產階級，還是相近於北美的FAPA（台灣人公共事務協會）系統。他們不要求激烈的改變，甚且他們更了解到自己與國民黨之間既互相需要，又爭吵不休的「不愉快的愛侶」的關係。他們了解到與國民黨的互相需要，例如《戒嚴法》對工會、產業聯盟的禁制是對台灣資產階級資本積累與榨取起很大的作用。他們希望台灣政治慢慢地改，他們所爭的，是自己階級參政的席次，並不是體制的改變。至於年輕一代的批康，據我研究，似乎並沒有意識形態的意義，年輕人比較激進，但那只是急於改變黨外現有的秩序，爭自己在黨外陣營中的一席之地。因為黨外也有其牢固的階層性，依照個人參與黨外的年資、是否現任民意代表，或者中央級、省級、縣市級的代表……等不同條件，有不同的「地位」。現在黨外新生代沒有這個耐心。戰後成長的世代，可不講究對前輩的客氣了。

戴：這裡我要做個補充，去年〔1982〕康寧祥等四人來美訪問時，曾公開支持美國賣武器給台灣，「台灣同鄉會」和「台獨聯盟」也都支持。這就明示了「台灣當前秩序的維持」乃是黨外穩健派、海外台美族和國民黨政府三者利益一致之處，也是最重要的前提。

陳：因而，海外台獨運動若是分成上述兩個流派，其實島內黨外運動的影響恐怕也是以穩健的、經過修改的FAPA為大。理由是FAPA的財源充裕……。

戴：對！對！台美族的社會基礎根本就在這裡。許信良、史明要和這些人談革命，「要革我們資產階級的命！」是很教人家討厭的！所以，史明和許信良的「二〔階〕段革命論」是少有市場的。但也可能有一些年輕學生因為本身階級基礎尚未確定、或富有血氣、衝勁未被磨損的正義感，受到虛幻「理論」吸引而參與。就整個台美族而言，史明和許信良的影響力我看是不大。

學生與社會民衆的意識差距

陳：他們在北美洲台美族間不大的影響力，就按照相同的比例反應到島內的黨外運動。雖然我剛才說，那種語言在部分黨外年輕人當中頗為流行，但那純然是一種流行。受史明的「理論」影響的可能是貧困、好學又沒有思想出路的極少數學生。可惜的是，他們還沒有受分辨真實和虛構的歷史唯物論的訓練。

然而，在台灣，學生一般地在認識上比社會民眾落後。一般民眾都要比學生較具有改革的精神，這是台灣與其他第三世界國家很不相同的地方。造成這種奇怪的現象的原因之一，可能是因為台灣近三十年來在社會科學、人文科學、哲學知識這些方面的禁斷，使得學生在他們一生最熱情、最敏感的時代一點都不發生作用。絕大部分的學生生活是郊遊、舞會、麻將、喝酒、烤肉。若是有什麼意識的話，也是以贊成現體制的占絕大多數。

戴：是因為他們可以享受到經濟成長的部分「美果」和加入國民黨，謀求一份不錯的工作或位置，才那樣嗎？

陳：也不一定如此，一般學生不見得太在乎國民黨或政治，主要是近年來物質生活的改善，加上多年來所受的教育，他們自然要維護現行的體制。

呂嘉行（以下簡稱呂）：關於學生的問題我以為並不是那麼深奧。主要是升學的壓力，從初中、高中一直到進了大學才能喘息，也接觸不到教科書以外的書籍，要求他們思想具有批判力是不可能的。民眾與學生不同，民眾有實際生活的體驗……。

黨外心中只有國民黨

陳：但是，日本的學生升學競爭也很厲害的，問題是客觀上沒有那樣的東西讓他們去接觸。民眾的進步性是由生活的歷練中學習得到教育的，並非受到書本、意識形態的影響。台灣學生的落後性除了消費社會的因素或功課太忙之外，客觀條件的欠缺是有很大的關係。台灣實在沒有東西讓他們接觸，他們頂多變成一個黨外，用內容貧乏的辭語罵國民黨。台灣最大的問題就是所有的反對者心目中都只有一個國民黨，使他們無法看得更遠，想得更深刻。

呂：你是說黨外不是來自民眾嗎？

陳：噢！那是另外一個問題。黨外運動是代表台灣資產階級的政治運動，是那塊泥土自然生長出來的。問題是這個反對運動的品質，與其他第三世界的反對勢力的思想、文化、知識形態的深度是不能相比較的。

我這次在寫作班與其他第三世界國家作家交流的感受很深。他們的創作做為藝術品的水準如何是另一回事，但是做為一個作家，他們的認真和自覺水準是高出我們太多了。

戴：我讀了這次討論「台灣意識」、「台灣人意識」、「台灣民族意識」的幾篇文章，感到奇怪的是，作者對以上幾個問題的邏輯層次都沒有搞清楚。正有如你剛才說的「心目中只有國民黨」，連自己都沒有了，一味只罵國民黨，把一切台灣不好的責任都推給國民黨，要國民黨承擔。這種不求進步，少有自我批判，自我提升層次，自我拓寬格局的態度，無論在學術上或思想邏輯上都是墮落的。「維持現狀」本身就是退步的。

葉芸芸（以下簡稱葉）：戴教授，能不能請你對「台灣意識」、「台灣人意識」、「台灣民族意識」簡短整理、定義？

「台灣意識」與「台灣人意識」要分清楚

戴：原本不是學問的東西，硬要加以界定，很難的，我只能以假設要我寫一篇提倡「台灣意識」的文章這樣的觀點來談。首先，「台灣意識」與「台灣人意識」有其相重疊點，也有必要區分清楚的地方。我的意思是說，無論理由是反共或恐共，為了抵抗中共的力量渡過台灣海峽，是可以主張「台灣意識」的。但若藉著提倡「台灣意識」和「台灣人意識」來轉化做「反華」的思想武裝，則未免過於情緒化，且是低層次的行徑。也就是說為了對抗中共、維持台灣現狀，大家盡力溝通、尋求共同的觀點與利害關係，在這個基礎上或許可能構成「台灣意識」。目前的提法好像都是認為沒什麼好商量的，人人都得認同「台灣意識」，否則就是併吞派，就該滾蛋，這就未免太霸氣了，有強姦民意的味道……。

葉：陳鴻基在〈台灣意識——黨外民主運動的基石〉一文中曾指出「台灣意識」的形成，乃是因為今日台灣的經濟社會生活已形成了共同體。你的看法如何？

戴：這個理論基礎是很脆弱的。你可以找「高山青」的山地青年、中壢一帶鄉下客家村莊，或外省退伍軍人下層窮困人家來問問看，他們會同意台灣的經濟社會生活和他的是共同體嗎？他們會認同當前以福佬中產階級做基礎倡導的「台灣人意識」嗎？「台灣意識」是否已形成，還牽涉到如何評估台灣的資本主義成長過程，以及台灣的資本主義發展已經成熟與否的問題。那麼「台灣意識」與「台灣人意識」也還有必要區分清楚的地方，比如我在日本生活，我認同日本社會的現狀，希望她維持和平憲法，不再有侵略戰爭，經濟能繼續發展，社會秩序安寧，因而我是有「日本意識」，更通俗一點說是具有「日本居民意識」的，但是我不可能認同「日本人意識」。再以林正杰來說吧！我相信他是有「台灣意識」或是「台灣居民意識」的，但是強要他認同「台灣人意識」恐怕就有困難。所以說「台灣意識」與「台灣人意識」是不一樣的，應該分開看待，但是現在這個問題好像混淆不清……。

陳：我想這個問題的混淆是有原因的。史明的「台灣民族論」的主要論點一個是社會發展論，一個是中國人對台灣人的殖民統治，也就是民族的壓迫。所以雖然借用歷史唯物論的語言，卻發展成極為唯心論的東西。強調台灣的政治矛盾核心是民族壓迫，也就是他表明的兩條公式：第一，中國民族——統治民族——壓迫階級；第二，台灣民族——被統治民族——被壓迫階級。這種提法是存在於他的「理論」架構中最大的矛盾，原來機會點是在「台灣意識」的，但是因為這個「理論」上的錯誤，導致另外一個錯誤——即是強調台灣的政治是殖民統治，就像日本人對台灣的統治。這個「理論」架構上的弱點，是因為與實際生活的不一致，這一點我們待會兒再討論。

但是，「穩健」派的台獨似乎並不強烈主張民族矛盾，他們要求台灣的人權、民主和自由，卻不一定要全面地掌握政權，若有必要，甚至說願意搞遊說團體替台灣辦對美外交，這樣的主張可能稱之為台灣本位主義較恰當。

戴：這也就是「革新保台」的論點，革新保台論者認為大家在同一條船上蹣跚航行，將共同面臨風暴。

陳：對。所以要求的是修正，因為在共同的階級基礎上，如何保持這個階級的存在與發展才是問題。所以我看「台灣」與「台灣人」意識的混淆不清，是因為基本上台獨運動存在著兩個不一致的主張。

近代民族國家的形成與民族意識

戴：至於從「民族國家論」的學術立場來談，「台灣民族論」對不對的問題，我看很難。我們都知道，現代民族和民族主義的概念是來自於西歐近代民族國家的成立。也就是說近代社會科學上所言及的民族論、民族概念，並不是超時空、超歷史的存在。日本民族也罷，中華民族也罷，都不是幾百年以前就有的概念。例如，近代日本民族的形成、日本人的概念，以及他們的日本人意識要俟到1880年代才逐漸醞釀成形的。在此之前他們各自分別稱為「長州人」、「信州人」或「遠州人」等。本來「州」就是通到「國」的一種語彙。日本人打完了明治維新過程的最後一次內戰（也就是西南戰爭，1877年），日本資本主義慢慢成長，國民經濟圈逐漸成形，日本人意識才萌芽出來的。至於日本人意識以及日本民族的整合性概念則得藉兩次對外侵略戰爭，一為甲午戰爭，二為日俄戰爭來培育與穩固。

我們繼續談一下中國人意識和中華或中國民族概念的萌芽，培育，發展成形的過程。據我未成熟的看法，萌芽略見為鴉片戰爭（1840～1842年）階段，但這個只是斑點的存在而已。較大規模的萌芽和催生是藉助於辛亥革命的。至於發展成形，還得藉日本軍國主義的殘酷行徑轉化為「反面教師」來培育的呢！

「台灣民族」論須向前看

因而「台灣民族論」，只往後看——也就是在歷史痕跡中去尋找見證，是沒有希望的。尤其從漢族系移台居民群體身上來找「台灣民族」的根基是牽強附會。若真要找出一縷希望，要往高山諸族去尋找才合情合理。但是當前大多數「台灣民族」論者卻不屑言及有關高山諸族的歷史問題，沒有面對歷史的事實。我真不知道，為何還有人要用幾把剪刀和漿糊來編織，真是勞民傷財啊！

但話得說回來，若論者願向前探討，而台灣的局面能夠維持現況不變，所有圍繞台灣的客觀條件也不改變，我們還可勉強就下列主觀條件來討論「台灣民族」能否成熟的問題。我認為當為主體的「台灣人」（她的整合概念已成熟為前提）能夠真正樹立「群體自我」（亦作群體認同，group identity）的尊嚴和獨立自主性，不再挾美、日以自重，且能揚棄仰賴美、日外來勢力參預的慣性，真正依據群眾的草根性，挺直脊骨，力求自我提升層次，擴大格局並更打拚的話，再過50年、100年或許有可能把「台灣民族」培育起來也說不定。

以現階段台灣政治、經濟、社會的總合現實來判定，我認為台灣人意識以及以她做為前提的「台灣民族」是萬萬不能斷定為成熟的。

主張「台灣民族論」者，往往把支持中國大陸與台灣將來成為一個國家的人們罵為併吞派，指摘他們陷進「大漢沙文主義」、「愛國沙文主義」、「大中國沙文主義」等的泥濘中。「台灣民族論」者，主張「台灣人」有別於「中國人」，「台灣民族」有異於「中華民族」。這一種主張，若以善意來解釋，是用insider's perspective（當事人觀點）來看待台灣內部的問題。他們為了抗拒官方體制的民族主義，也就是他們斷定為以outsider's perspective（觀察者觀點）來套的「中國（或中華）民族主義」，或者是以order's perspective（訂製者的觀點）來框定的「中國（或中華）民族主義」而有所主張。

這種邏輯是否正確，能否行得通，我們可以暫時不加以評論。但我們只要冷靜來考察，高山諸族人士和客家系人士亦可斷定當前「台灣民族論」者所主張的「台灣民族論」為「福佬沙文主義」的一種體現。因為倡導「台灣民族論」者多數為福佬人士，他們無形中忽視或輕視高山諸族人士及客家系人士的insider's perspective的權利、立場和機會。他們若視當前「台灣民族論」有實現的一天，他們將被「台灣民族論」者剝奪主張各自「群體自我」尊嚴的權利。

我個人並不反對台灣人意識的培育與成熟。但是有三個條件：我們得肯定台灣內部居民的多元存在為先，如何善待高山諸族，客家系人士以及大陸系人士有關問題為次，三是我們得勇敢地面對多層且複雜的社會現實。逃避現實的人是懦弱的，是不可能與「勝利的女神」有緣分的。這已是人類共同的歷史教訓。

我們絕不可學希特勒和墨索里尼（Benito Mussolini），依靠資產階級的反共、恐共心理，藉反共來推展反人性的種族主義，排外，歧視「他族」，殘殺猶太人等的行徑。

「台灣民族論」暗藏著把省籍矛盾，地方性（地方主義）層次的摩擦無限上綱為民族、種族矛盾，搞出一種假象，不知不覺地，把自己的視野蒙住，甚至於有意蒙住老百姓的眼睛，我憂慮這一種論調的持續將給台灣帶來不測的災禍。有位曾經參加過世台會，一度為史明「理論」信徒的年輕朋友告訴我，史明在世台會要求鄉親們「若有說不慣『台灣民族』的人，可以在早飯前先喊十遍『台灣民族』就可以了……。」那位朋友說真有一點像希特勒的宣傳作法，也聞到「台灣民族論」裡面已有法西斯主義的萌芽和火藥味，因而苦惱另尋出路了。「台灣民族論」會不會變成法西斯主義的「鬼胎」，給我們的美麗島帶來災難，我不敢預卜，不過站在研究社會科學的立場，先提出問題當個警告吧！

另外，我身為客家系台灣人，我總認為客裔人士和福佬人士合起來的漢族系台灣人，雙手都不是頂乾淨的。我們該擔當起來，積極地肯定，並容納高山各族各自意識的主張與樹立。同時我得強調客家人意識和健康的台灣人意識是絕對不對立的，也不該讓她們對立的。

在台灣的客家人意識和台灣人意識不但不對立，我認為大可把她定位為台灣人意識的下位概念來善待而中華民族意識則是台灣人意識的上位概念。

我期待台灣人意識的健康成長，不等於我放棄客家系台灣人意識，更不等於我放棄認同中華民族意識。

我也得強調認同中華民族意識，並不等同於認同中共或國府的政治體制。在正常的社會，某一位公民或市民對政黨、對政權都應該具有選擇認同的權利，「主權在民」的真正意義應該在此的呀！

呂：那麼，綜合以上所討論的，我們是否可以簡單地說「台灣人意識」是「台灣民族」的前提？

戴：是的，是的。

呂：我在《台灣與世界》第四期所整理的有關論爭文摘中，記不清楚是哪一篇文章了，好像讀到關於「台灣意識」的一個簡單定義──「台灣意識」就是「愛」台灣，就是認同台灣，與「關心」台灣是截然不同的。只有「愛」台灣的人，才有資格決定台灣的前途命運，我覺得這種說法頗有說服力的。

葉：這個觀點陳永興醫師在七月的美東夏令營演講中，解釋得很清楚，他說：「愛台灣就是你要與她共生死，台灣再怎麼不可愛，你都要愛她。」

琉球獨立運動的啓示

戴：這個論點表面上好像很有說服力，因為完全是以感性做基礎，好像談戀愛一樣，不必談理智的問題，做為一種文學題材或創作的動力是很感人，但是在國際關係、現實政治、歷史發展浪潮中的「台灣問題」恐怕需要冷靜下來，甚至冷酷地來對待。我們可以來參考琉球的獨立運動，琉球在歷史上曾經有過琉球王朝，在近代以前也曾在明清兩朝和日本的幕府、明治維新早期政府之間保持微妙的半獨立狀況。這個在「近代國家」萌芽的前階段曾存在過國家體制的琉球，其獨立運動卻始終很難且根本沒有過發展。琉球目前仍有獨立運動，但它的主流已退讓到要求自治的聯邦制，我認得一位在美國任教的琉球人教授，他主張琉球民族是構成日本民族的一部分，是沒有民族矛盾的（過去的日本民族只指大和民族，甚至「愛奴族」也被排開，值得我們特別注意的是日本共產黨也到最近才承認「愛奴族」是少數民族，日本人的看法是非常落後的）。相對於大和民族，琉球民族應要保持其文化、歷史的特殊性，而與日本四個島的主要居民勢力——大和民族，構成日本民族聯邦政府，保持日本多元性……。

陳：琉球人在種族上是不是和大和民族不一樣呢？

戴：種族上應該是不很一樣的，外型上就可以看出差異。但是，過去因為「反基地鬥爭」，日共當局一直否定這種差異。這是因為美國為了維持在琉球的軍事基地，以對抗蘇聯和過去的中共，曾有意促使琉球特殊化而獨立於日本之外，而日後隨著美日關係更進一步的結盟，美國終究是讓琉球主權回歸到日本，重新稱呼明治維新後改稱的「沖繩」，同時還繼續保持美軍在琉球的軍事基地。據我的了解，琉球獨立運動雖也有依靠美國力量的，但是有獨立思考的人是主張有民族矛盾、要求民族獨立的，而如今他們已修正到要求參與日本民族的聯邦制。所以，在複雜的國際政治關係中，琉球獨立論雖有較台灣獨立論優越的歷史背景與國際條件，仍無法主張「民族意識」，「民族自決」。而今日以「台灣民族意識」為基礎的台灣獨立運動（民族獨立的真正基礎應在有種族差異的高山族，卻被我們的台灣民族主義者一筆勾消了），不僅其民族意識的形成需要很長的發展時間，另一個問題是台灣海峽太近了，大陸10億人口所造成的有形、無形的壓力能否阻擋得住？所以我認為日本聯邦制的提法是比較進步的。就像明治維新以大和民族為核心形成日本民族，近代民族國家都是以優勢民族為中心形成的，但在它的具體過程裡往往犧牲了少數民族的權益，這點卻是很需要修正的。我認為所謂「日本民族」應該包括大和民族，以及愛奴民族、琉球民族等少數民族，由這幾個民族來構成高一個層次的日本民族，然後成為統一的聯邦體制國家，賦予少數民族相對的自治權，這一種提法才是進步而合情理的。

新加坡都感受到10億人的壓力

呂：關於如何承受來自大陸各種有形、無形壓力的問題，即使以新加坡的地位都還感到吃不消，新加坡政府採取了很多措施，包括壓制華文，現在連政府、商號的公文都改用英文了。上回在美國的聶華苓、鄭愁予等幾位中國作家和大陸的艾青、蕭軍等到新加坡參加一個文學會議，新加坡政府就花了很大力氣把他們和新加坡民眾隔離……。

陳：是防範得很厲害。中國作家受到監視，據說他們在旅館中，若是華人打進來的電話，特務替他們接聽都說「不在」！怕他們與當地作家接觸，激起文化上的共同感情。

呂：甚至謠傳主持會議邀請中國作家的文化部官員，都可能要被逼下台。

戴：對，對。南洋大學被新加坡大學吞併，也是同樣的因素。李光耀在都市計畫也針對了這個問題大下其功力的。過去都是福建或廣東哪一個縣來的就各自構成一條街，這是自然形成的。都市重新規劃以後，改建大廈公寓，不但把華人過去的幫派打破，還把馬來人和華人統統混在一起了。李光耀為了促成培養「新加坡國民意識」是從都市計畫、國民住宅、物質生活上各方面著手的。但是，還是很困難，每次大陸有乒乓球隊去，當局怕老百姓向中國隊認同鼓掌，要先廣播提醒「我們已是新加坡人了，雖然我們華族的歷史文化是來自大陸」。

回到台灣的問題，儘管有些人為了他們在政治上的需要，而高喊「台灣民族意識」，實際生活中卻有一種復古的趨向，譬如婚禮、拜拜的儀式，吃、住尤其是家具一類的樣式很多是採用古中國傳統。所以，中產階級知識分子所辦的黨外雜誌，雖然要這麼提倡，一般老百姓能認同多少，我倒是很懷疑的。反國民黨的情緒，對現狀的不滿不該與「反華」劃成等號才對。但一些人卻故意或無意地把它混淆不清。

陳：在台灣實際上的文化生活，有兩個方面：台灣中產階級的生活文化，隨著台灣資本主義商品文化的發展而日漸國際化，物質生活「現代化」的同時，台灣傳統的、特殊性的生活文化也在消失中。但台灣都市中產階級以外的一般老百姓，例如城市貧民、工業城鎮的工人、偏遠農村農民的文化生活中，卻還緊緊地保留著台灣傳統的民俗，宗教祭拜、戲曲、民間藝術等，而這些文化卻保留著十分濃厚的中國性格。然而，主張「台灣民族論」的人，強調台灣的「特殊性」，卻不深究他們所強調為「特殊」的「台灣文化」，例如布袋戲、歌仔戲的內容，例如台詞上的「上京赴考」的「京」不可能是台南府城，也不正視台灣在被強迫的國際分工中，城市消費文化日趨國際化而喪失民族認同的消費文化生活。

自己先有個信念，再為它找「知識」或「理論」的根據，不只是一般理論家的毛病，尤其是一些庸俗化的「左」的理論家容易犯的毛病，台灣民族論就是一個例子。

在台灣生動的生活中，30年來的社會發展，清楚地呈現了這事實，所謂外省人和本省人，只依著一般社會學的規律，組織到社會的階級中。賀兆雄的階級中，有本省人和外省人，他們之間是團結的，屬於John Chen的扶輪社那個階級中，有外省人和本省人，而且是友好、平等、團結的。即使只是形式邏輯，都可以知道凡台灣當權者皆外省人這個事實，是不能引導出「凡外省人皆為台灣當權者」這個結論的。

民族壓迫，是切膚的壓迫，原不必什麼「理論素養」就可以認識的。日據時期的台灣，台灣小孩和日本小孩，從小學就開始打架，直打到中學去。教育的差別、經濟活動的差別、人格的差別，每天每刻都存在於具體生活中。你可以用別的提法來指控台灣社會與政治的不公平，但不能以「殖民論」來代替。若是統治民族，就不容許他在貧民窟住，不容許他睡車站、公園，不許他開計程車伺候二等國民；若是被統治民族，就不許他學習法政，不許他經營像台塑那麼大的企業，不許他與一等國民同上一個學校……。

和台灣現實生活這麼脫節的東西，如果直拿它來當作「革命理論」，非遭到悲慘結果不可。我來美國後，有這樣的感受。台灣民族論在台灣是搞不起來的，因為「中國人民族對台灣人民族施行殖民統治」在台灣生活中並不是事實。但這台灣民族論，依然有它的物質土壤。那就是北美市郊區中產以上台美族的生活。台灣民族論，現實上是北美中產階級台裔美國公民的意識形態。以他們傲慢地「指揮」島內黨外的神態來看，益徵其信而不虛。楊逵老先生說得好，他是來北美之後才看見「台灣民族」的。

其次，應該談一談「1,800萬人」論。這和「台灣民族」論有深切關係。最近我讀了《台灣思潮》第5期（1982年8月號）所載王茂盛寫的論文〈從革命觀點看當代台灣就業人口〉，很受其中一部分提法的啟發。

1,800萬人，其實是個空虛的數字，沒有實質的社會學意義。扣除14歲以下以及衰老的非生產性的人口等，台灣實際的經濟活動人口只有八百多萬。八百多萬中依農、工、商、服務四個行業中各自「雇主、自雇者、無償工、有償工」這四個類別去分析，有償工占419.7萬人，雇主占25萬人，自雇者占117萬，無償工占72.1萬人。做為台灣資產階級意識形態，即概括地屬於雇主、自雇者階級的意識形態的「左」的和右的台灣民族論，又怎能代表占著絕大多數的有償工人口的利益呢？

形形色色的台灣民族論，這些年來不斷向我們和他們的外國朋友呼喚「1,800萬人」如何如何，夜深人靜，也應該自覺到它空虛而虛構的一面吧？

獨立自主的台灣資產階級難以產生

戴：我所讀到的主張「台灣結」的論述，好像都對台灣的經濟很有成就感。你可不可以談談對台灣經濟前景的看法？

陳：經濟這是很深刻的問題，我恐怕沒有力量可以發言，我只能從一個生活在台灣的人的感想和體會，提供給大家參考。我個人認為台灣獨立運動的最大弱點，在於台灣一直無法產生真正獨立自主的資產階級。怎麼講呢？歷史上西方資產階級民族國家的形成，有一個特徵，就是都有獨立性強、有創意、有尊嚴的不依賴任何其他力量的資產階級。在微妙的國際政治和國際經濟下，在1960年代發生的台灣的資產階級的成長，只有兩條路可走。一條是與政權結合，而帶著附屬的官僚的一種資本主義經濟的性格，比如像大家都知道的大同公司的林挺生，也就是說必須依賴政治上的權力，維持其資本積聚和成長。這原因是，台灣的資產階級在現有政治權力結構中，沒有自己的代表，所以使自己的資本「官僚化」，以保護和發展他的產業。走上這條路的台灣資產階級就帶著很濃厚的官僚壟斷資本的性格，自然因著資本的屬性要致力於維持秩序。第二條是與外國（美國或日本）資本結合以尋求壯大，而帶著深厚的買辦性格，又因資本屬性而帶著強烈的依賴性，帝國主義性格。這是台灣經濟一個很重要的特點。

此外還有官僚資本和帝國主義資本結合的，這是另一個特點。因而，台灣的中小企業就如同陰溝裡的泡沫，看起來是存在的，但個別地是不斷地生生滅滅的過程，只有少數與官僚資本、帝國主義資本結合的，才發展成上述那兩種情況。再加上台灣這十幾年來為了加工出口貿易，承接了其他先進國家因折舊而丟棄的生產技術，即台灣在大國所規定的國際分工、國際生產線上的定位，規定了台灣整體經濟的依賴性格更不在話下。台灣資產階級非獨立的、依賴的性格，規定了台灣分離運動的依賴和不徹底的性格。但是在這樣的情況下有許多人致富了，一種是正在賺的，他們關心的多半是如何改善營業，如何促使企業成長的問題，很少會關心現實政治的。還有一種是已經賺了錢的，則他們關心的就是如何保值、如何保護其財富的問題，於是馬上就碰上台灣的未來地位問題，因而引發了非常深沉的不安全感，大家爭先恐後地往外跑。

戴：都忙著為了成台美族的一員而奔命。

陳：我片面的考查，以資產階級為中堅的台灣民族運動與台獨運動其階級本身就帶著這麼致命的弱點，完全沒有為了保護其階級前途而奮鬥的信念與堅定性格。

戴：所以，問題倒不在中共會不會過海來。像這幾年來那麼多的經濟犯罪就是一種現況的反映。……企業家們大失其信心。但另一些人卻自誇台灣經濟的成就，他們真有信心，認為台灣的經濟發展能夠持續嗎？我真有一點懷疑。

陳：這些因素影響了台灣經濟的缺乏長期發展計畫，而這長期性計畫，正是大資本企業最重要的一環。因為生產與擴大再生產是要一定時間的。這種從來沒有長期投資發展和管理計畫的企業型態，嚴重影響著台灣經濟發展的本質，永遠是一種投機的、暫時的措施。

戴：除了中產階級之外，那些沒有代表代為表明立場的沉默大多數人，他們的情況又是如何呢？能夠代為推測、分析一下嗎？

殖民統治的表象、假象與真相

陳：我說的也可能只是片面的觀察。我們就以台獨「左」翼「民族壓迫」的理論來談吧。方才說，一種「民族壓迫」並不需要很高深理論去認識的，比如您們小時候，台灣人和日本人從小就開始打架，從小學打到中學，甚至到大學，然後有很多人就去搞抵抗運動，這個原因很簡單，因為日本人既是異民族又是政治、經濟生活上的統治階級，這兩個條件相疊合時才構成「民族壓迫」，這也是他們的「理論」。台灣的情形，隨著這30年的社會發展，其社會矛盾本質只是更加真實化、具體化。怎麼講呢？過去因為前近代的中國與殖民地資本主義化的台灣長久隔離而產生的那種震驚與痛苦，很簡單化、很尖銳地歸結到表面的省籍問題。然而30年的共同生活中，不斷地因著社會發展的規律，使得台灣的大陸人和本省人非常社會學地編制到台灣社會的各種階級裡，這才是台灣社會的事實。而這種階級編成，就表現在階級的生活、文化的生活和通婚的關係上。為什麼在吳濁流、鍾肇政的小說中一個日本女性要嫁給本省人總是不可能的呢？因為劣勢民族、被統治民族的男性是不容許擁有一個優勢民族、統治民族的女性的。而我們都很清楚，今日台灣的真相漸漸不是如此。前面提到的海員工會以及扶輪社成員就是一個例子。

戴：「台灣民族論」者努力要把省籍矛盾擴大成為民族矛盾，是相當牽強附會的。殖民地與非殖民地的分別，第一可在教育上看出問題來。日據時期的台灣人（斯時叫作本島人）要受中、高等教育談何容易，國民政府在台灣並不曾採取隔離的教育措施，本省人與外省人都通過聯考入學，在教育層面上，只有階級的差異而無省籍的歧視。此外，「台灣民族論」者還嘗試把日本人對台灣的殖民統治型態，繼續延伸下來解釋國民黨對台灣的統治，以此，「台灣民族」再度以被殖民者、被壓迫者自居，唱著「苦難的台灣人」的哭調仔自怨自艾，不僅自我憐憫又要別人的同情，實在是非常不求上進而墮落的一種姿態。依我觀察，台獨運動之始終不能展開，乃是這種卑屈感，喪失自我尊嚴，（喊空頭口號，自鳴得意，相互標榜不算為真正的自我尊嚴感的表現）心理情結之累。

「幸福意識」瀰漫於台灣

陳：然而台灣型大眾消費社會的自然發展和形成，使得今天的一般台灣人毫無「苦難意識」，有的只是「幸福意識」，是一種對「幸福」（所謂「幸福」乃是物質消費生活的改進帶來的部分滿足感）不斷追求的意識，姑不論這種「幸福」是真實的或是假象，今日的台灣人是斷然沒有「苦難意識」的，更沒有日據時代那種悲壯的、莊嚴的民族意識。所以，當我讀到戴先生提出「自主的」台灣人意識（參考戴先生日文著作《台灣與台灣人》）〔參見《全集》1・台灣與台灣人》〕很受感動。

呂：剛才的討論釐清了台灣並不存在著兩個互相矛盾的民族，但若是相對於大陸，台灣島上的人是否有民族的差異或特殊性的真相？

戴：那主要是省籍矛盾，是地域性本位主義相互摩擦的問題，而非民族矛盾。因為中國地方大，在歷史發展的過程中，本來就具有地方特性會造成矛盾或衝突，這個問題是可以由時間來沖淡的。日本過去也是如此，在明治維新時代還是有內戰的，後來因為國家政治制度的近代化，才慢慢地把這個問題克服下來，就是在太平洋戰爭時期，陸軍與海軍還保有以某縣人為優越的傳統。其他日本人要進入仕宦之途，就通過考取東大法學院一條路，東大法學院畢業並經高考合格後就可以進入政府財經部門任職，至於以後能不能升高官，是要依靠自己的能力和政治裙帶關係，比如與某某國會議員或局長的高官之女結婚，這是日本資本主義發達成熟後的議會民主政治的一種規律。由這個觀點來看，台灣的資本主義發展是尚未成熟的，台灣的資產階級不僅在政治上少有代表人且沒有權力、沒有相對的發言權，甚至國府也沒有容許他們進入政治權力核心結構的正常管道存在，因而才會有黨外民主運動和台獨運動的產生。

苦悶的「第二代大陸人」

陳：我還想做幾點補充。第一，在台灣的現實生活中，只有階級的差異而無民族的差異，所謂「中國人」與「台灣人」的矛盾，在現實上是不存在的。台灣的「第二代大陸人」的問題，恰好是這個提法的註腳。這些「第二代大陸人」很苦悶，他們是中下層外省籍公務員和軍人的子弟，在台灣的社會既無權力裙帶關係，復加具有認同上的徬徨。這就反面說明了台灣社會的矛盾性格不在民族問題而是在不同階級、階層的差異。第二，一般老百姓在目前這個向美、日先進國家依賴的經濟體制仍可運行的情況下，多半是不會關心政治的，趕快賺錢才是更重要的。「美麗島事件」這麼大的事件發生時，圓環附近的夜市仍有人在喝酒猜拳，絕不像波蘭的工運那麼悲憤，是屬於一種全波蘭人民的運動，或是孫中山先生時期的國民黨和已覺醒的知識階層的關係，或延安時期的共產黨與人民的關係。人民把希望寄託在國民黨或中共、相信只有同盟會、國民黨或中共成功了他們才得以翻身。所以當國民黨或是中共受到破壞的危急時，人民會保護組織、為黨犧牲。目前的台灣黨外與群眾還沒有成功樹立這一種關係。而選舉時群眾給予黨外的掌聲，可能緣於同情或自身政治、經濟生活上的不滿與苦悶，不見得有什麼堅固的認同感。但是黨外卻往往將「聽眾」誤解為黨員或堅決的支持者。

第三，是黨外天生弱質，沒有自己的文化思想和理論的深度，更缺乏有深度、思想層次的政治家，確實難以成為一種運動。這當然是與台灣三十多年來哲學思想社會科學教育的貧困有關係。多年來大家爭相以罵國民黨來贏取選票，同時幾乎所有的反對力量也都以國民黨為世界的中心，除了空泛地罵國民黨仰望美國和日本而外，也少有黨外自己的、自主的世界觀。而今，黨外人士對海外更有一份令人難解的自卑感，總是在向海外的台美族博士們鞠躬誇獎，並且期望透過他們影響美國的對台政策，從而改變一黨獨大的台灣政治現狀。由革命的歷史看，這種現象也是異常的。我們都知道無論孫中山的革命也好、蘇聯的革命也好，主要的力量莫不是在國內的，好像從來沒有一個所謂的「革命」是這麼依賴或形勢上接受國外力量的指揮。

「台灣人意識」與鄉土文學

葉：當前主張「台灣結」的論述，都以黨外民主運動為「台灣人意識」在政治層面的象徵，而以鄉土文學運動為「台灣人意識」表現在文化層面的象徵。你是文學創作者又是當年鄉土文化論戰的重要當事人之一，我特別想了解你對這種論點的看法？

陳：鄉土文學的出現是在1960年代中期以後。若以文學思想史上的意義來說，鄉土文學論戰（1976年）其實是現代詩論戰（1971年）的延長。鄉土文學論戰時所提出的理論問題，譬如文學的民族風格，文學應該為大多數人，文學應該描寫現實社會的生活，文學應該為社會的改革與進步而服務……等，這些理念都在保釣運動初期發生的現代詩論戰時就提出來了。而且鄉土文學的實踐——重要作品的創作，也早在論戰發生以前就開始了，並不是論戰以後有了理論指導才創作的新文學。

1949年之後的台灣，因為政治造成的歷史斷層，連帶的在文學、思想上也無法和中國的1930、1940年代接上頭，甚至1949年以前在大陸發生過的重要知識生活，譬如著名的社會史論戰、社會性質論戰、科學與玄學論戰等，對在台灣成長的新起一輩文學工作者而言都是十分陌生的。隨著台灣與美國的緊密盟友關係，不僅政治、經濟與軍事上，甚至文化上台灣也受到美國的支配性影響，這一點與戰後的日本很相似，最為顯著的就是教育、醫療制度的結構與思想由日本式的改為美國式的制度。因此1950年代以至1960年代的台灣文學可以說是帶著「西化」的面貌出現的，受到歐美式現代主義的全面支配，一直到1960年代末期，社會的低層才有了黃春明等人的小說來反映他們的生活。這個現象在政治、經濟上，或可勉強解釋為與跟隨著美援經濟體系一起成長的台灣本地資本家的成長有關係。跟隨著台灣本土經濟的成長，有些作家開始回頭來寫身邊熟悉的人與事物。

那麼，你所提出的鄉土文學是不是「台灣人意識」的表現問題，是非常值得討論的。當年鄉土文學論戰中，我們是面對著把我們當作「台獨」和「左翼文學」的左右雙重政治指控，首先因為鄉土文學作品所寫的都是台灣本土的人物、社會、生活與語言，有很濃厚的地方色彩，所以被指為有「台獨」的嫌疑。第二因為鄉土文學所寫的人物多半是社會下層的，所以又有左翼文學的嫌疑。面對著這兩樣的政治指控，我們的辯駁有兩方面，一是強調台灣鄉土文學絕不是階級文學。理由是在向來的鄉土文學作品中並沒有很強烈的階級觀念或階級意識，即使楊青矗所寫的工人小說都不能算是無產階級文學，因為他並沒有馬克思所說的無產階級的「自覺意識」── 要改造社會，創造新社會的歷史自覺。台灣的鄉土文學作家並沒有人寫過一篇這樣的作品──描寫備受地主或資本家壓迫剝削的農人或工人，有一天突然覺醒，相信他們必須團結起來，打破現有的體制而建立一個農人或工人為主體而掌權的社會──除非有這樣的文學作品出現，我們才可以說那是工、農文學，或是階級文學。另一方面是說台灣文學雖然有其地方性、特殊性，但終究也是中國文學的一支流。與前面所說的道理一樣，台灣的鄉土文學也還沒有出現過這樣的作品──描寫一個「台灣人」，向來自以為是「中國人」，而在嘗盡了各種挫折傷痛後，終於幡然覺悟到，自己必須只是「台灣人」，絕不能再是「中國人」了，並且自覺地為台灣民族的解放而鬥爭。縱觀近現代台灣文學中，還沒有這種文學作品產生，我們就絕不能說台灣鄉土文學是「台灣人意識」的一種表現，而不屬於中國文學的一支。在日據時期卻是有這樣的文學作品，但那時候的「台灣人意識」是相對於「日本人意識」的。

文學到底是文學，任何文學理論、詮釋，都要有現存文學作品為依據。如果台灣社會的確已形成「台灣人意識」，自然地應該會反應在文學作品的。因而我個人認為強說台灣鄉土文學是「台灣人意識」的文學是毫無根據而一廂情願的，而且對現階段台灣文學的發展也是有害的。我期待文學理論家們對台灣鄉土文學做更冷靜深刻的分析，也要對世界文學有更為廣泛深入的理解，在這樣的視野下或許對台灣鄉土文學會有較客觀的評估，而不至於為了個別政治主張的方便，隨意的解釋和奸污台灣鄉土文學。

文化創新的展望

葉：戴教授，歸納您前面所談到的關於近代民族國家和民族意識的形成，我們是否可以總結地說，「台灣民族意識」的培養，可能是要放棄在歷史痕跡中尋找根據，而積極地展望未來，也就是說要向前看，不要向後看。那麼接著，您能不能更深入地談談「向前看」的內涵意義是什麼呢？「台灣民族意識」如何才能健康地發展？

戴：所謂「向前看」有個大前提，就是要從世界史的現階段或者放在未來大格局的展望裡來說。那麼，最重要的當然是如何處理少數民族的問題，也就是說要承認且尊重少數民族的權利和肯定多元文化存在的現實，以此做為前提來探討我們的課題。同時在文化上要重新評估地方特性，即是保持與發展地方文化的本土性與多元性，來鋪好文化創新的良好土壤，從而與資本主義化所帶來的文化上的「劃一主義」——也就是映真兄所說以歐美為糖衣的「消費型文化」相抗衡。從文化創新的角度來談，有地方特性的方言、地方戲曲、民間藝術等，是非常重要而富於生機的，但是搞政治的人似乎都不怎麼考慮文化的問題，有些甚至於藉地方特性來主張分離，有時卻認為對多元存在的肯定會導致分離和破壞團結，而盡量避免談及。因而文化問題總是受到政治掛帥的處理。比如說語言的問題吧，中國那麼大的地方、那麼多的少數民族與方言，為什麼硬要把「北京話」當作「國語」來講呢？單就這一點來看，中共用「普通話」的稱呼，倒是比較合情恰當的。而且「北京話」和「閩南話」、「廣東話」、「客家話」等各種方言又為什麼要對立起來呢？各種方言和一種做為溝通用的、大家都懂的「普通話」之間有什麼理由讓它們不能和平共存呢？這完全就是政治造成的。政治上的當權者恐懼方言成為分離運動的推動力之一部分，所以老是要壓制方言，推動所謂的國語。其實方言、少數民族的母語與「普通話」之間的關係，我們大可讓它們有和平共存，切磋琢磨，互相補短截長，豐富各自語彙。為何一定要搞成敵對緊張呢？我們應該發揮我們的智慧，好好對待這個問題。文化創新與政治之間一直存在著這麼敏感微妙的緊張關係，我們要「向前看」就必要對這個問題有合理的、建設性的處理，映真兄由文學創作的角度，怎麼來看待這些問題的呢？

陳：這個問題我們在台灣也有很多思考。首先，今天如果一個人要繼續站在中國人的立場，似乎就無可避免地背負著海峽兩岸兩個政權的包袱了。這個問題我也曾經苦悶過，而今終於理解我所認同的，仍是中國的土地、歷史、人民與文化，並不是那一個特定的政權與政黨。因而我也認為文化與政治的問題，必須要有「人民」的觀點做為大前提。以語言政策為例，為了一個統一的國家而推行國語或是普通話是有必要的，但同時也必須充分尊重各地方方言。國民政府在台灣推行國語，可說是前所未有的成功，但是推行的手段卻是相當不合理也是極為不健康的，譬如限制大眾傳播的閩南語時間，限制歌仔戲、布袋戲的演出，甚至在學校說方言的學生要受到處罰，使用方言——我們的母語竟然成為一種羞恥！當然，國民政府為什麼這樣子也可以分析，1949年移到台灣之初，從社會學的觀點來看，國民黨政府與本地的土著力量沒有任何固有的關係，這使得他對台灣本地的方言也有一種恐懼或心理壓力，國語政策的背後是有這樣的純然政治領域的推動因素。現在台獨分離運動卻也沒有超越國民黨，在反抗國語政策的同時，自己也帶著「福佬話沙文主義」，充分地漠視其他如客家話、高山各族語言的存在。同樣的，有些贊成統一的人，也因為政治主張而沒有深究地就反對方言的使用，這些都是非常值得反省深思的。而大家檢討的基礎，也就在必須有「人民」的觀點為共同的基礎，然後才能平等地對待各地方文化，尊重地方文化的特殊性，進一步才能談所謂文化創新問題的展望。

戴：我得補一句。我看美國文明儘管有它腐敗的一面，它的多元性也附帶有不可原諒的種族歧視等的負面。但它在文化創新的層面上具有的「生機」和「潛能」相當地「活」和「富」。這些條件及相貌當然有一大部分是來自它的種族、文化等的多元性。這一點我們應該向美國社會逐漸擴大少數民族的權利，並積極肯定多元性的正面價值作法多學習。我們大陸和台灣，本來就是幅員大，人口多，民族複雜，方言多，就多元性來言並不比美國差。我們得好好研究並對待我們固有的多元性，讓我們的多元性發揮，把多元性的正面價值組織起來，變成我們創新文化的契機和推動力。我們不該一再地踏襲老套，墨守成規，以維持封建的中原正統，借題發揮大漢沙文主義為使命，自我膨脹，自得安慰，老往後看，這一種態度是落伍而沒有建設性的。

葉：陳先生來美國後，獨立派的刊物逐漸有文章批評你，你看過這些文章？你的感想怎樣？

陳：在愛荷華，簡直是鄉下，別說台獨刊物，其他中文報刊都難以一見。這些文章，是熱心的朋友寄來的。我想主要的我全讀了。

台灣知識分子到了美國，有機會看到台灣禁止的學說，例如史的唯物論（historical materialism）吧。他們讀了，搖身一變，成為「革命理論家」，可也立刻有了「我是馬克思主義者」的奇怪的驕傲，使我想起日本1930年代文學中對半調子激進青年的戲稱——Marx boy。

很多文章要和我比歷史唯物論的知識，我當然比不過他們。其實，我哪懂得什麼歷史唯物論，我所知道的一點點，無非皮相之談。但我知道，細讀他們的文章，覺得他們還沒有中國社會史論戰時期的文章深度，不管語言文字、思想發展、社會科學知識，皆不及遠甚。不，甚至比起北美另外時期一些在學院或私下搞馬克思主義、搞年輕馬克思思想的一些鄉親、朋友都差。可以這樣總結：北美的台獨「左」翼，在理論和學問上，還在很幼稚的階段。當然，比起島內同性質的文章，北美是好多了。問題在北美有北美的標準。看看美國的「左派」，他們即使被養在校園中，對社會起不了作用，但在理論發展與研究上，有發展、有深度，教人刮目相看。台獨「左」派，起碼要有人家一半的水平，說話才有人側耳吧。

其次，比起島外的「民族論」者，我較敬重島內的。因為他們在台灣，有勇氣，也算是好學深思吧。在一個沒有「警總」的地方，住在美國郊區中產階級社區，大談馬克思和歷史唯物論，指揮島內「起義」，這樣墮落和謔畫式的革命家，我是寧可敬而遠之的。

我不打算敬覆北美鄉親們的文章，是因為有一點不齒（請原諒），也不打算回答島內的文章，是因為我愛其「才」（比較而論），愛其勇。何況，在台灣環境下「打台獨」，在道德上說不過去。

不過，在攻擊我的文章中，有一個共同策略：明顯或隱含地指控我是親中共的，是要中共來「併吞」台灣的。這如果是說給國民黨聽，其心不可問，叫人齒冷，可以不必談它。但也許有一部分是基於我過去的政治主張推論下來的。對這種人，我應該有所說明。

對「四人幫」後揭露出來的中共，我是深刻失望的。對目前政策，我還保有因過於失望引起的懷疑和反對，例如最近的對文學界的整肅，和愚不可及地大談反對社會主義有人道主義之論……。對於它的「對台政策」我是批評和不安的。但這些，卻怎麼也無法使我成為反華的、宣稱自己不再是中國人的獨立派台灣人。

我的立場很明白。我認同的是歷史的、文化的、人民的中國。我很佩服戴教授，是因為他的台灣人的做為中國人的自主意識論，給我很多啟發。

我不再是一個政治人物。在某一種意義上，對於「政治」，我是厭惡的。文學和文化，是我這以後的生活中關切的主題。我自知我只不過中下之才，不能成器，理由是我在書本上親炙過許多文學和文化上仰不可視的巨人。

如果「四人幫」給我們什麼教育，那就是一種謙卑的情懷。讓我們不要自以為是正義、真理的化身；讓我們不要大剌剌地喊革命辭語、讓我們不要相信自己調門拉得病態地高的辭語、讓我們不再偏執於一個框框、一套教條和敕語，讓我們在不斷進步的人文、知識的浩瀚中，低頭虛心……。

現在我開始想回台灣了，真想。那兒的土地、人、鄰居、朋友，甚至是污染過的空氣，全是我們生活的主要泉源啊。

葉：時間很晚了，我們就到此結束吧。我特別要感謝主人夫婦提供了這個機會，也感謝映真先生和戴教授願意就當前海外島內爭論最多，最為敏感的「台灣人意識」問題做為對談的題目。今晚我們所談的牽涉相當廣泛，但也都緊緊圍繞著歷史發展與全球的觀點，兩個時空的座標。雖然如此，今天的討論也還只是個引子，我期待著，也相信會有更多的討論繼而生起，因而今天的討論也沒有必要有所結論，結論還是留給我們的讀者吧。

本文原刊於《台灣與世界》第8期，1984年2月，頁73～80；第9期，1984年3月，頁46～54。由葉芸芸記錄整理。原題「談『台灣人意識』與『台灣民族』——戴國煇、陳映眞愛荷華對談錄」

【附錄】

讀《台灣與世界》有感

◎ 林長風

從〈愛荷華對談錄〉說起

美國《台灣與世界》雜誌第八、九兩期，連續刊登〈愛荷華對談錄〉。對談的題目是，「談『台灣人意識』與『台灣民族』」。主要對談者是日本立教大學史學系教授戴國煇和台灣名作家陳映真。組織這次對談的是《台灣與世界》發行人葉芸芸。由於是在愛荷華市的呂嘉行家中舉行，因此呂氏夫婦也參加。呂嘉行是著名台灣詩人，其妻子譚嘉則是文藝評論家。後因三人只是間中插話，主要對談的是戴國煇和陳映真。

美國愛荷華大學有個國際寫作計畫，每年都邀請各地名作家去座談文學寫作問題，大陸和台灣都有人去過。今年台灣去的是陳映真，他是當今台灣文學界最受爭論的人物。由於他旗幟鮮明地認同中國，近年來受到台灣內外的「台灣民族論」者，攻擊為「大中國沙文主義」的象徵，雖然陳映真是道地的台灣省籍人。香港讀者可能對戴國煇教授不大熟悉。他也是台灣省籍人，1966年在日本東京大學取得農業經濟博士學位。多年來先後在亞洲經濟研究所、立教、東京、一橋等大學研究和教授歷史與社會學，自1970年以來，一直在東京主持「台灣近現代史研究會」，這個學術團體的研究成果，很受美、日學術界看重。去年〔1983〕3月、戴國煇應聘到美國加州柏克萊大學任訪問學者一年，9月下旬，應聶華苓之邀，到愛荷華大學訪問。於是，戴國煇和陳映真就見了面，而由葉芸芸組織他們對談，時間是去年9月29日。

用了那麼長的文字來介紹這次「對談」的人物，是筆者想在今後的幾篇短文中，詳細介紹他們「對談」的內容。雖然他們個別一些觀點，筆者並不完全同意，但是他們「對談」的內容太重要了。他們交換了近年來台灣「黨外」雜誌中，所謂「台灣結」和「中國結」論戰的看法，從「台灣人意識」談到所謂「台灣民族論」。這些現時在台灣熱門的論戰話題，不僅香港讀者很生疏，大陸和海外的人也很難理解。

目前，台灣省籍知識分子的思想狀態十分複雜，只有了解他們，才能溝通，才能團結。

「台灣結」與「中國結」之一

為了使香港讀者能理解〈愛荷華對談錄〉的內容，首先要介紹所謂「台灣結」與「中國結」這兩個詞是怎樣產生的。

這兩個涵義很難理解的詞，似乎是去年6月首先由台灣《前進》週刊提出來的。

侯德健可能沒有想到，也可能到現正還不知道，在他去年6月背著吉他到中國大陸去之後，在台灣島內卻觸發起一場所謂「台灣結」與「中國結」之爭，爭論者不少是他的朋友。

首先是《前進》周刊去年6月18日發表了陳映真一篇文章，題目是〈向著更寬廣的歷史視野〉。文章從侯德健的〈龍的傳人〉這首歌，為什麼能在台灣「持久而廣泛的流行」說起，談到「侯德健和許多不分省籍的青年，共同經歷了台灣近三十年來歷史上空前的『近代化資本主義展』，卻單純地懷著對中國歷史、文化和地理的摯熱的感銘」，到了大陸去。由此，陳映真批評了少數台灣省籍知識分子所存在的、「相對於『中國・中國人』的『台灣・台灣人』意識」。同時指出：「『台灣・

台灣人』主義的錯誤，不應僅僅由那些少數人去負責。全體中國人都有一份責任」。「而如果把這一份哀矜與傷痛，向著更廣闊的歷史視野擴大，歷代政治權力自然在巨視中變得微小，從而，一個經數千年的年代，經過億萬中國人民所建造的、文化的、歷史的中國向我們顯現。民族主義，是這樣的中國和中國人的自覺意識」。

陳映真認為目前台灣還不具備認真討論「台灣意識」和「中國意識」的主、客觀條件，寫了這篇文章送交《前進》週刊的負責人林正杰、楊祖珺夫婦後，曾叮囑千萬不要發表。但是，文章卻在《前進》第13期刊出了。

《前進》第14期就接著發表了蔡義敏的文章，題為「試論陳映真的『中國結』——『父祖之國』如何奔流於新生的血液中？」，表示不同意陳映真的觀點。還有一篇陳元的〈『中國結』與『台灣結』〉，主張對這個問題進行有限度的討論。陳映真在《前進》15期上，再發表〈為了民族的團結與和平〉一文。這場爭論就逐步展開。

「台灣結」與「中國結」之二

《前進》周刊登了這幾篇爭論文章之後。《生根》周刊加入論戰，刊出陳樹鴻的文章，題為「台灣意識——黨外民族運動的基石」。認為台灣的社會經濟條件，有別於中國大陸，相應地發展出獨特的「台灣意識」。並且舉出兩個例子——鄉土文學運動和「黨外」民主運動，來說明「台灣意識」在文學及政治上所發揮的作用。他主張民主運動必須「認同於台灣，以台灣意識為基礎」，不同意「認同於龐然數億人」。

由「台灣意識」與「中國意識」的爭論，又牽引出關於民族主義的爭論。主張「台灣意識」的人是反對講民族主義的。但也有人認為，不是不能講民族主義，而僅僅是在國民黨統治下的台灣，因為民族主義被歪曲了，因而無法講。去年7月《新生代》月刊就登載了汪立峽一篇文章，題為「如果民族主義像商品」。文章說：「國民黨『執政公司』獨家製造的這種『民族主義』貨品，和一般我們了解的『民族主義』不一樣，它既不准你愛『中國』，也不讓你愛『台灣』，只許你愛『國』——愛『國民黨』」。

《前進》周刊17期刊登了江迅一篇題為「台灣民族主義的弔詭」的長文，批判「台灣意識」或「台灣人意識」論者。認為他們是「由單一歷史事件所產生的歷史仇恨或偏見」而「切割歷史」，「忽略了台灣與中國在整體性的世界發展中所可能具有的共同歷史性格」。指出他們的主要問題有二：一是「對『台灣人』與『台灣』二者間混淆不清」，二是把「『民主』與『分離主義』視為相等或互賴」。強調台灣「在選擇共同歷史命運的夥伴中，以及追求真正民主的歷史道路中，台灣與大陸的結合，有其發展的必要性」，是台灣的「歷史道路」。

有關的論戰，實際上一直到現在還在進行。而美國「台獨」的「理論家」，則利用了論戰一方的觀點，加以發揮。從「台灣意識」到「台灣人意識」，一直提升到所謂存在著一個「台灣民族」，從而對台灣前途要求實現所謂「民族自決」。

戴國煇和陳映真的〈愛荷華對談錄〉，就是針對這一場爭論進行探討的。

何來「台灣結」

戴國煇和陳映真在政治上的觀點是基本相同的，在〈愛荷華對談錄〉中相互做了補充。

他們首先討論了是所謂「台灣結」產生的根源。

什麼叫「台灣結」、「中國結」？意思是能理解的。所謂「台灣結」，是指一些人認為台灣省籍人，具有獨特的「台灣意識」或「台灣人意識」，只能認同台灣，而不能認同整個中國。而所謂「中國結」，是認為台灣是中國一部分，台灣人是中華民族一部分，應該認同於整個中國。至於為什麼要用「結」這個字，筆者並不完全清楚。戴國煇教授說：在黨外雜誌的爭論文章中，「似乎大家都不敢明講，吞吞吐吐地都有禁忌」。是不是因為這個原因，才使用這個隱晦的詞？可能是。

戴國煇教授列舉了「台灣結」的存在，有幾個基本因素：一個是對共產黨有恐懼感。據說是「恐懼共產黨何時要過海來？」「更恐懼國共會不會和談？在和談之中會不會被『犧牲』」？因此，「台灣結」「蘊藏的乃是反共、恐共的心態，在這種心態下自然就忙著努力維持現狀」。二是台灣一部分人「帶著二二八的歷史傷痕，對大陸有抗拒心理」。而「文革」揭露了中國大陸仍然存在著許多黑暗面，使台灣同胞對大陸從「期待感變成了失望」。三是「台籍中產階級在高度經濟成長以及中共統戰攻勢逼迫之下，與國民黨也慢慢地形成利益一致。因此就要以要求1,800萬的台灣人（或含糊的說台灣居民）的自決來對抗中國的統一」。四是「在國際政治不安中，一部分人企圖以強調承認台灣現狀並維持現狀來對抗中國大陸的影響」。

陳映真同意戴國煇的分析，但提出一個問題，為什麼其他分裂國家的任何一方，卻沒有要求「根本地棄絕自己的民族根源」？

這裡完整地引述兩位學者的看法，是想讀者明白台灣同胞思想上的複雜性。從現象看，戴國煇的分析好像符合實際，但沒有指出這種想法對不對，沒有指出中國大陸已在迅速變化中，沒有指出國民黨長期反共宣傳的影響，更沒有指出國際陰謀家背後起的作用。筆者認為兩位學者本來應該有更本質性的分析。當然以他們的處境，也只能諒解。

所謂「台灣民族論」之一

根據戴國煇教授的研究，所謂「台灣民族論」，已經出現了三十幾年，只是前期與後期有不同的內涵而已。

最早提出「台灣民族論」的是廖文毅、辜寬敏、邱永漢等人，也就是在日本搞「台獨」那一夥。在美國以張燦鍙為首的「台獨聯盟」一派，繼承了廖文毅的主張，直到廖文毅等人回到台灣，「台獨聯盟」才慢慢少提這個口號。

這種早期「台灣民族論」是非常封閉的、排外的，他們不接納在台灣的外省人。後來他們自己也感到，藉「台灣民族論」來製造要求「民族自決」的國際輿論，以期在美國支持下達到「台灣獨立」的目的，實在走不通。

正在這時候，一派新興的「台獨」力量，用「左」的面目出現，也就是以史明等人為首的所謂「台獨左派」，重新撿起「台灣民族論」的口號，但內涵有了改變。他們表面上不再歧視外省人，認為外省人是台灣的少數民族。他們號召外省人認同台灣，以共同的「台灣意識」或「台灣人意識」，聯結起來以對抗中國的統一。

但是無論是舊的或新的「台灣民族論」，都無法自圓其說。對所謂「台灣民族」，除了提出這樣一個口號之外，無法講出這個「民族」是怎樣形成的。

戴國煇說：「『台灣民族論』只往後看，也就是在歷史痕跡中去尋找見證，是沒有希望的。尤其從漢族系移台居民群體身上來找『台灣民族』的根基是牽強附會。若真要找出一縷希望，要往高山諸族中去尋找才合情理。但是當前大多數『台灣民族』論者卻不屑言及有關高山諸族的歷史問題，沒有面對歷史的真實」。

戴國煇教授諷刺「台灣民族」論者，實際是「用幾把剪刀和漿糊來編織」出一個「民族」來。他還舉了一個事例，說史明對「世界台灣同鄉會」的鄉親說：「若有說不慣『台灣民族』的人，可以在吃早飯前先喊十遍『台灣民族』就可以了……。」這種希特勒式的宣傳作法，「台灣民族論」會不會變成法西斯主義的「鬼胎」？這是「不敢預卜」的。

所謂「台灣民族論」之二

陳映真在「對談」中指出了史明的「台灣民族論」的錯誤根據，這個根據是說，目前台灣是中國人對台灣人的殖民統治，也就像過去日本對台灣的統治一樣，是民族壓迫。史明的「台獨左派」的所謂理論就是：「台灣的政治矛盾的核心是民族壓迫」。他用兩條公式來表達：一、中國民族等於統治民族等於壓迫階級；二、台灣民族等於被壓迫民族等於被壓迫階級。

值得注意的是，史明的「台獨左派」，一直是打著所謂馬克思主義、唯物論、階級鬥爭等旗號來進行的，並以所謂「馬克思主義理論家」自居。

戴國煇認為：對「台灣民族論」，台灣老百姓能認同多少，是值得懷疑的。他說：「反國民黨的情緒，對現狀的不滿，不該與『反華』劃成符號」，而史明之流「卻把它混淆不清」。

陳映真認為，「民族壓迫是切膚的壓迫，原不必什麼『理論修養』就可以認識的」。「你可以用別的提法來指控台灣社會與政治的不公平，但不是『殖民論』。」

戴國煇和陳映真兩位學者都承認台灣存在著「省籍矛盾」，但那是「地域性本位主義相互摩擦的問題，而非民族矛盾」。「『台灣民族論』者極力要把省籍矛盾擴大成為民族矛盾，是相當牽強附會的。」

台灣老作家楊逵在陳映真之前也到過美國，他說，他是到北美之後才看見「台灣民族」的。陳映真表示他也有這樣的感受。他說：「台灣民族論，在台灣，是搞不起來的，因為『中國人民族對台灣人民族施行殖民統治』，在台灣生活中並不是事實。但這『台灣民族論』，依然有它的物質土壤。那就是北美市郊區中產以上台美族的生活」。

陳映真一直是把美國那些倡導「台灣民族論」的「台獨」頭子，稱為「台美族」或「美台族」的，他認為：「台灣民族論，現實上是北美中產階級台裔美國公民的意識形態。」這是一針見血的十分尖銳的分析。但是，戴國煇和陳映真都沒有深究這種「理論」的國際陰謀分子的背景。

認同與排斥

在戴國煇與陳映真的〈愛荷華對談錄〉中，中心是談「台灣人意識（所謂「台灣結」）與「台灣民族」問題，還旁及台灣經濟、文學、民主運動和「黨外」運動等。

他們對「台灣民族論」是旗幟鮮明地駁斥的，其中包括對「台灣民族意識」的提法在內。但對「台灣意識」和「台灣人意識」，並不一律採取排斥態度。

戴國煇明確表示：「我個人並不反對台灣人意識的培育與成熟」，但是，「我也得強調認同中華民族意識」。他反對的只是「把『台灣意識』、『台灣人意識』轉化做『反華』的思想武裝」。因此，他對台灣內部一些人強調「人人都得認同『台灣意識』，否則就是吞併派，就該滾蛋」的作法十分不滿，認為是「太霸氣」和「有強姦民意的味道」。

陳映真一再表示贊同戴國煇的「『自主的』台灣人意識」，對這種主張，他解釋是「台灣人的做為中國人的自主意識論」。同時，他也一再強調，儘管他對中共的政策有多大的不滿，「卻怎麼也無法使我成為反華的、宣稱自己不再是中國人的獨立派」。

這兩位學者的基本觀點是一致的，明確的，概括起來就是，居住在台灣的台灣同胞，包括本省籍和外省籍，理所當然是要認同台灣，但它與認同中國之間，並不是排斥的關係。認同台灣是認同中國的台灣，認同中國也是認同「歷史的、文化的、人民的中國」。

〈愛荷華對談錄〉對談的問題相當廣泛，又因為是「對談」，也就不那麼有系統，比較地分散，要完整地介紹出來，相當困難。

筆者用七篇短文來介紹這個「對談」，以及有關的背景，當然很不完備，也可以說主要是介紹有關所謂「台灣民族論」的部分。筆者的目的是想向香港讀者，應該說是香港大陸省籍的讀者說明目前台灣內部，以及在美國、日本的台灣省籍同胞，思想很複雜，也很活躍。由於他們所處的環境，對許多問題都不能明講，只能「吞吞吐吐」，更增加了理解上的困難，我們需要和台灣省籍同胞溝通、增進相互間的了解，取得「共識」，這就需要對台灣省籍同胞的思想及其產生的諸因素，進行認真的探討。

本文原刊於《台灣與世界》第8期，1984年2月，頁73～80；第9期，1984年3月，頁46～54。由葉芸芸記錄整理，原題「談『台灣人意識』與『台灣民族』—戴國煇、陳映眞愛荷華對談錄」

台灣社會發展與省籍問題

——與李哲夫先生對談於美國愛荷華

時間：1983年9月29日

地點：美國愛荷華市，呂嘉行府上

對談：李哲夫（台灣嘉義人，天主教大學教授）

戴國煇（台灣中壢人，立教大學教授）

《台灣與世界》是一份以討論「台灣問題」為主要內容的雜誌，我們一直以「積極的探討代替主張」自律，選稿一直採取兼容並包、只問文章水準不問立場的原則，同時，我們也努力朝著由總結歷史經驗，以及由全球國際社會，當然也包括所有「中國人」社會的觀點，兩個時空的方向來探討大家所關心的台灣的各種問題。隨著台灣社會經濟的開展，省籍問題也一直在發展、變化，而今日的台灣社會已經邁向現代化、多元化了，黨外民主運動更是新人輩出，省籍問題恐怕很難一直留在桌子底下或感性層次階段，因而我們也感覺到海外確有加以探討的迫切感。很幸運地，我們今天邀請到美國天主教大學社會學系李哲夫教授（台灣嘉義人）來和戴國煇教授對談討論這個問題。

戴國煇（以下簡稱戴）：我目前只搞歷史研究，但過去在東

左起：葉芸芸、戴國煇、李哲夫，攝於美國愛荷華呂嘉行府上，1983年9月29日（林彩美提供）

京大學念書時，碩士論文寫的是社會學方面的。今天有機會和社會學的專家李哲夫教授一起針對台灣的省籍問題，經由社會學與史學的研究方法進行交叉討論，希望對這個問題能有一番整理。也算是對《台灣與世界》的讀者有一點點貢獻。

剛才葉芸芸女士提到海外對這個問題的主張強烈，卻少有冷靜的探討。我也覺得多年來，台灣知識分子，尤其是海外的，對台灣政治現狀的不滿，所採取的反應多半是訴諸情緒化的言語或政治主張口號。這樣子，雖然可以把問題攤出來，卻無法進一步針對問題加以深入的探討與整理，確實有違知識分子對社會應具有的啟蒙責任。

最令人憂慮的是，海外的政治言論及其作為，把省籍矛盾無限上綱成為民族、種族矛盾問題，恐怕會把台灣帶往好似納粹、希特勒給德國老百姓以及猶太人所加添的那類災禍。我們都知道，當年德國反共資產階級與共產黨爭奪政權，希特勒得資產階級之擁而上台，後來卻無限制縱容反共而演變成極端排外性的種族主義，屠殺猶太人以及異己，造成恐怖的法西斯時代。這個問題也並不孤立，在世界史上也有共同經驗的，不僅希特勒或墨索里尼，日本對朝鮮人、東南亞國家對華僑、華人也一直有類似的作為。雖然台灣的省籍矛盾問題確實有歷史上非常特殊的地方，但基本上是一個地方主義的問題。地方主義的問題在一個邁向現代化的社會發展過程中，是相當普遍的、是世界性的。因此，今天我特別高興，能就這個問題在社會學研究方面，多向哲夫兄請教。

爭論的焦點——中國觀念的「民族」

李哲夫（以下簡稱李）：國煇兄，你太客氣了。你首先提到的史學與社會學的方法，在傳統上這兩者間是有一點不同的地方，史學的傳統方法是拿史實，經過相當的整理後就好像可以把「事實」陳列出來了，社會學則往往是說史實需要分析。但是，社會學在經過長久以來運用分析的辦法之後，近年來也開始有所反省，覺得社會學所依據的歷史基礎似乎太淺薄了，因為太重視現今的問題了。我個人也有這種社會學研究方法的傾向，總是以現今的問題當作開端，然後才往歷史追溯。關於我們今天所要談的省籍或「台灣民族論」的問題，剛才葉芸芸女士提到分開有

「主張」和「探討」兩個不同的觀點來看待。若以社會學研究的方法來談，「主張」和「探討」並不見得要完全分開，我們要探討的問題正是今天所存在的主張，然後再問為什麼會有這些主張？這麼一來，當然就很不像歷史學的研究方法了。但是，等一下討論下去，我會非常需要歷史的細節來支持和驗證分析的方向。

現今已有的有關省籍問題或民族問題的主張，基本上都包含了一個相當混亂的概念。到底所談的是指中國各地方、來源的不同呢？或是指種族的不同呢？種族的不同又可分兩種：一是指原種、血統來源的不同，也就是像白人與黑人。另一種主要指文化背景的不同，血統上可能相當接近，但是因為長期隔離與不同的文化發展，而造成不同的風俗習慣等，叫作ethnicity。而今天我們所關心的這個問題是具有現實政治的涵義，所以我們有必要先弄清楚，我們或是其他海外台灣政治運動團體在爭論台灣省籍這個問題時，其焦點的觀念到底是被如何解釋，以至於引起今天這樣的爭論？我們應先在可能理解的範圍內，就各種主張中的不同點，劃分定義、界線。以我個人的觀察，今天人們所激烈進行的政治性或感性討論的問題，實在並非「種族」的問題，既不是英文所謂的race，也不是ethnicity。雖然有許多討論的文章，沒有劃分清楚，都一概以種族視之。在中國的觀念，其實應該以「民族」稱之較為恰當，其內涵是native nationalism——就是有一群人在經過以文化、風俗習慣、歷史背景，甚至種族膚色等界定之後，覺得自己與其他群體有很大的不同，而以此為基礎要建立一個自己的國家。所以我認為native nationalism應該是中國觀念裡的

「民族」。

中國大陸所說的「少數民族」則是相當於minority ethnic groups。而我們今天爭論的焦點則是台灣的省籍問題到底構不構成「民族」問題？因而我們才有很多的感情與憂慮其對政治的現況與將來會有什麼樣大的影響？所以，我們今天所要問的問題是——native nationalism的問題在今天的台灣，因為過去的歷史經驗與省籍的界線，是不是構成某一個基礎（無論由人種、文化、語言、生活習慣等），分出有明顯區別的一群人，並且基於這種區別，使得這一群人主張建立另外一個國家？

光復當時的台灣人，雖然意識到，相對於外省人，自己世代生存的地方是一個大陸各省以外的地方。但當時並無一種想法，認為台灣是另外一個國家，也沒有那種要求，所以，他們總是認為他們所屬於的國家政府是在台灣海峽對岸的那一邊，光復接收的當時才會那麼熱情地歡迎祖國。關於這一點我們大概都不會有什麼異議的。需要探討的問題在下面，光復後的歷史經驗是否造成一種條件與情況，而觸發了所謂的民族感情，包括自己成立獨立國家的要求呢？是有那麼一段歷史曾經造成了這種要求。

古典殖民統治與民族意識的萌芽

談到這兒，可能先得從橫面的、普遍性的整理來釐清——種族或是民族間的衝突是在何種情況下產生的呢？一般粗枝大葉的劃分，由歷史背景造成的種族之間的關係大概有兩種，一種是一群少數的人移民到一個地方去，而成為少數的統治階層，最古典的例子就是「殖民」。西方的殖民者以他們優越的政治、經濟與武力到落後的地區，不僅破壞當地區原有的社會秩序，並且依其意願，指揮當地社會秩序的創造，也就是說以其本身的優越性移民到另一個地方去當主人翁。另外一種是移民到一個新的地方，而成為少數民族，就像中國人移民來美國一樣。還有其他的類型，我們等一會兒討論時可能會觸及到。

那麼，1949年國民黨政府帶領著到台灣的那一群外省人，就是第一種類型，他們雖然是少數，但基於政治與軍隊的背景，他們自認是來管轄台灣的，是以統治者的身分移民來的。然而，當時的台灣，並沒有條件，要求被統治者一定要反抗統治者，而造成兩個民族間或者省籍間的界線。當時的確沒有這種因素存在，怎麼樣發生的呢？什麼樣的情況下，使得被統治的當地大多數人，產生要求自己統治自己的權力呢？也就是一般所說的「民族主義」、「民族意識」的產生。光復不久，台灣人對國民政府的接收官員與軍隊的逐漸積累起來的失望，已經是老生常談、眾所周知的。較為嚴重的現象是，這些國民政府的行政官員普遍帶著過客的心態，就像是被派到殖民地的優越民族的殖民官員，有一定的任期，只是暫時性的。由1945至1950年前後，國民政府在台灣的統治方面與心態大致是這樣的……。

戴：他們希望有一天能夠回去……。

李：對，對。當時匆匆忙忙逃到台灣，總以為喘一口氣，馬上就要反攻大陸回家鄉了。這種短期居留的統治者心態，主要在求短期的利用當地的人力與資源，並無長久的打算。因而，只要其統治力量、武力能夠維持局面、壓得住，他們並不想和當地的人民有所交流或同化，台灣只是回到故鄉的一塊墊腳石。這種強壓手段，就激發當地人民的反抗。就像其他的殖民地一樣，殖民統治者的利益與當地人民的利益絕不可同日而語。殖民者的利益在於掠奪殖民地的資源運回母國，殖民地人民的利益則在於本地的長遠展望。這是台灣與其他殖民地相同的地方，也就是橫面的普遍性。但是台灣也有很多特殊性……。

戴：當然，歷史背景大不相同。

李：原因有很多，以古典的殖民模式來比較，就有很大的差異。譬如歐洲在南洋或南美洲的殖民地，當殖民母國要在殖民地發展經濟時，立即就面臨一個問題——殖民地欠缺能夠承擔母國所要發展的經濟型態的人力資源，也就是說殖民地原有的文化背景、生活習慣或教育水準，並不能馬上與較先進的經濟發展的要求配合。因而，就產生了輸入「第三種種族」的現象，印度人到殖民地的非洲，中國人到殖民地的南美洲或南洋都是變成這種middle man（中間人），是去為殖民者服務，充當殖民地經濟發展的勞動力。這種古典的殖民模式，在台灣就不曾出現過；首先與中國大陸的關係已完全被切斷，不可能再運人到台灣；其次，台灣當時勞動力的水平，遠超過那些到台灣來的國民黨所能經營的，也就是說當地提供足夠發展的條件，包括人力和日本人所不得不留下來的一些基礎。所以古典的西方殖民統治型態，並不適用於解釋台灣的問題，雖然，早先統治者與被統治者是有著疑似殖民的關係，但是往後的發展卻不一樣。那麼，今天所有各種不同的「台灣民族」或省籍的觀念，其主張的方向以及激烈程度的不同，可能就是反應台灣從那個時代以後，因為政策的變更、台灣人與大陸人之間關係的變化，而引出幾個對台灣省籍觀念的不同層次的理解與主張。

簡單地說，一直到1954年，美國明確地告訴蔣介石不支持「反攻大陸」以前，國民黨在台灣的統治，完全是一種徹底的強壓手段。也就是說，在1950年代前期之前，是赤裸裸地、用武力斬除一切可能產生的反抗力量，以求短期間內，在台灣建立起絕對的控制力。二二八事件只是一個代表性的事例，整個時代是一個恐怖黑暗的時代，被逮捕、被殺害的絕不只是台灣本地人，還有很多是與國民黨一起到台灣的大陸籍人士，後來被判為政治犯。事實上，1950年代前期，國民黨因為在大陸的失敗經驗，心懷著對共產黨的恐懼，在台灣進行一場殘酷無比的「清共」。單就台灣人民而言，國民黨遂變為一個與台灣本地利益完全不一致的少數統治者，其恐怖鎮壓的統治手段，確實在省籍問題上造成了歷史性的傷痕，為當時某一部分的台灣人民催生了「民族意識」。

社會各階層對省籍問題的不同反應

戴：從史實上，我想補充兩點。第一點是，來台大陸人士因時期有異，其構成分子不同，當然其心態亦有其相異的地方。第二點是，「二二八」的彈壓與在台的「清共」，其主要目的、對象、具體過程有所不同，我們需要留意詳細分析才夠社會科學。

有關第二點，《台灣與世界》正在連載「二二八史料舉隅」，我希望它將有突破性的成果累積下來。

至於第一點，光復當時和1949年以前從大陸來台人士，大概可以分為以下六種成分。第一，為陳儀一統的班底；第二，為國民黨各派所派來台的「先遣隊」分子；第三，為避免大陸的亂局，真正來台做事的，特別是有關資源委員會方面的「非政治」人士；第四，為老留日分子來台求發展；第五，為舊「滿洲國」、「汪政權」有關分子，埋姓隱名為了逃避「漢奸罪」來台混水摸魚；第六，為對岸閩南方面人士藉通達閩南話來台淘金者。我們以後若能多注意上述幾點分類來做具體分析，或許較易了解當年的情況。1949年底以降，「避共」大撤退來台的有關軍政、黨務、財經、學界人士和他們的子弟事，我們今天就不多言了。

言歸本題，哲夫兄，你由一般性的角度，引用世界其他殖民地國家的普遍情況來探討台灣的省籍矛盾問題，是相當貼切的。換一個角度，由大陸籍人士在台灣的稱呼，由「唐山人」到「阿山」、「豬仔」這樣的改變，我們也可以看到省籍矛盾問題在台灣的歷史演變。光復初期的台灣，的確是沒有省籍矛盾或對立的問題存在，當時一般台灣人民所認同的祖國是由重慶復員回來的南京國民政府。台灣人一直尊稱大陸來的人為「唐山人」，是所嚮往的唐土那兒來的人。而我們客家人對大陸稱「原鄉」。對大陸來的人稱「老屋伯」（老家伯）、「唐山客」。但是經過二二八事件後，對祖國的期望落空了、失望了，「唐山人」遂變成「阿山」、「豬仔」這種好吃懶做、侮辱性的稱呼了。

關於二二八事件，一般都只談到受殺害的台灣人，方才哲夫兄提到1950年代前期，在台灣被迫害的政治犯，也有很多大陸籍的共產黨人以及進步人士，這一點非常重要。這段內情幾十年來很少為人所知，年前黨外雜誌在國民黨釋放了一批在火燒島關了30年的政治犯之後，才有文章談到大陸籍政治犯。台籍資產階級——藉張俊宏的「中智階級」亦可，他們的「孤兒」屬性，自限為「只有我是被迫害的無辜養女」的觀點相當地偏重。

有一點我們需要較為嚴密地分界的是——社會各階層對省籍矛盾的不同反應。我認為把省籍矛盾等同於民族矛盾對待，或是說這種感覺最深刻，反應最為強烈的，多半是中產以上的階級與知識分子。的確，在二二八事件中被殺害的本省人也是這些菁英分子占最大多數，農民、勞工階級參與的可以說少之又少。除了二二八事件之外，中國共產黨政權在大陸的建立，對台灣的知識分子、中產以上的階級也是一個非常大的衝擊，怎麼說呢？就邏輯層次上來說，在國共政權之爭奪過程中，台灣的資產階級原來應該可以加入國民黨的陣營與共產黨對抗的，但是光復回歸到祖國懷抱才第二年就發生了二二八事件，台灣本地資產階級可以說是狠狠地被陳儀和國府在台當局踢了一腳。三年之後，共產黨的政權在北京宣布成立，國民黨被趕出大陸撤退到了台灣，不僅如此，堅決反共的美國繼續支持國民黨，台灣竟然成為反攻大陸紅色政權的基地。尤有甚者，台灣子弟還有可能被那個不肯接納他們的國民黨政權送到「反攻大陸」的戰場上充當砲灰，成為國共內戰的犧牲品，而且，大陸與台灣、共產黨與國民黨之間對比之懸殊，再怎麼看國民黨的勝算都幾乎等於零。那麼，只要國民黨繼續留在台灣，台灣就免不了要被捲入國共內戰的命運。就是這種恐懼與矛盾，使得台灣的資產階級有了與國民黨、中國劃分界線的心態，而產生了早期的「聯合國託管論」、「混血民族論」、「台灣地位未定論」或請求美國支持台灣獨立等等的主張。因為要向國際訴求，輿論上最好能造成台灣人與中國人已經不是同一個民族，台灣與大陸已經毫無關係的印象，使共產黨沒有理由、找不出藉口過海到台灣來，這些實在都是具體的歷史經緯所造成的。

省籍或地方主義的問題日本也有，世界各國也都有的。台灣的省籍矛盾問題，之所以會扭曲成民族主義的假象，是有其歷史的特殊性，整理起來有兩點最重要：第一，台灣與大陸不曾被一起殖民過，台灣有過50年與中國近代史與大陸割裂的體驗；第二，回歸祖國之後不久，就遇到了二二八事件與中國共產黨在大陸樹立政權的兩個衝擊。

歷史不曾停留在1950年代

李：經過你由歷史縱面的整理，我們就更加清楚，今天人們所談的中國觀念的「民族問題」，並非人種或種族的問題，而是一個共同生活的群體，成立自己國家的政治要求問題。

總結我們上面所討論的，如果歷史停留在1950年代，國民黨繼續其高壓的「殖民」統治，與反攻大陸的國策，國民黨統治者與被統治的台灣人民之間，就可能延續著以二二八事件為代表的關係。那麼，幾乎可以斷言，台灣的「民族意識」就有可能成長，並將成為台灣人民反抗運動的基礎，武力革命或有可能發生。但是，台灣的歷史由1950年代後期卻有了大轉捩點，那是因為美國明言不再支持反攻大陸，而促使國民黨在台灣的統治政策有所調整，當時，國民黨本身對「如何調整？」或許並不明確，更不曾讓老百姓知道。但是，不可能光復大陸，而必須在台灣久留，必須在這塊土地上經營以求落地生根，則是不爭之事實了。1950年代以後台灣的發展談起來是相當有趣的，美國扮演一個重要的大角色，他雖然不支持蔣介石政權反攻大陸，但是，韓戰以後，台灣做為對中共的圍堵政策的一個重要戰略點，美國是絕對支持蔣介石政權有效而穩定地控制台灣的。從那時候開始，國民黨政府，不僅接受美國的軍援，也接受大量的經援，並就日本人所不得不留下來的一些工業基礎，開始在台經營發展。

前面已經談到，國民黨統治台灣與古典的西方殖民國家有所不同，歐洲工業先進國家，當年到他們的亞、非洲殖民地，多少都帶著一點資本，並有一定的對市場與產品要求。而國民黨政府到台灣時，卻是一個經濟破產的政權，所帶到台灣的是少數有一定程度的行政工作及技術人員、少數的商人和大量的軍隊，基本上是一個政治力量，而非開發經濟的殖民力量。卻無妨教人們點出，提供軍援、掌握資源與經援的美國不正是殖民者嗎？後來的日本也是。國民黨政府恰似一個代理殖民的中間人，以中華民族的觀點而言，國民黨政府是繼續在當「買辦階級」的角色，這個角色國民黨並非第一次擔當，在大陸時期已有相當的經驗⋯⋯。

戴：而且在大陸時地方大，人才分散了，較難起作用，到台灣以後，人才集中起來了，台灣亦窄小，加上社會經濟的基本設施已具初步性規模，來台人才們就能夠成為動力，派上用場了。

經濟開發與省籍矛盾的淡化

李：對、對。還有一點，就是前面已提到的第三種民族的矛盾問題，西方典型的殖民者，需要輸入第三種民族來協助經濟開發。台灣卻不需要，當時台灣一般知識水平很高，也就是說台灣本地住民就能夠產生協助管理經濟開發角色的中產階級。這就引起台灣人經驗上的矛盾，二二八事件後早期那種全面反國府的心態，到了此時，已有部分中產階級參與了國民黨政權的經濟活動而分享了一些好處。台灣人，雖然在政治上仍無插足中樞之餘地，但確有許多中產階級參與經濟活動中。所以說，歷史畢竟沒有停留在1950年代，台灣的「民族意識」也沒有繼續成長的客觀條件和環境，反而是「淡化」了。但是，歷史也不會停留在「經濟起飛」前夕的1960年代，中產階級在經濟發展方面有了成就之後，很快地就覺察到政治權力上的不平等與隔絕，於是就有了黨外民主運動，要求民主及參政。自1960年代後期，1970年代前期以來，黨外提倡的均是「民主」而非「民族」，這「民主」的要求，絕不基於1950年代的疑似「民族意識」。

戴：所以，大陸籍的雷震與台籍人士李萬居、高玉樹等能夠站在一起，組成聯合陣線，是有其社會經濟基礎的。這個社會經濟基礎就是哲夫兄剛才談到的，1960年代以後台灣經濟的開發，除了美援以外，可能還要考慮三七五減租、土地改革等因素。在這個社會經濟基礎上，有了較強烈的意願，想要培養出一個強大的中產階級的陣容，以為阻止中共滲透台灣的對抗力量，但是，這和國民黨黨內要求絕對控制的頑固保守勢力間，是具有很多矛盾的。

李：關於台灣的經濟開發以及土地改革的問題，論者多半給予相當的評價，尤其是美援的機構——農復會所發表的論文，對台灣之經濟開發推崇備至，或說是三民主義之實施，或曰拜美式民主政治之賜，這類論文自然很受美國讀者之歡迎。時至1980年代的今天，美國仍然帶著濃厚的「民主導師」的心態，以在世界各國支援推行民主政治為己任。這種「民主」的理想原也無可厚非，問題是，1960年代初期的國民黨政權，卻是一點點「民主」的概念也沒有的，當時的國民黨政府不過是認真的在當「買辦」的角色而已。

然而，經濟開發的直接影響，卻是導致以省籍的界線來反抗國民黨統治的戰線，意志衰弱了、潰散了。為什麼呢？經濟開發以後，就有少數台灣資產階級，有機會看到所謂國民黨的「高等上層社會」，也有某種程度的經濟的客觀競爭，也有某些原屬軍、政統治體系的特殊階級的外省人，轉入了當地社會的生產隊伍。省籍的界線就不再那麼明顯而尖銳，而是穿孔交流了。

台灣資產階級的出路

戴：二二八事件對台灣的知識分子與中產以上的階級，確是相當致命的打擊，犧牲的人才不少。對生存者而言，三七五減租以及土地改革的衝擊也很大，我們可以由具體的實例來整理。如果以傳統的觀念來看，辜顯榮、辜振甫父子都該算是漢奸，據傳辜振甫在光復當時，曾捲入日本軍人搞台灣獨立的漩渦裡，二二八後他逃到香港去一段時間。但是，後來土地改革，以四大公司的股票向地主換取土地，大家都知道，當時四大公司的股票只有水泥公司的才賺錢，而水泥公司的股票，最後正好是讓辜家、林本源等最有力量的台灣資產階級來收集控制和運作，美國軍援所發下來的軍事建設所需的水泥及經濟成長相應的造路及建設擴大了水泥業的「大發」。他們因掌握了實權重新發跡。當年的吳三連並沒有什麼資產，他在日據時期抗日政治運動中的貢獻，使得他成為極有聲望的知識分子，然一轉身變為社會賢達，國府吸收二二八的教訓，為了安撫台籍人士之所需，重用了吳。當時以他為核心或象徵的台南幫逐漸形成。當時他也得到美援棉花而開始發展台南紡織財團了。我們不易找到確實根據來斷定國民黨或美國當局當年的動機，但由結果來探討，發現是有相當代表性的資產階級或知識分子都被編列到經濟開發的體系中去。而且，做為圍堵中共的戰略要點柱石之一小部分。軍糧供應的穩定，金、馬等軍事基地建設所需之水泥，這都與土地改革之實施，水泥公司之發展有著密切的關係。其他美援所扶持的民生工業，還有麵粉、紡織、塑膠等，台灣新興的資產階級就這麼起來的。相對的，大陸籍的資產階級，卻少有恆心積極地加入台灣的長期經濟開發，他們可能對國民黨缺乏信心，對台灣的狹窄市場興趣也不大，早年多半在台灣停留一下，以後就將資金外移轉到美國、香港、中南美洲或南洋等其他國家。然一俟韓戰結束，台海情勢相對地穩定下來，加上台灣的經濟成長政策逐漸上了軌道後，它們再以僑資方式流入台灣。所以說，不管是不是巧合，美援在台灣所栽培的，確是一批台灣本地的上層資產階級。而既存台灣資產階級在經歷過二二八事件後，可能對政治也相當恐懼，他們把所有的精力向經濟方面發展，也終於找出一條出路。當然，其中也有要求政治上有更多發言權，高玉樹、李萬居等人和雷震搭配，組織在野黨運動，就是反映了這一股力量。透過胡適之得到美國的支持，曾經有一些發展，但是後來還是不能為國民黨的保守勢力所容，雷震終於下獄。

另外必須一提的是，在台灣地方政治上不可忽視的醫生階層。台灣的醫生界在日據時代曾以蔣渭水、賴和為代表，在抗日政治運動中相當活躍，扮演了不少正面的角色。光復後，二二八事件中犧牲的醫生也不少。到了1950年代，政治權力、參與的轉型，最主要的就是國民黨對地方政治部分性的放手，開網於一面，好使有關人士有一出氣孔。但僅讓他們活動於地方不波及中央為前提。讓當地人去搞派系，互鬥而抵消了一部分反抗體制的「能量」。

因而，地方上可能有政治權力要求的，像醫生這一類資產階級的代表們，多少有了出路，energy自然而然地有了發洩及消散之處。剛才您提到，如果歷史凍結在二二八事件後的time tunnel（時光隧道），可能會發生更大的政治、社會的摩擦，經過政策性的這一轉換，把社會政治矛盾都緩和、改觀了不少。頗多台籍醫生當上了縣長或議長風光一時，又可自我陶醉一番，滿舒服的。

中央政府與法統的強調

李：你談到了非常關鍵性的問題，我認為台灣在1960年代以後，政治上最大的轉變，就是產生了中央政治與中央政府，地方政治與地方政府的區分。決定政治的不一定是「政策」，有時候客觀條件的影響更大，人口就是其中一個重要因素。光復當時台灣的人口是600萬，到了1980年代是1,800萬，30年來人口成長為三倍之多。通常30年成長為兩倍已經很高了，由此可見，1949年隨著國民黨政府撤退到台灣來的大陸籍人士對台灣人口成長的貢獻！我們再以西方古典殖民為例來探討，就會發現，當殖民者決定在殖民當地安頓下來時，殖民者人口較多的要比人口較少的壓力更大，就像南非、阿爾及利亞都是歐洲殖民者人口較多的殖民地，正因為他們人口多，要求安定與控制力的壓力也就更大。因而我們可以推論，當1950年代後期以後，國民黨自知不可能反攻大陸時，又面對著十年來大陸籍人口的膨脹，其要求安定，要求絕對地控制的壓力必然地也隨著變大。尤其，當經濟與社會開始有所變化，大陸人與本省人開始有了交流以後，要保持社會安定，統治力量必須很強，「中央政府」與「法統」的強調也就益形重要，因而，「反攻大陸」的政策雖在1950年代後期已不得不實質地放棄，但是一直到1960、1970年代，「反攻大陸」這個口號卻是絕對不能放棄的。

另外還有一個很重要的社會階級問題，雖然一個社會現代化的發展過程中，因為分工與分配，階級是一定會產生的，台灣的確明顯而快速地在產生階級的兩極分解化，但是國民黨卻完全避開階級觀念，而以「法統」與「省籍」做為統治的兩個基本原則。所以，我認為在1950年代，台灣確是有強烈的省籍問題，台灣人與外省人的界線清清楚楚，是絕不會與社會階級混雜的。到

1960、1970年代，省籍問題的存在卻是政策上的需要，原來是社會自然形成的，後來則是人為的，因為要強調「法統」，就一定會加強省籍面的政治提法，然而惹起省籍矛盾的問題……。

戴：因為立法委員、國大代表大部分是大陸時代選出來的外省人士，「法統」的強調必然得根據省籍背景，如此一來，當然無意中亦給省籍矛盾加油添醋……。

李：對。那麼，我們相對地看1970年代興起的黨外民主運動，雖然表面上談的是民主、是參政或選舉，其實就是圍繞著「法統」的問題。黨外運動也就是從這時候開始，有了一個主題，而且這個主題甚至還包括了「省籍」的矛盾問題。國民黨對高雄事件的反應，為什麼那麼緊張呢？過去她自己藉省籍的分界來避開階級問題，但是，黨外運動興起後，非常明顯地，「省籍」問題轉而成為黨外手上一張運用自如的王牌了……。

黨外支持者的階級背景

戴：而且，黨外能隨心所欲控制省籍問題，國民黨卻只能藉省籍問題來保衛「法統」，無法控制省籍問題的焦點，突破圍困。下面我想補充一點，分析黨外支持者的階級背景。由1960年代中期以後，至1970年代，這段經濟上高度成長的時期中，教育普遍地提高，經由土地改革和美國經援所栽培的一批本省籍新興資產階級出現了。台灣社會也在激烈地變動中，其中最為顯著的是最上層和最下層兩個階級省籍問題的淡化。上層的，因為經濟發展的需要，本省人與外省人有了交流，像水泥公司或幾個大銀行都請許多已退休的外省高級官僚當顧問，也有通婚的 。而下層的外省人， 像退除役軍人們為了生活只能融入台灣本地的下層社會，結婚對象也是高山族或貧苦的工、農人家的婦女們。

李：外省人本身的階級極端分解化了。

戴：對。所以說最上層和最下層階級的外、本省人已經站在一條線上，已構築「命運共同體」了。剩下的是中間的，始終浮游不定的中產階級，他們在經濟、教育方面有了提升後，對政治上的缺乏發言權，自然有相當的不滿。他們的子弟一到美、日留學，居留能穩定下來時，就開始發飆搞他們的台獨運動了。一部分走上左翼運動之路，但人數不會太多。所以我認為，這一部分中產階級是支持黨外強有力的階級基礎，同時也是海外政治反對運動力量的重要來源，還有反共的長老教會，以及其他基督教會人士，也是不可忽視的一股力量。

那麼，海外的部分，在1972年承受了中共與美日關係激變的大衝擊，造成主張台灣民族論並著重尋求美、日支持的第一代台獨運動領導人廖文毅、邱永漢、辜寬敏等人相繼返台，向國民黨投降。這就充分說明了，民族矛盾的理論實在只是一種假象，並無實際的社會經濟基礎。但是在這之後，美國的台獨運動反而興起了，這是代表新興中產階級的年輕一代，這部分哲夫兄也曾經有過參與，可否請你分析一下？

台灣結、中國結與美國結

李：哈哈！這個分析起來很有意思的。上面我們討論的，已經很清楚地分辨了1950年代所產生的「民族意識」，或說對時局的反應，而產生的「民族」的要求，與1960年代所產生的是大不相同的。1960年代以來，確如你剛才提到的，上層的與下層的幾乎沒有了或淡化了省籍的問題，只有中間的，要往上層沒有可能，往下呢？當然自己不願意。正好，那個時候國民黨開放了留學生政策，於是，大量的中產階級子弟到了海外。你剛才要我分析這些人，我想這些人是在幾個失望下所產生的，他們可能帶著比1950年代的「台灣結」更嚴重的情結在參與政治運動。怎麼說呢？第一，他們對國民黨當然失望了；第二，老一代的台獨運動者也令他們大失所望；第三，對中共，他們從未有過寄望，這是因為在他們的成長過程、教育中，中共從來都是不許碰觸的、不能想像的。因此，他們實在是毫無去路的，只有選擇「美國結」，寄望於美國人。今天，在海外可以看到的很多台獨運動的言論中，這種美國情結是表露無遺的。

更進一步深思，我們會發現，這個「美國結」，其實是整個1960年代的產物，實在是不分省籍的。《中國時報》就是一個外省籍的「美國結」代表，他們的經驗與台獨運動人士的經驗，其實是很相近的，只是他們雙方都繼承了傳統的「省籍矛盾」，因而尚無法合作。但是，某一天，如果利害一致、超越了傳統的省籍矛盾，合作是很有基礎的。而且，這樣的合作也是台灣當局以及一部分美國政客所期待的。台灣的省籍或民族問題演變至今，實在很難界限於台灣人與國民黨之格局內來討論，探討到某一層次就必然要碰觸到帝國主義的問題。前面已經談到，1960年代國民黨之所以能夠在台灣維持政局，是因為背後有一個真正的殖民者——美國。這個矛盾要探討下去，也就不能局限在台灣島上來談，也不能在省籍上繞圈子，事實上，1960年代後期以來，利益的分界線就不是省籍了……。

戴：但是表象還是省籍的。不滿現狀的「台獨」朋友，一直都把這個表象亦是假象當做「真相」，來做他們的「情緒戰」……。

李：表象是歷史原因，因為這些人無法克服歷史遺留下來的心態。但是，很多利害關係的估計、盤算，雙方卻是一致的，譬如，年前大力支持美國賣武器給國民黨的，不正是台灣同鄉會嗎？

將來是屬於新生代的

戴：最後，我們是否探討一下省籍問題如何能夠克服？而不致於演變成法西斯的鬼胎。就社會學的範疇與理論上，哲夫兄，你認為有沒有「出口」呢？

李：國煇兄，你給社會學出起問題來了，我倒覺得今天的談話受你這歷史學家指引的較多呢！哈！話說回來，社會是持續發展的，歷史不會停留在1950年代，當然也不會停留在1960或1970年代。雖然，目前人們都把焦點放在established（既定）的一代，但是將來是屬於1970、1980年代的新生代。對年輕人我比較樂觀，至少近來在新生代所辦的黨外雜誌，已漸漸可以看到超越「島國意識」的世界觀，可以看到很多不同觀點的文章，雖然有的相當激烈，但這是一種求變的表現，還是可喜的。看這種發展，應可期待他們突破省籍觀念的局限，揚棄歷史的包袱，而以開闊的視野與胸懷去研究台灣本土的根本問題。

另外很重要的一點是，三十多年來知識壟斷的局面正逐漸在被打破。國民黨在台灣的統治，除了政治上集權外，知識的壟斷也是非常重要的基礎，1950、1960年代的年輕人，都是在知識壟斷下受教育、成長的，因此我們看到他們在感情上反抗，卻無法在文化上、在知識上反抗。1970、1980年代的年輕人不相同了，他們開始要求知識的自主權，國民黨說不准讀馬列，不准讀1930年代的文學，年輕人就偏偏要讀……因此，我想《台灣與世界》這個雜誌的出現，應該也是有一定社會基礎的。正好這個時候，新生代普遍要求突破知識壟斷，對台灣問題也有不同的評價，也理解到台灣的問題不能只局限在台灣一島來談，必須要放到國際社會、世界的以及全中國的觀點來看待。

戴：關於知識壟斷的問題我有兩點補充。首先說以前國民黨為什麼能夠壟斷？1950年代，國民黨在台灣的經濟基礎還不穩，而且又害怕共產主義滲透到台灣來，所以，當然要控制思想、知識及外來的資訊。過去老一輩台籍人士的多數人是透過日文接觸世界思潮。光復後年輕的不再具備日文的能力，也還很難透過英文接觸思想性的書籍，而中文書籍國民黨就很容易控制。但是，隨著經濟的成長，台灣與世界的來往漸漸頻繁而打開了管道，還有香港、東南亞的來台就學的僑生對突破知識壟斷也有相當的貢獻。1960年代以後留學生多了，也有回去的，又開放觀光了，所以國民黨要再持續知識及資訊的壟斷實在是很困難。人的來往，語文上能看英文的年輕人都逐漸增加，慢慢地形成衝破壟斷局面的動力。最近我看到《暖流》（台灣黨外康系雜誌）上有一則消息，說是各大學附近的書攤有很多1930年代的文學書籍出售，且非常暢銷。因而康寧祥在立法院提出質詢，要求國民黨開放有關書籍。

最後，我談一談對年輕一代的期待。前面我也提到我對省籍問題的憂慮，擔心省籍問題被「台灣民族」論者無限上綱，擴大成民族問題，變成排外「種族」意識，而把台灣帶到法西斯發狂的窄路上。然而，我這次來美訪問遇到一些香港、東南亞的華僑、華人留學生，有的以前在台灣念過幾年書，有的沒有，但他們對台灣的政情與前途很關懷，對台灣的黨外民主運動給予關懷及大力支援。也有一些外省籍留學生，認為國民黨太對不起台灣人，而帶著一種原罪感在支援台灣的黨外民主運動。只要台籍的年輕人，能放眼世界克服自己的「小格局」，與上述一批年輕人合作，是可以給台灣吹進新的風氣和刺激的。我又碰到一些富有朝氣的台灣青年，我感到台灣的年輕一代是有希望的，他們難免還要帶著一點歷史的傷痕與歷史包袱，但是大方向上需要他們去努力自我超越，而我也相信年輕的一代是能夠自我超越並企求其自我實現的。我們正在期待著。

李：僑生對台灣的關心，我也有一些個人的體會，的確非常感動人。他們有的甚至從未去過台灣，對台灣的民主運動不僅僅關懷、支援，同時還有無限的嚮往，這可能與他們本身的殖民地經驗有關吧！然而，他們的關懷、支援並不曾得到海外台灣人政治運動家們的接納，但這也無妨，海外台灣人政治運動原是凍結在1960年代以前的心態，從來不曾與台灣歷史與社會的發展一起成長，這是華僑界的普遍現象，沒有辦法。

最後我再補充一點，如今，台灣要求知識不再被壟斷的現象相當地普遍，也不僅限於本省人或外省人或民主運動的範疇了。譬如前不久，台灣在討論「社會學中國化」的問題，可見認識的要求，已不再限於對科技的生產及控制的認識，還擴大到自我解釋、自我認知的要求。今天，台灣的年輕一代還面臨著如何解釋自我存在的問題，這個問題也不僅僅台灣島內的年輕人，海外的、港澳的，甚至大陸的年輕一代，都普遍關心這個問題。他們不僅要求掌握科技控制的知識，對自己的存在、對世界的情況都有認識的要求。因而，我更相信台灣的新生代是有希望的，雖然他們仍然多少會帶著歷史的傷痕，但這個歷史的傷痕在他們身上將成為一種警惕。而且，如果省籍是問題，他們就會首先面對這個問題，會先搞清楚彼此到底是誰，他們不會再任人指使，告訴他們「你是台灣人」、「你是中國人」……只要新生代能夠突破、能夠超越，民主運動必能提高層次。

本文原刊於《台灣與世界》第10期，1984年4月，頁44～49；第11期1984年5月，頁37～41。由葉芸芸記錄整理，原題「台灣的社會發展與省籍問題——李哲夫與戴國煇的對談」

楊逵憶述不凡的歲月

——陪內村剛介先生訪談楊逵於日本東京

時間：1982年11月10日

地點：日本東京

與會：楊逵（作家）

內村剛介（上智大學教授）

戴國煇（立教大學教授）

內村剛介教授，本名內藤操，1920年出生於日本栃木縣，畢業於偽滿哈爾濱學院，日本戰敗後被蘇聯軍逮捕，坐了12年的史達林監獄。1956年釋放歸國。現任教於上智大學。著作甚豐，為研究蘇聯現代文學及思潮的日本人權威。亦是著者多年來的知音。

楊逵先生以一位台灣近現史的見證人，傑出的台灣作家及「良心犯」，50年來，光復後首次重踏他青年時代遊學之地日本。在此，他追憶少年時代的往事，青年時代的心路歷程，與日本左翼文壇的關係，以及他的文學活動、社會及農民運動，和生命中的逸事。他以精確的記憶，平靜地娓娓而談，雖歷經千古的不平，卻沒有半點怨尤。

我們看到了這位不食周粟的堅貞之士，為民族氣節所遭受的挫折及委屈，他的人類愛，帶給他的苦難，以及他對理想、原則及真理的追求。在在為台灣的歷史，做出了見證，充滿耀眼的淚和光，照亮了我們未來該走的大方向。

按：這個訪問紀錄是由著者戴國煇安排，並請日本河出書房新社出版的《文藝》雜誌社代為主持（於1982年11月10日晚，於東京一個著名西餐館），禮聘上智大學的內村剛介教授，由時任立教大學教授的戴國煇作陪，採座談會方式進行並錄音、編輯而成。全文刊登在1983年1月號日本《文藝》雜誌。

日本統治下的少年時代

內村剛介（以下簡稱內村）：楊逵先生這次是別後50年，首次重來日本訪問的吧？你是應美國愛荷華大學的邀請，訪問美國，歸途順道來日本的，聽說台灣的國民政府這次終於批准你的出國申請，並發給你護照，是真的嗎？

楊逵（以下簡稱楊）：是的，這次愛荷華大學的企畫是邀請了以第三世界為主的28個國家的作家來參加集會，日本也去了一些朋友。我是在8月22日從台灣出發，到美國約逗留了兩個月，去各地打個轉，到達日本是11月1日，我準備在15日，也就是星期天，回到台灣去。

內村：楊逵先生的名字在日本，就是所謂「知道的人才知道」，也就是，除了少數人，其他的不知道楊先生的存在，並且，看來好像只限於「戰中派」（註：第二次世界大戰中已成年的人士）以前的那些上了一點年紀的人才知道你的大名。這是因為日本戰敗後，已歷經了37個年頭了，那麼現在37歲的人，可以

楊逵（左一，戴帽者）與內村剛介（右一，叼煙斗者），攝於東京，1982年11月10日（林彩美提供）

說是屬於對戰爭茫然無知的人，因此之故，現在日本看文學雜誌，二十多歲、三十多歲的人，他們對楊先生的名字之了無所知，實在是莫可奈何之事。現在，假如是有關中國大陸的事情，我們多多少少還有些知識、有些接觸訊息的機會，但是，對有關台灣的事情，則在學校也無法學到，報導機構除了政治上的重大事件之外，向來對台灣不留意，為此，對於有關台灣的事物，就愈來愈不清楚了，日本目前的情形，我想就是變成這個樣子。

就拿我個人來說吧！對楊先生的事，也僅僅知道一點點皮毛而已，比方說，我知道楊先生的小說〈送報伕〉在戰前左翼文藝雜誌《文學評論》1934年10月號，是以入選第二名刊載出來的。

依此，楊先生也是最早登上日本左翼文壇的台灣作家。此外，日本戰敗之後，在回到祖國懷抱的台灣，在1949年，楊先生卻被國民黨政府逮捕，在監獄中渡過了漫長的12年之久。我所知道的僅是這個程度。只知道這些事情。

總之，我認為今天真是一個千載難逢的大好機會，想藉此機會，來充分地向楊先生請教。希望借助你的發言、你的指教，給予日本文壇有關人士，尤其是那些「戰後派」人士，充分了解你的文學、你的時代、你這77年的歲月。台灣出身的戴國煇先生將以不同的角度來提問題，他同時也會對有關台灣的風俗、習慣、歷史、人物，那些我們日本人不懂的，而在楊先生的談話中出現的，由戴博士來加以分析，加以說明和補充。

戴國煇（以下簡稱戴）：好的，我將試一試。我個人對於楊先生的大名，很早以前就知道了，而初次見面卻是先生這次赴美回程來了日本以後的事。

內村：根據我現在手頭上的年譜（河原功著〈楊逵——他的文學活動〉，《台灣近現代史研究》創刊號，台灣近現代史研究會編，1978年4月，東京發行），楊逵先生是1905年10月出生在台灣南部台南州的新化，也就是出生在所謂締造了台灣殖民統治基礎的兒玉源太郎總督及民政長官後藤新平的時代。在那整整十年以前的1895年，是台灣割讓給日本的頭一年。《馬關條約》以後，日本調動了五個師團的兵力，把台灣全島的抗日武裝力量瓦解掉，軍事占領了全島，這就是日本在台灣50年殖民史的開端。有關當時的情形，你是不是曾經從你父母那裡聽到過些什麼？

楊：是的，從我父親那裡，我聽到過。那時的日本軍是從基隆那邊登陸的，先占領台北，然後才逐漸南下，到我的故鄉來的是北白川宮（註：皇族出身之將軍）率領的近衛師團，當年日本軍來的時候，我的父母都跑到山中隱藏起來，我家前面有一家望族，是個地主，他的莊園，聽說北白川宮住過，然後他南下到了台南，在那裡，他終於死掉。

內村：楊逵先生您家過去也是地主嗎？

體弱多病的阿片仙

楊：不、不是地主，我父親是一個錫匠。用錫做成燭台、食器，還有別的用具。我排行老三，長兄在糖廠的試驗場做事，老二給別人做養子，當了醫生，後來因事自殺了⋯⋯。我是最小的，成為這樣（註：參與各種社會運動）的一個人。總之，我父親的手藝就沒有人承接下來。現在，在我的家鄉新化，我們連一個親族都沒有，我們楊家在那裡本來就不是一個大家族抑或望族。

戴：楊先生，聽說你小時候體弱多病，是嗎？

楊：是的，我老是生病，就是體弱多病，公學校我上得比別人都晚，普通七歲上學，我卻拖到九歲才上。那時候，朋友給我取了一個外號，叫「阿片仙」，日本話就是「懦弱鬼」的意思。在新化街的郊外，有一個虎頭山，山下有一個清澈的湖，小時候，我經常在那裡釣魚啊、游泳。

內村：公學校是什麼？

楊：台灣人小孩子上的叫公學校，日本人上的才叫小學校。

戴：這個須要稍微說明一下，在當時的台灣，是被強迫使用日本話的，為了學習日語的必要，日本當局給台灣人的孩子們另外設立了公學校。

楊：在我小時候，有一種說書的賣藝人，常常跑來講《三國志》啊！《水滸傳》啊！（所謂的「講古」）他們常在街上的廟宇旁邊賣藝，我很喜歡，常常去聽。還有鄉村戲、木偶戲，或布袋戲。

戴：我在這裡又得說明一下，台灣總督府以後，連那種中國傳統民間雜技都禁掉，這是怕與回歸祖國運動發生關係的緣故，因此我說，在楊先生的少年時代，日本人對台灣的控制還沒有那麼緊，相對的還算是比較自由的。

讀了《台灣匪誌》有所醒悟

楊：我進公學校的那一年，發生了西來庵事件，那年我只有九歲，所以，詳細的情形，我不清楚。只記得有許多許多日本軍隊，用車拉著大砲，由我們家門口的大路上通過，那時誰都怕惹上麻煩，家家戶戶都把自己的大門緊緊地關上，躲藏在自己的家裡，我卻用手抓住門閂的橫木，從門縫中，屏氣凝神，偷看日本兵的行軍。

戴：所謂西來庵事件，發生在1915年8月，可以說是台灣的漢人在日據時期最後一次的武裝抗日起義，領導人余清芳、江定等人，聚集在虎頭上，據險而守，奮而頑抗。總督府因為僅靠警察力量，無法鎮壓下去，竟出動了擁有砲兵的軍隊，進行全村性屠殺，才總算把起義鎮壓下去。楊先生小時候所親眼看到的那一幕，我想就是派去攻擊虎頭山的日本砲兵隊。西來庵是台南市內的一間廟，相傳余清芳是在這一家廟裡策劃起義的，等到這個武裝抗日起義被鎮壓之後，日本採取了殘酷嚴峻的制裁、報復，當時，被逮捕的有2,000人之多，其中800人在特別設立的臨時法庭被判處死刑。

楊：那時我的哥哥被徵調去當軍伕，幫日本兵搬運彈藥糧食，他回家以後，把事件的種種情形告訴我。日本軍把抓到的台灣人拿來審問，如果承認自己與事件有關的，就交給警察，送到臨時法庭；如果是否認與事件有關的，則就地把眼睛蒙起來，排成隊，日本人事先挖了一個大坑，一個一個用日本武士刀砍頭，然後用腳踢到那大坑裡頭去。這事件，我家附近有人參加，許多可怕的話，我都聽到過，印象特別深刻，至今也還留在腦海中。以後我上了中學，成為中學生，看了許許多多小說和讀了各色各樣的書，其中有一本，是日本人秋澤烏川寫的，書名叫《台灣匪誌》，他把西來庵事件寫成「討伐匪賊」的紀錄，那明明是對迫害的一種反抗，為何竟是「討伐匪賊」？誰才是真正的「匪賊」？我由衷產生了強烈的疑問。

戴：秋澤烏川在台灣是吃警察飯的，搞這一行的。《台灣匪誌》這本書在1923年4月5日，由台北的杉田書店出版的。

楊：1896年，也就是日本人統治台灣的第二年，他們制訂了所謂《六三法》，依據這一個法，台灣總督可以不受《明治憲法》的約束，隨其意，可在台灣公布與法律同等效力的律令（相當於台灣總督之命令）命令，也是依據這個《六三法》，再頒布嚴厲的《匪徒刑罰令》，凡是集會結社，甚或對於日本的統治表示有所異議的，統統可以任意以「叛逆罪」論處，判以死刑。

總之，我看過這本《台灣匪誌》之後，產生極大的疑問，我認為那種歪曲的歷史應該予以矯正，真實的事情，想通過小說，把它寫出來，我產生這種想法。

內村：根據年譜，你14歲時，親眼看見一個曾經受到你父親的照顧的小販，在新化街上，因為芝麻小事，給日本警察當場打死，年譜說，你當時受到了極大的刺激，是這樣嗎？

楊：是的，這個人叫楊傅，是個單身漢。警察正在取締站在路上擺攤兒做買賣的小販，而楊傅是個流動小販，正好有客人喊他，他便站著賣東西，惹火了這個警察，動手就把他打死。現在想來，那個警察當時未必真要置他於死地，可是那時我是個小孩子，我是非常悲痛難過的。

戴：在公學校時，有一個日本人老師，對楊先生特別愛護過的吧！

晚上猛讀書，上課打瞌睡

楊：是的，他是我五年級以後的老師，叫做沼川定雄，他剛剛從學校畢業不久，大約才只有二十一、二歲，當時還沒有結婚。他對我很好，常對我說，到我家來吧！我就常常到他家去玩去。到了沼川先生的家，又可以在那裡吃飯，他書很多，又可以讓我隨便看。我也常常在先生那裡過夜，不僅這樣，他還教我代數、幾何、英語，還有別的，凡是基本學業，他什麼都教我。沼川先生後來當了台北一中（今建國中學）的老師，這是我後來聽說的。

內村：你就像得到了一位特別的家庭教師，對不對？

楊：真是這樣啊！託他的福，我進了中學以後，幾乎沒有什麼可學的，我每天通宵看書，上課時，我就打瞌睡。碰到沼川先生，使我對日本人的看法，大有改變。日本的某一些特定的人，比方說警察、那些人有欺負台灣人的，但是，也有在我少年時代，這麼樣愛護過我的人。沼川先生是對台灣人沒有絲毫優越感的人。

內村：你進了中學以後，應該是和日本同學一起念書吧？

楊：是的，但事情並不完全如此。台灣以前有台北一中、台南一中等中學，而這些學校是以收日本學生為主的，台灣人是很難進去的。在我公學校畢業時，在各地新設了二中，我當時考進的學校，就是這時新設的台南二中，由於殖民教育之歧視政策為因，台南二中的學生多是台灣人，在一個學年100個學生之中，日本學生只有六、七名。相反的，在台南一中，幾乎全是日本人，當時，台灣人的「共學生」（註：在日本人為主體的小、中學，與日本人同窗的台灣人學生叫作「共學生」），我想大約只有二、三名吧！

戴：楊先生就這樣開始過著，白天打瞌睡而晚上拚命亂看書的生活啦？

楊：是的，是的。我白天都在打瞌睡，學校當局大概是諒解我的性格，對我不曾干涉過。有一次代數老師笑著這樣說：「這個班上有個英雄好漢。你們上代數課有人打瞌睡，我不足為奇，但是，有人在輪到校長上修身（註：公民）課時，也一點都不在乎，照樣悠然見周公去，他不是英雄好漢是什麼？」這就是指著我說的。

內村：你讀些什麼書呢？

楊：日本的舊小說我沒讀過，夏目漱石、芥川龍之介、白樺派作家群的作品，我全讀過。還有，當時日本對外國文學的翻譯，盛極一時，對於外國文學，我最初是靠查字典，看英文本；但是，看日文譯本來得快，又方便，所以……。俄國文學我是喜歡的，主要我看的是19世紀的東西，托爾斯泰（Leo Tolstoy）、屠格涅夫（I. S. Turgenev）、果戈里（N. V. Gogol）、杜斯妥也夫斯基（F. M. Dostoevsky）。法國文學，我看的是大革命前後的東西。英國是狄更斯（Charles Dickens），而最受感動的是法國雨果（Victor Hugo）的《悲慘世界》〔Les misérables〕。總而言之，那些揭發舊社會的黑暗，描寫人們對老套習俗的抗議與反抗；同情在那種社會矛盾以及下層社會裡，過著悲慘生活的小人物們，那樣的作品，我特別以感動的心情來讀它。

逃避童養媳赴日留學

內村：這就是所謂文學青年楊逵誕生的過程吧！我想你讀過俄國文學作品，這點和日本的文學青年相彷彿。但你連狄更斯也讀過，這確是我沒料到的事，這點是與日本人大異其趣的。比方說，杜斯妥也夫斯基最愛讀狄更斯的小說，但是，日本文學青年即使讀杜斯妥也夫斯基，也很少涉讀至狄更斯的書。

楊：那時候我是碰到什麼，就讀什麼，並不是有一個系統的讀法，覺得有趣，我就讀，沒意思的，就丟在一邊，並不是所謂的研究，而是為樂趣而讀下去的。

內村：就那樣到了1924年，19歲那一年，楊先生從台南二中中途退學，來到日本的。那時候，你是因為在思想上有著某種矛盾，同時，也對日本那樣一個陌生的廣大世界，存在著內心的嚮往吧？

楊：不錯，是那樣子的。在那前一年，也就是大正12年（1923）9月，發生了關東大地震。另外有一件事，那時正是大杉榮（註：日本著名的無政府主義者）一家人，被一個姓甘粕〔正彥〕的憲兵上尉殺死，屍體被投到井裡去。我那時讀到新聞的報導，給我內心的衝擊，至今還都清晰地留在我的記憶中。從那時候開始，我在思想上不得不思考到一些似乎是「多餘」的事物上去。大杉榮的書，那時我大概已經看過一本或兩本，我到東京以後，最先讀的書也是大杉榮的著作，那以後是巴枯寧（Mikhail Bakunin），以後才是克魯泡特金（Pietro Kropotkin）。當時，馬克思主義逐漸盛行起來，那種所謂流行，也就是一種時髦，我很自然的像被捲進漩渦那樣，傾向於閱讀起那一方面的書了。

然而，我之想要到日本去，另外有一個理由，我家本來就有一位童養媳的姑娘，這使我精神非常痛苦。

戴：這裡我要稍微說明一下，所謂童養媳，簡單用一句話來說，就是父母給兒子在未成年以前，就決定下來的婚姻對象，也就是「新娘候補小姐」，昔日在中國，要娶成年的新娘子，要花很多錢，為了省錢，又先收多一個勞動力，一個有兒子的父母，在自己的兒子很小的時候，就從別人家裡要一個小女孩兒來當養女，到他（她）們長大以後，就逼他們結為夫婦（所謂的「送作堆」）。這個小女孩兒就叫作童養媳。在朝鮮也有這種風俗，魯迅、郭沫若也為童養媳的事非常痛恨過，楊先生就是為了逃開那童養媳的婚姻，逃到日本來的。楊先生，你當初來日本，是瞞著父母，逃走的嗎？

楊：不，不是。我決定要來日本的事，曾經使我母親非常悲傷過，但因為我父親已經答應了，她便什麼也沒有說。我的鄰居有一個男的是台北工業學校畢業之後，考入東京高等工業〔學校〕，剛巧他暑假回家渡假，我從他那裡聽到種種的話，突然心血來潮，決定要到日本去。到了東京以後，沒費什麼心，因為那位東京高等工業的老兄已經給我安排好好的。那時從基隆搭船經過九州的門司，到神戶登陸，由神戶再改乘火車到東京。時間好像是九月間，到了東京，首先見到的是那個大地震後的痕跡斑斑的慘況，嚇了一大跳，建築物大部分都倒塌了，從火車站放眼看去，大樓只留下「丸之內大樓」（譯註：當年東京火車站前的第一大樓）和帝國飯店是完整的，其他的大型建築全都不見了。

內村：原來如此，楊先生你到東京來之時，正是普羅文學勃興之際。現在，讓我們把歷史、時間稍微整理一下來看。楊先生來日本前一年，大杉榮被殺，再前一年，日本共產黨創立，更前一年的1921年，中國共產黨誕生。所以，楊先生可以說是趕上風雨欲來，百事俱備的情形之下，來到日本的。

楊：大概就是這樣的情形吧！我對當時的雜誌，像《文藝戰線》、《戰旗》*1，就像這個戰字一樣，狠狠、拚命讀下去。

戴：你家裡完全沒有給你寄生活費嗎？

楊：有，有一點接濟，我自己抱著自力更生的意志，沒有向家裡要求什麼，雖然如此，在父母看來，還是放不下心的。最先我租民房住的地方，在荏原（現東京都品川區）的碑文谷，那個時候，那邊全是鄉下景色。反正不做工就沒飯吃，我來日後，馬上就開始做土木零工，或是送報。第二年，因為我的學歷是中學肄業，就參加檢定考試，考取了，然後再進入日本大學文學藝術科，當時的日大是只有夜間部的專門學校。那以後我白天做工，晚上上學，過的是苦學生生活，當時我已搬到目黑區去住。

「專檢」考試合格．加入前衛劇會

內村：原來你是檢定考試及格的，你是「專檢」吧？

楊：不錯，是「專檢」，考場在小石川（今文京區）的學校裡。

內村：真是了不起啊！所謂專檢（專門學校入學資格檢定考試）是非常難考的一種檢定考試，連專檢你都可以通過，那你必也可以考取全日本最難考的學校，例如一高或東京帝大。

戴：特別是台灣人在日語方面，具有語言方面的困難，這就更難上加難。

---

*1 《戰期》，為日文期刊，另名「全日本無產者藝術聯盟機關誌」，出版者為東京市：全日本無產者藝術聯盟本部。

楊：我不過是運氣好，然而語學方面，我那時是有自信的。

戴：日大上課的情形，你還有沒有留下特別的印象？

楊：昇曙夢教俄國文學史，他的課，我從不缺席。日大的老師在我腦筋裡面留有印象的，僅此一人。

內村：那你和日本作家之間的往來，是怎樣開始的呢？

楊：剛到東京時，我沒有和他們往來過。和同是來自台灣的留學生，也僅止於進行組織讀書會，讀些左派的書，然後大家一起討論而已。大約是在日大入學以後一兩年的時候，佐佐木孝丸（日本著名戲劇運動的領導人）在他家裡主持「前衛演劇研究會」，我也參加了。千田是也（日本著名劇作家）剛剛從留學德國回來，教給我一些演劇的基本訓練。

戴：楊先生你也當了演員。

楊：不，我演的只不過是一些無關緊要的小角色，像演路上的行人啊！一些最起碼的角色，而多半我是擔任舞台布景，後台方面的工作。在那裡，我才和日本作家相識起來。秋田雨雀、島木健作、窪川（佐多）稻子、葉山嘉樹、前田河廣一郎、德永直、貴司山治，這些所謂普羅文學的作家們。那時，我也向雜誌投稿，東京記者聯盟辦的雜誌《號外》，1927年9月號登了我的〈自由勞動者的生活斷面〉，當時不是用筆名楊逵，而是用原名楊貴，是用稿紙15張的短文（約為六千字），領到稿費7圓5角，這是我有生以來第一次弄到手的稿費，真是高興極了。

戴：那是小說嗎？

楊：詳細內容我已經忘記了，是對自己生活經驗的平易直述，可以說是一種報導文學的吧！

內村：中野重治你會過沒有？

楊：會過，我在1937年又再來一次日本，所以，在時間上，我搞混了！是我第一次來留學時會過的呢？還是以後那一次的呢？詳細時間我忘了。中野重治主要是問我台灣的種種情形，是他對我提出質問的，我們有過很長的一段談話。他是一位誠懇、沉默寡言，又給人有信賴感的人，但德永直就不然，他和我見面時，緊張兮兮的，他的膽子太小了。

內村：中條（宮本）百合子（為戰後頭號日共領導人宮本顯治的妻子）你會過嗎？

楊：會過，中條百合子也是一位堅定可靠的人，和我碰面時，大概是因病從牢裡保釋出來的，當我去拜訪她時，我記得談到的也是台灣的情形，當我告別時，她送我10塊錢。《星座》的總編輯也送過我10塊錢，我很感激。此外，我至今還留有印象的是武田麟太郎，他那時非常走紅，因為紅的發紫，連載的文章很多。我到他那裡去的時候，許多報社的人，守著他等他的稿子，在那種情形之下，武田麟太郎卻開口對我說「我們，上銀座去！」就把等稿子的編輯們丟在一邊，我們上銀座散步去了。喝了啤酒，坐了地下電車，又到別的地方去喝酒。「武麟」真是一個豪爽的鐵漢子。

內村：你參加勞動運動的情形呢？

楊：那是什麼契機我已經忘了，可能是參加了五一勞動節以後，就開始有了多方面的接觸了，我因為自己做工，參加了工會，評議會也參加過。

在東京的一段羅曼史

戴：你在分租民房時和那家姑娘發生的羅曼故事，以及在國會大廈建築工地差點送掉老命的事，也發生在這一段時間嗎？

楊：不，那姑娘的事，是在以前住在碑文谷發生的，那家姑娘在森永糖果工廠（日本最大的糖果食品公司的工廠）工作，大概是她的同事，一個朝鮮人對她有意思，常常送些巧克力糖給那姑娘，而她卻把這些東西全都轉送給我。每天，她從工廠回到家裡，就跑到我的房間來，纏著我，寸步不離。然而，也僅僅是這個程度的，淡淡的交往。不久，我就搬到目黑（今目黑區）去了。她的芳名，至今我還記得，她叫作井上馨。也就是在差不多同時，我到調布的深大寺的時候，卻出了一次大洋相。有一天，我到附近的多摩川去游泳，游罷上岸一看，不得了，放在岸上的上衣、褲子和錢，全都給小偷偷走，我毫無辦法，穿著那條僅有的兜襠（腰纏布），一步一步，走回我住的地方去。

到國會議事堂的建築工地去做工的事，我想是在日大念書的時候。那一次，我在很高的建築架上搬運東西時，風很大，把水泥吹到我眼睛裡去，沒想到我腳踩錯了地方，搖搖欲墜，正在那千鈞一髮之際，同事用他的身子支撐著我，不讓我掉下去，這才把我救了。當時，如果我掉下去的話，肯定這條老命立刻報銷。當年，在日本留學時，因為太窮，痛苦的事不勝枚舉，太多了。可是，那時我只有19至22歲，是個年輕小夥子，現在，即使那時的所有辛酸回憶，都變成那麼甜美，帶給我無限的懷念。

內村：1927年，楊先生是接受台灣農民組合的邀請回去的，在那以前，你在日本受到首次逮捕，是不是你參加了朝鮮人集會的關係？那次逮捕，會不會也是你回台灣去的一個理由。

參加農民大會被抓

楊：不，這和朝鮮人集會事件毫無關係，那一段時間的事情說起來是這樣的，我當時住在勞動農民黨的牛込（當今的新宿區）支部裡，在那裡一邊找掙錢的工作機會，一邊替他們貼傳單等，幫點忙。在牛込支部時，鹿地亘（日本普羅作家之一，中日戰爭時期他投進重慶日本人反戰組織）常常來。朝鮮人集會事件是因為有一件大事發生在朝鮮，逮捕了許多人，為了抗議日帝抓人，朝鮮人就在東京集會，地點是在本鄉（今文京區）東大附近的佛教會館。在那裡集會抗議時，牛込支部的勞動農民黨黨員的日本人說要去支援他們，我也一起去參加了。當時，在開會之前已經「預備檢束」抓人，全體參加的人被本鄉（東京大學的所在地）的本富士警察署的警察抓去，我受到三天的拘留，卻沒有刑訊，朝鮮人卻都給警察抓到武道場去，用竹劍被狠狠打了一頓。

次日，我被照了相，在肩頭掛著姓名牌，正面側面各照一張。我騙他們我叫楊健，他們就把那相片轉到各警察署去，目黑署的「特高」（日本特務警察「特別高等刑事課」的簡稱）不久就發現我說了謊。第三天，本富士警察署長對我說，你的事情我很清楚，你參加文化活動的人，為什麼要參加這種集會？我說：沒有工作，去找打工機會時，常有些集會，我覺得很有意思，就跑去看罷了。署長對我所說的，大概頗能理解，調查完了以後，

楊逵（右方跑者）參加田徑賽跑（林彩美提供）

署長對我說：「你如果再找不到工作，我會照顧你，你再和我聯絡吧！」然後我叨擾他一頓炸蝦飯，平安無事被釋放了。

內村：台灣的農民運動有何特色呢？

楊：日本的普遍情形是，大地主與佃農之間有糾紛，台灣也一樣，但比較少，其他形式的糾紛多些。問題之一就是日本占據台灣之後，在平地搞過土地調查，其所有權確定了，但山地和部分山麓地並沒有經過調查，統統就被強制編入為日本之國有地了，然後就把這些山地拍賣給日本的製糖公司，三井或三菱財團。買主當然要趕走原來的居民，並把土地接收，因而產生了種種糾紛。在我回台灣前兩年，「農民組合」運動才急速地發展起來，形成了欠缺領導人才，由而農民組合的領導層一而再地邀我回台幫忙。

戴：台灣農民運動中，以同志的身分和你一起活動，以後成為你的夫人——葉陶女士，那時是和你在一起搞運動的嗎？

楊：嗯，是這樣的。葉陶比我早參加了農民運動，我擔任「台灣農民組合」的教育部長、組織部長時，葉陶擔任婦女部長。我是一個內向型的人，葉陶比較外向，很愛說話，演講也比我強得多，兩人的性格不一樣，反而有緣分。那時參加農民運動的女性，除了葉陶之外，只有四、五個人，所以說葉陶是台灣近代女性中的先知先覺者之一是不過分的。我只做了兩年農民運動，一共被捕八次，葉陶也同樣被抓。後來，農民運動的領導人簡吉與我的意見不合，我就離開農民運動，從此，我就到台灣文化協會參加相關的活動了。

坐牢渡蜜月

戴：1929年你和葉陶女士結婚，在舉行婚禮之前，兩人雙雙被捕，是嗎？

楊：是的。那事情發生在一月，就在那前幾天晚上，台南市總工會——日本叫作勞動組合，開大會，我和內人去參加，並且兩人都登台演講。不，那時還沒有結婚，不該叫內人才對。……（笑）當天晚上住在文化協會的支部，準備第二天一早就回新化的家去舉行結婚典禮。家裡也很慎重其事，都給準備好了，等著我們回去。不料天一亮，我們兩人都被捕，給上了手銬腳鐐，從台南街上被帶走，我和葉陶，一男一女被拉在一起，街上的人看到這光景，都說這兩個男女該是私奔被逮到的吧！我們後來才聽到這種笑話一樣的傳說。

這時是由當地警察署送到台南監獄，然後又送到台中監獄，共被拘留17天。因為當時背後有台共的問題（斯時，日本當局正在大搜查、大逮捕有關台共人員），所以搜查網遍及全島，凡是黑名單上有名字的人物，統統一起被逮捕。我是給扯上了這個問題，才被抓去。釋放之後，我才與葉陶舉行結婚典禮。這造成婚禮延期的那17天的扣留，我當時對葉陶開玩笑說，那是政府給的「官辦蜜月」啊！葉陶已經向我告別了，1969年，66歲時謝世的。

〈送報伕〉後半部被禁

內村：那以後，1931年九一八所謂的「滿洲事變」發生，台灣的左翼運動也處於崩潰的狀態，在那一段時間，楊先生才再度從事文學活動的。是嗎？

楊：是的，第二年的1932年，我寫了〈送報伕〉登在《台灣新民報》上，只登了上半部，後半部卻被禁了。

內村：那篇〈送報伕〉後來送到《文學評論》〔《文学評論》〕來，楊先生才正式登上日本的文壇。1934年這個時期，日本左翼文藝也在逆境中，可以說《文學評論》卻是扮演一個強者殿軍（後衛）的角色。

戴：楊先生在前面稍微提了一下《六三法》帶給台灣政治的特殊狀況，為了使讀者有一個清楚的認識，我在這裡稍加說明。

在台灣禁止刊登的文章，在日本卻可以登，這個例子，說明了台灣與日本所適用的法律不同。在日本本國，不管好壞，當年至少還有《明治憲法》被適用。在一定限度以內出版自由是有的，因此之故，〈送報伕〉全文——包括在台灣被禁掉的後半部分，可以在日本的《文學評論》刊登出來。然而台灣總督府握有絕對性權力，當時楊先生的作品被視為眼中釘，無論如何，日帝都不讓它在台灣出版。

創刊《台灣新文學》

內村：〈送報伕〉都是楊先生根據你的親身經驗，原原本本把它寫出來的嗎？

楊：是的。報紙分銷所的描寫，是我實際的經驗。主人翁的母親自殺的事，那是我參加農民運動目睹的事實，我把它寫出來了。

內村：1936年，這篇〈送報伕〉經由胡風（大陸的名作家，為魯迅門弟之一）之手，譯成中文讓中國大陸的人也都可以讀到，是嗎？

楊：嗯，不料譯成中文這件事，以後對我發生了很大的作用。日本戰敗後，有許多新從大陸來台灣的中國人尤其是文化人，都來看我，他們都是透過胡風譯的〈送報伕〉知道我的名字，才對我有些許的了解。

內村：1937年6月，盧溝橋事變爆發前一個月，楊先生第二次到日本來，這個時候，楊先生在台灣的文學活動，已經不可能繼續搞下去，所以，你想到日本來，尋找一個可能的突破口，我這樣推測你的想法不知對不對？

楊：正是如此。我離開最先擔任編輯的《台灣文藝》之後，在1935年底創刊了《台灣新文學》，費盡了氣力，1937年還是被迫停刊了。我是6月到東京的，見了《文藝首都》、《日本學藝新聞》*2、《星座》等雜誌的編輯負責人，我對他們說明我們台灣作家希望獲得一個發言的園地，我的話終於被他們接受時，七七事變卻同時爆發了，什麼都搞不成了。

内村：那時你見過《文藝首都》的主要負責人保高德藏沒有？

楊：我在《文藝首都》的編輯室內與保高先生會晤，我還記得就在那裡碰到石川達三。七七事變之後，我被捕，所幸很快就獲釋。之後，我把在《台灣新文學》上登了一半被禁的〈田園小景〉一文改編，以「模範村」為名的小說，送給保高先生看，他替我介紹給改造社的《文藝》（為登載本文的《文藝》的前身）。9月我便回台灣去。可是，10月20日，這個稿子卻退還給我。

内村：楊先生為了台灣文學活動的生存之路策劃奔走，到日本來，受到非言語可以表達的苦楚時，中日間的戰火由華北燎原到上海，終於擴大成為全面性戰爭。日本也進入了戰時體制，思想控制的繩子勒得愈來愈緊，一步一步地走向蠻幹的路線。那年11月，中井正一、久野收他們辦《世界文化》那一批人，給逮捕

*2 出版者為東京：日本學藝新聞社。

了。11月，發生了人民戰線事件，在日本要發表楊先生的文章，變成完全不可能了。雖然如此，《文藝》的編輯卻不能把你的文章「石沉大海」，良心上他應該把稿子退還，可是，進一步看，這退回原稿，也正表示楊先生的稿子放在東京是會有危險的，「退稿」這個行為不外是呈現了這個紅燈信號。

楊：對的，沒有錯。所以，我一直把這個10月20日的日期記得清清楚楚。

內村：看來，楊先生和那《文藝》編輯彼此之間在意思層面，基本上是構築有默契了。我這樣了解，不會錯的吧？

楊：是這樣，沒錯。

戴：楊先生因為在日本太辛苦，回到台灣以後，肺病加重，不斷咯血，是嗎？

關於魯迅的追悼文

楊：嗯，那時真是在困境中，《台灣新文學》發行時，工作過度，我和葉陶從事於包括編輯的一切雜務，裡裡外外，全部由兩人包辦，咬著牙勉強在支撐，把我自己弄出肺病來，葉陶也病了。

內村：楊先生親手創刊的《台灣新文學》，1936年11月號有一篇沒有署名的「悼魯迅」是排在「卷頭語」，我們先來看一下這篇文章。

不久之前，吾人因失去高爾基，悲痛猶新，今聞魯迅，痛於10

月19日，因心臟性哮喘病，辭別人間，文學工作者，在此三個月之間，何其不幸，喪失兩位吾人尊敬之巨人……（中略）遙遠的黃浦江上，定是悲雲深鎖，表示深沉之哀悼。

這篇沒有署名的悼魯迅文，現在大家都已經知道是楊先生的手筆（編按：文本刊出後，台、日兩地有數位文友示教，該文為王詩琅先生執筆，謹追記於此），我想請教，你與魯迅之間，不管是直接或間接，有沒有什麼關係，或是來往？

楊：直接關係完全沒有，我和魯迅也沒有見過面。

內村：1927年，魯迅在廣東，目睹第一次國共合作破裂之後的白色恐怖，後來避難到上海。那次以後，他到死都沒有離開過他住的上海之日本租界。這只是我個人的看法：就是，在上海那樣的環境之下，魯迅當時的立場，和他與日本的關係，想肯定並且站在台灣老百姓的立場來發言，將會引起相當微妙的問題的。因此，對有關當時仍是日本殖民地的台灣，其發言必會有所自我節制的，如果直接用口述，我相信他會很慎重才對。況且，魯迅對台灣的種種問題尤其是有關台灣文學的問題，我不認為他會不關心。為什麼我這樣說呢？因為魯迅在還不到1920年代來到日本留學時，就和他弟弟周作人，共同自費出版兩卷翻譯的書，書名叫《域外小說集》，而這一小說集的特色是，用周作人的話來說，收輯選擇的作品概是偏重「被壓迫民族」的作家：魯迅本人，以後也對所謂「被壓迫民族」的文字，繼續寄予強烈關心，這是普遍為人所知的事實。

楊：確實如此。

〈送報伕〉首度譯成中文

內村：把你的〈送報伕〉譯成中文的胡風，你見過嗎？

楊：我沒有見過胡風，以後才聽說，胡風當時是在慶應大學留學，他好像看過登我小說的《文學評論》。

戴：胡風所譯的〈送報伕〉，頭一次是1936年5月登在上海，生活書店出版的，世界知識叢書之二《弱小民族小說選》裡面。

內村：胡風是魯迅的得意門生，特別是晚年的魯迅，胡風是他身邊很親近的一位青年作家。我們剛才說到的《弱小民族小說選》中，收集了楊逵先生的文章，其背後一定是受到了魯迅的影響的吧？我另有一個想像，就是魯迅的《域外小說集》與胡風的《弱小民族小說選》之間，似乎感覺到有某種「紐帶」存在似的。

戴：讀魯迅的日記，可以發現一些台灣人的名字，但這些魯迅見過的台灣人，與楊先生毫無關係，因為那些人，都是所謂的書齋派人物，如果他們不喜歡住在台灣，他們就可以溜到大陸去，在那邊，偶爾去見一下魯迅自慰自慰的。而楊先生卻是一位徹頭徹尾的實踐派人物，絕不離開台灣並對日帝抵抗到底的。

楊：但是，戰時想要離開台灣，我也沒有機會啊！我是一個被官方盯得緊緊的黑名單人物嘛。

還有，我不知道這件事與魯迅有沒有間接的關係，對他，我有難忘的一段話，要插在這裡留下來：當我第二次由日本返台時，雜誌沒有再出版了，我又有肺病。平常我是在文化活動的工作沒有的時候，我可以改行搞體力勞動的工作。現在卻因肺病，激烈的體力勞動我沒法幹，這時，朋友就說，不如種花出售，又可以靜養身體，比較上，又可以有自己的自由時間。但是，借土地的錢又無著落，那時，陷入毫無辦法的困境中，連米店都欠了20圓的帳，因為無錢可還，被告到法院去，被傳訊了好幾次。

入田春彥伸出援手

在這樣的困境中，竟有一個人向我伸出溫暖的手，這個人就是名叫入田春彥的日本警察。

有一天，《台灣新聞社》學藝部員（譯註：副刊編輯）田中保男陪著一個陌生的日本青年，到我家來。我和田中保男以前就很熟，原來那個陌生的青年是個警察，他讀過我的〈送報伕〉，很受感動，一定要見一見作者，就託《台灣新聞社》學藝部員與我聯繫。他們兩人特地帶來了酒菜。那天晚上，我們喝了酒，談得很愉快。夜深後，他們兩人才回去。在臨別時，那位陌生的青年對我說：「這個，你拿著用吧！」居然交給我100圓大款子。我用那100圓，還了20圓米店的舊欠，把剩下的錢，去租了200坪土地，我的農園就這樣開始的。這位對於我，就像救主一樣，他僅是我初次見面的青年，他就是入田春彥，是一位日本警察。菜園子開始了，我取名為「首陽農園」。

內村：原來如此，「至死不食周粟」，是嗎？你以首陽山上，至死不吃周朝的糧食，吃蕨菜的野草而餓死的伯夷、叔齊的史例來勉勵自己。以他們的抵抗精神為自己的精神，自己在中日戰爭中，堅守著民族的氣節。

楊：是的，假託這個典故，沒錯。然而，畢竟我不是聖人，我並沒有餓死。

不久，這位入田春彥不幹警察了，常常來我家玩。那是1938年的事，入田春彥突然被警察抓去，給扣留了四、五天。以後，又命令他離開台灣返回日本，驅逐他不允許他住在台灣。他出獄不到幾天，我收到入田的便條子，一看，草草寫著「今晚七時，請來我處」。我準時到達他所住的地方，從外面聽到他房裡發出苦楚的呼吸聲，我馬上發覺不對，飛奔衝到他房間去，房門上了鎖，從女管理人那裡找來鑰匙，奔進房內，只見他已氣息奄奄，人事不省。他好像正在做夢，一再喊我的大兒子「資崩」的名字。他是吃了大量的安眠藥，有計畫的自殺。抬到醫院時，已經太遲了，第三天或第四天，入田先生與世長辭。

他留下遺書兩封，分別給我和我內人，給我的只寫道：我的心情，你能了解我吧！給內人的，是託她料理身後的事，他寫著：「自己的遺體火化成為骨灰，請再當作養花的肥料用吧！」不料，在入田先生的遺物之中，我發現他留有改造社版的《魯迅全集》（1937年2～8月發行，全七卷）。我靠他遺留下來的書，才開始認真閱讀魯迅的著作。

內村：話題雖然曲折，你與魯迅之間的間接關係，我大致了解了。在你楊先生這方面，是靠著日本那位警察，魯迅才進入了你的精神世界。我現在突然回想起，當我在哈爾濱學院上學時，教我們法政有關學科的老師是東大法科畢業的。這位先生在當上大學老師之前，曾在台灣當過警察中最低位階的巡查。是因為九一八事變以前，日本在經濟恐慌的大不景氣中，就業非常困難，即使第一流大學畢業，找事也非常困難。甚至當時有一部電影取名「大學畢業了，但是……？」因為這樣，當時就是在台灣當巡查，也可算是一份方便糊口的好工作。

戴：在殖民地，官吏的薪水是另加60%而支薪的，待遇要比日本國內的好很多。

內村：那位日本警察，入田春彥先生，大約有多少歲？

楊：大學剛畢業的樣子，二十四、五歲吧，很沉靜的好漢，不過，我對他的經歷，什麼都不知道。

他對自己私人的事，什麼都沒有說過。問他的警察同事，他們也都不告訴我。

內村：他可能是一位有好教養的青年。他對日本的現狀，完全絕望了。抱著一種理想，卻在日本國內吃不飽飯，跑到台灣去當巡查。然而到了殖民地的台灣，他所目睹的，使他更加絕望。碰巧讀到楊逵先生的〈送報伕〉，想要看望作者，造訪作者後，他的心情就壓制不住了，剎車便失靈了。我想如此來了解……，不知高見如何……。

楊：入田先生每月訂了美國的《新民眾》〔New Masses〕雜誌，英語版的《莫斯科新聞》〔Moscow News〕也每期必讀。

內村：這更可以做為推理的線索，那時，在日本從事左翼運動的人們，互相之間，是不問對方的經歷的。探尋別人出身是絕對的禁忌。不但問是禁忌，聽也是禁忌。這是為了被抓之後，防備刑訊，為了保護自己的組織，不准許互相之間知悉各自的出身及經歷。由於他徹底遵守了這一條鐵律，我們可以找到一個輪廓。他雖然把自己的後事託給楊先生夫婦，卻對自己的來歷，隻字不提。由這件事推測，他大概是個有特殊來歷的人，我好像尋出有關他的一點蛛絲馬跡了⋯⋯。

楊：我也是這樣想的。

戴：楊先生，關於你所讀的改造社《魯迅全集》，大約在盧溝橋事變發生稍後，先兄因為收藏有這部書，竟給東京・中野憲兵隊抓去。對於台灣的留學生來說，《魯迅全集》在東京仍是禁書。因此，要帶到台灣來，那就更難了。入田春彥因為是日本人，所以能在台灣擁有《魯迅全集》。這難道不也是日本人在殖民地的一種特權嗎？

內村：這樣的話，入田春彥這個人更加是一個特異的存在了。

楊：在我的「首陽農園」前面就有一個火葬場，入田先生的遺體，就在那裡我們把他火化，我去撿了骨灰，這個骨灰罐子，一直由我親自保存著。1949年，我被自己祖國的政府逮捕，送到孤島——火燒島，一關12年。我在牢房裡，我的家人為了慎重，就送到台中寶覺寺妥為保管。因此，他的骨灰，到現在也還在那間寺裡。只因一點線索都沒有，否則，如果能找到他在日本的遺族，我很想把骨灰交還給他們。入田先生是九州人，我好像聽說過他出身於熊本縣。

日本話與台灣話等⋯⋯

內村：關於楊先生的〈送報伕〉，我有一個問題想請教，就是，那文章當初在日本《文學評論》發表時，是用日文寫的，不過，最初在台灣的報紙發表時，是用中文？還是日文寫的呢？

楊：是用日文寫的。

內村：那麼，這裡就有一個疑問。如果是寫評論文章，楊先生用外國語文的日文來寫，我想當然你可以寫言論性文章的。但要寫文學作品，而且是用日本文字來表達自己的感性的話，那時的心情到底是怎樣的呢？我想你是很難受的吧？真能用日文來寫出好的文學作品嗎？

楊：是啊！我過去完全沒有漢文的素養，還有，由小學一年級開始，一直就被用日語來教育長大的嘛！因此之故，日語文的表達能力，我想已經相當可以了。

內村：那是用日文寫就好了呢？還是曾經想過到底用自己的母語來寫文學作品，比較好呢？……但是，在殖民地的台灣，用中國文字寫文學作品是有其局限性的。

戴：這裡我想稍就日語與台語，台灣話與中國話，更正確地說，是台灣話與北京官話之間的問題，說明一下。

居住在台灣的民族有兩個，其一是先住民，土著的所謂「高山族」，其二是由大陸遷居來的漢民族。而後者的漢民族又分別使用兩種語言，多數人所用者在台灣稱為「福佬話」，另一種是我們客家人日常用的客家話。

說「福佬話」的人，占人口的80％強，如今一般以「福佬話」簡稱為台灣話。但台灣話與中國話（北京官話）之差距，並非如同東京腔與關西腔之所異，用東京腔與關西腔，兩人仍然可以完全通話，幾近完全了解。但用台灣話與北京官話，則幾乎全然不通。因此之故，台灣話與北京官話間的差異頗大。

再者，在台灣使用的語言，無論福佬話或客家話，好多是有音而無字，至少可以說，有音而很少有字。用台灣語言從事文學的表現，在文字學上看，尚不很成熟，因為此一語言當作書寫的文字是尚未完成的。

1917年（大正6年）中國大陸發生了文學革命運動，提倡了白話文運動，文字改革，提倡口語，所謂活的文字，活的文學運動。經過了文學革命運動以後，中國「標準」語也就是北京官話慢慢地演變成了可以表現當代文學的口語。但是，大陸上的文學革命發生之時，日本已統治了台灣20年以上，固然中國大陸的口語運動，在台灣亦產生了影響，但總督府為了切斷其與祖國回歸運動的關係，禁止了這一運動在台蔓延和發展。此外，「台灣話」尤其是福佬話自身也有過口語運動，因為當時在日本殖民統治之下，故未結出預期的果實。

總之，在強制使用日語的台灣，除具有特殊條件的少數台灣人能學會北京官話之外，要想從事文學創作，除了選擇日語之外，別無他途可循。實則，楊逵先生寫〈送報伕〉之時，並未學會北京官話，並且，用閩南語也就是福佬話來表現文學作品，幾乎不可能，楊先生除了用日文來創作之外，別無他法。日本殖民統治50年間之文化上的影響，我以為從此一語言問題來思索，最能明瞭。

內村：原來如此，現在我明白了。

戴：平常在20歲以後學到的語文，要用來直接從事文學創作，似無可能。我已是50歲出頭的人，用中文來寫社會科學論文，已感吃力。漢族系台灣人裡頭，真正已能掌握住近代中國語的辭彙來寫出文學作品的，可以說是以陳若曦她們這一代人為開始。也就是說從小學就學北京官話而長大的，大概，當今在四十二、三歲以下的人們才能以中文寫出較好的文學作品。我個人的推測，我想留日中國人作家陳舜臣大概無法以中文來寫小說。又留日朝鮮人作家李恢成，也同樣無法用朝鮮文寫出小說的。

在火燒島學中文

內村：我想他們寫不來。

我讀「年譜」知道，1945年從殖民地解放以後，台灣的使用語言，從日語換到中國話，那時楊先生深為所苦。我看了大惑不解，現在才明白過來。楊先生是從台灣回歸中國以後，才開始正式學習北京官話的嗎？

楊：是的。我是被關在火燒島12年，在牢房中學的中文，後來又向我的孫子學。還有，光復後（回歸祖國後），我出版了用中文、日文印的《阿Q正傳》，就是為了學習中國國語的。

內村：這種書對日本人學習中文也適用的，那時台灣人卻只用來學中文，而且是用日文做媒介，楊先生你當時出版的《阿Q正傳》，一定要在日本重印。

楊：用閩南話我也試寫過文章，在戰前，《台灣新民報》把文章登出來了。可是，自家的造語太多，以後我自己看了，也搞不清楚我自己究竟寫了些什麼。

戴：所謂造語就是，楊先生所要說的話，閩南話中沒有字的，用同音的漢字來填上。但造語用多了，別人讀起來，完全不知其在說什麼，楊先生當年雖然用民族精神來挑戰，但沒有成功。

内村：日本戰敗，對我來說並不等同於戰爭的結束，因為我是在戰敗之同時，被蘇聯抓到西伯利亞去的。所以說戰爭當時對我來說仍然沒有結束。楊先生你是怎麼樣的？日本的戰敗投降，對你來說是不是戰爭就結束的呢？我對台灣的事情不明白，卻對這些有關深層心理的問題頗感興趣。

楊：日本一投降我最先想到的是沼川定雄和入田春彥兩位日本恩人。如果沒有這兩個人，也就沒有當今的我。

戴：你聽到日本戰敗的消息，是不是和別人一樣，來自於天皇的「玉音」廣播的。

楊：我在家裡聽到的，我有收音機。前一天，報上登了：「明天天皇有重要廣播」，讀到這個，我馬上明白過來。如果不是日本戰敗，天皇是不可能親自廣播的。那時我已40歲了，種種資訊我也聽到一些，自從日本偷襲珍珠港，引起所謂太平洋戰爭，我就認為日本註定要敗的。

戴：對楊先生來說，日本戰敗就是回歸祖國，你那時必是興高采烈的吧！

楊：是的，所以我就把「首陽農園」的招牌拿下來，換成「一陽農園」。

戴：首陽山變成「一陽來復」的一陽，是吧！

楊：於是，台灣總督府向國民政府正式投降的日期是10月25日，在這以前，我組織了解放委員會。目的是要總督府的統治權停止，我們的要求，特高課長（譯註：指的是台中州警務部內的特別高等警察課課長）不得已，只好用默認的方式接受了。但，當他向上面呈報時，上面卻不許可，因此我才改從文化方面著手，做點事。也就是我剛才說的，出版了《阿Q正傳》。

內村：對楊先生來說，1947年2月28日，可以說是命運的決定性事件，是嗎？那個事件的起因原本是一件很小的事，鬧大起來的。在台北街頭，有一個賣私煙的婦人被專賣局取締私煙的官員打傷了。群眾紛紛起來抗議，事件以此為導因擴大，後來波及全島。結果，國府當局動員了軍隊，造成了血腥的鎮壓，死者達近萬人。

我對二二八事件的情形不太清楚，只知道主要是日本戰敗後，從大陸到台灣來的國民黨一夥人，氣勢凌人，用高壓手段，來對付台灣的住民，引起了很大的失望與反感。為此，大陸來的外省人和本省人（指1945年8月15日日本投降時，已住在台灣的全體住民）發生了尖銳的感情裂痕。本省民眾日久累積的不滿，是那件事件的遠因，是這樣的吧？

你是台灣人，「捏死台灣人」

楊：最先，台灣住民是非常歡迎大陸來台的人們的，能夠回到祖國懷抱，我們大家都歡欣鼓舞。可是那些官員，官僚得厲害，接收的事，舞弊亂搞。還有，來台軍隊也亂來，有些駐在學校裡的，把教室玻璃打破，把課堂的桌椅搗毀當柴燒。孫文的《三民主義》那本書印了很多，大家開始都搶先去買的。但是，逐漸地發現來台灣的國民黨人，胡作非為，他們對《三民主義》的民族、民權、民生，完全背道而馳。最後，大家都失望了。

最明顯的表現在當時的老百姓的言說裡。他們都這麼說：那不是什麼三民主義，而是他媽的三眠主義。老百姓又這麼說：教科書上所寫的「你是台灣人，我是台灣人，他是台灣人」這樣的句子，發音稍微改成閩南話來讀，將變成意思完全不一樣的話。也就是變為「揑死台灣人，餓死台灣人，踏死台灣人」這樣的淘氣話。

這樣的說法，在老百姓之間，掛在嘴上，貼在牆壁上，到處可見，而且逐漸擴大。抗議私煙事件一出了人命，後來就一發不可收拾了。

內村：二二八事件發生時，楊先生被逮捕過沒有？

楊：我和葉陶都被捕。是四月被抓去，八月才釋放。那時對我是懸賞通緝的。

內村：多少錢呢？

楊：五萬圓，葉陶也是五萬圓。

戴：真是「時代不同了，男女在這一點上倒是平等的」。

〈和平宣言〉換來12年牢獄災

楊：是啊！那是因為我和葉陶無論何時，都是並肩作戰的。我被釋放以後，想到，外省人和本省人之間的鴻溝非早一天填平不可，於是在1949年，我寫了〈和平宣言〉，內容是：建議把二二八事件被捕的人，全體釋放，以及國共內戰之和平解決。我主張這樣。連這種主張，當局都認為不行，我又被捕，這次，被判了12年徒刑。

戴：那時你有何感想呢？

楊：我認為，我自己的看法誤了自己，是這種心境。唉！我有什麼辦法！自己的判斷，誤了自己，只好自己認了。但，我絕不絕望，在任何困境中，我確信有超越及克服困難之方法的，我一貫地確信如此。

戴：楊先生在監獄中寫了下〈壓不扁的玫瑰花〉，現在被收入台灣的國語教科書內。是可以佐證楊先生的上述信念。

内村：我很驚奇，在監獄中，你卻可以寫東西，在史達林時代的監獄中，這種事簡直不能想像的。在日本特高狂暴橫行的時候，也不可能，在台灣怎麼有這種可能呢？

楊：那我也不太清楚，大概當時的監獄所長，對我頗愛護的緣故吧。

内村：楊先生你真是幸運，你碰上了第二個入田春彥。

戴：楊逵先生的情況可能是很特殊的，楊先生對台灣民眾尤其是台灣知識界，當時已經具有聲望及影響力。

内村：剛才所舉的國語教科書是什麼內容的？

戴：是台灣的國民中學教科書。它卻很有意思，第一課是蔣介石的文章，〈孔孟學說與中國文化復興之發揚〉，第二課是孟子的文章，第三課是楊逵先生的作品，但把作者的名字換成本名的楊貴。我感覺好像其中有些什麼文章似的。然後跳到第八課，是現任總統蔣經國的文章，楊先生到底還是很偉大的。

内村：楊先生你今後的抱負是什麼？

楊：是啊，小小的抱負是有的。我從台灣出發之前的5月7日，台北的輔仁大學請我去演講，那時我談到日本殖民統治下的種種。我的演講紀錄，被登在該校出版的雜誌上。在那文章上我加了一點，寫道：日本戰敗那一年我是40歲。我現在已經是77歲，再三年以後，另一個40歲又要來了。在這後面40歲，如有機會，我想要說一說。現在想來，二二八事件以來的種種事情，漏掉沒有寫的，還有許多許多。我既然特意搞的是文學，通過文學，我想把我要說的話統統說出來。諸如，40到80之間的甚多事情，我想一定要把它的一切寫出來。

按：本文首次收入《台灣史研究》時，採用了陳中原＝陳平景的譯文。本次〔《戴國煇文集・台灣史對話錄》〕則由戴國煇重新審譯，並加部分新註。

本文原刊於《文藝》第22卷第1號，東京：河出書房新社，1983年1月，頁296～311。原題「台湾作家の七十七年——五十年ぶりの来日を機に語る」

輯二

台海兩岸的發展及其問題剖析

亦談海峽兩岸問題

——和李嘉、陳鼓應二位先生鼎談於扶桑

時間：1981年11月4日

地點：日本東京

與會：李嘉（中央通訊社東京分社社長）

陳鼓應（加州大學東亞研究所研究員・教授）

戴國煇（立教大學教授）

編按：本文原刊在《中央公論》雜誌1982年3月號。座談會係1981年11月4日在日本東京舉行。參加座談的三人，分別反映了台北官方、台灣本省人及台灣民主人士的觀點，值得注意。原文較長，中譯略有刪改。

三民主義是否已實現？

李嘉（以下簡稱李）：中國原是一個統一的國家，不幸被外來的所謂共產制度分裂成為兩個。

30年以來，雙方在敵對的狀態下，共存下來。一方面在大陸徹底破壞了中國傳統、文化、思想，設立人民公社，不承認私有

財產，實行共產主義制度；另一面則在台灣忠實遵守著《中華民國憲法》，以三民主義為國策，復國建國。

但是，1971年中華民國退出聯合國，中共政權代表中國加入聯合國以來，戰後與中華民國關係特別密切的日本與美國等諸國，相繼與中華民國斷絕外交關係，轉而與北京中共政權建立邦交。其結果，在台灣的中華民國呈現出被國際孤立的形勢，國際形勢對中共有利，北京在國際間各機構的發言權在逐漸增加中。

然而，在這十年之間，台灣與中國大陸的國際形勢逆轉的另一面，是中華民國與中共的國內形勢，以及經濟發展卻走向相反的兩極。

一言以蔽之，被國際社會所排除的中華民國，在這十年之間，因為國內政治的安定與經濟的成長，使國民生活益形豐富，最近國民所得達到每人每年2,280美元；而在國際舞台上形勢昂揚的中共，令人啼笑皆非地呈現出國內奪權鬥爭與文革的後遺症，向來依靠「竹幕」隱藏起來的窮困國民生活，終於暴露無遺，國民所得只有250美元，不成比例地低於台灣。

如上所述，分離了30年的中國，其當前所面臨的問題。終於由內戰到對立，又由對立而到今天可以說是「共存」的狀態。以及不能不解決的問題是如何使這分裂了30年的中國，再度成為一個國家，也可以稱為中國的統一問題。

但是，統一有種種方式，大體不外用武力把對方的土地占領、合併的方式；或是以和談來達成雙方都同意的方案，使國家統一的方式。

第一個方式，就是再以軍事對決，恐非今日國內外情勢及國際輿論所允許。如此，則只有第二種方式，這也許就是中共常常在口頭上叫喊的「和平談判」了。

這只是我個人原則性的看法，現實上可以採行與否，還有許許多多的論爭與意見。

第一，雙方分裂達30年之久，在完全不同的制度之下度過，終於出現「共存」的小康狀態，現在突然往「統一」或「合併」的方向突入，是否會有不智的亂事發生？若仍保持目前平靜的狀態，假以三、五年，觀察國內、國際形勢之進展，再開始走下一步，亦不為遲。持這種看法的人，在中外之間，都占多數。這是我個人的感覺，也就是「為時尚早論」。

第二，在現階段，過早促成中國統一，對今日國際形勢真正有良好影響嗎？還有，大陸的政治、經濟、社會、教育與國民生活，也就是中國本身的問題，這些國內問題能否一並解決呢？這種「統一懷疑論」者也相當多。

第三，統一之後，有國體問題，是採無產階級專政與否定私有財產制的共產主義國家呢？還是採民主政治與自由企業為主的三民主義呢？這點不明白地規定，則統一的道路尚屬遙遠。

第四，中共的葉劍英對台北的呼籲，我個人絕不認為這是「平等的談判」。加了九項條件的談判，怎麼可以稱為「平等」呢？

第五，以三民主義來統一中國，是台北方面呼籲的和平談判，這是大原則，而且也是大家有目共睹的，絕非國民黨單獨決定的宣傳。這是全台灣島的人民所支持的國策。因為有了三民主義才能使台灣擁有「貿易大國」的美名，成為富裕的國家。看看台灣海峽的彼岸，實行共產主義、人民公社，致使國民所得只有台灣的十分之一。二次世界大戰結束業已30年了，依然未能脫離貧困的狀態，台灣的人民，是從這些實際的現況來拒絕共產主義，選擇了三民主義的。

第六，所謂台灣獨立運動，在我看來不過是眼光狹窄的地域觀念所產生的奪權鬥爭而已。假如推動台獨運動的人果真以暴力取得政權，則比今日台灣更民主、自由、開放的保證在哪裡？

陳鼓應（以下簡稱陳）：兩個月之前，同事某教授說：「現在台灣與大陸開始合在一起了，不是嗎？台灣提出以三民主義統一中國；孫中山先生說，民生主義就是共產主義。」他拿出登載了台北政要發表的「以三民主義來統一中國」云云的報紙讓我看。我說：「這位大官大概沒有讀過《三民主義》，或是沒有讀通。他在經濟方面擔任行政工作，是個把經濟制度導向資本主義的重要角色。這根本就與三民主義背道而馳。」

我在1978年參加選舉運動時，批評這30年來，國民黨當局背離了三民主義的路線。1960年代以後，台灣所實行的是資本主義的經濟路線，基本上，是美日資本主義體系之中的一環。

孫中山先生所說的民族主義，其基本精神是反帝、反侵略的民族主義。他擔心外國資本的侵入，但從這一點來看，台灣當局在這方面是背離了中山先生的。

其次，說到民權主義，台灣海峽兩岸有許多人被捕，民主（權）主義有必要加強。

再來看民生主義，中山先生說的是「平均地權」與「抑制資本」這兩支柱子。關於「平均地權」，我們且看一下幾年前的統計數字。台北市7,000萬坪的土地之中，有4,000萬坪是屬於僅占台北市的0.28%的大地主。關於「抑制資本」，1977年《夏潮》雜誌已經舉出16個大財閥來批判；如今是更集中了，僅僅有10個大財閥壟斷了台灣的生產，從而貧富懸殊至鉅，民生主義這方面也背離了中山先生的理想。

中山先生揭示天下為公的精神，我希望海峽兩岸不要搞「天下為私」，而且，孫先生最後的希望是：和平、奮鬥、救中國。希望台灣當局要切記這些話。還有，中山先生一直到去世的前夕也盼望「南北和平會議」的成功，對中國和平統一這一條道路，我們也千萬不要忘記才好。

戴國煇（以下簡稱戴）：首先我要把自己的立場明確表示出來。

第一，我是在台灣出生，受過日本殖民統治，戰後在國民黨政府之下受完大學教育，1955年來到日本留學，到現在為止，我在日本已有26年（追記：本座談會係在1981年末舉行）了。從這樣一種經驗，對今日的問題究竟如何看法，有幾點可以奉告。

其次，我們家已有四代人沒有回到中國大陸去掃墓了。

最初是日本政府妨礙了我們的往來。「抱著大中華思想的」台灣人當中，包括我的祖父、父親以及我剛去世的兄長（曾祖父的事情我就不很清楚了……），根本上是懷念故土的。台灣人因為有這種立場，所以，我們老百姓本來對共產主義、三民主義這種黨派之爭的真面目如何，一般都不大清楚，也不太有意去計較。

後來主要是自由往來被阻止了。我們想要回去掃墓是最大的意願，但是，政治並非如此單純，政治常常並不考慮老百姓的意願與感情為何，此乃司空見慣之事。尤其是在兩個政權激烈抗爭時為然。

台灣當局一直高唱「反攻大陸」，但照李先生剛才所說，現在已沒有這個可能了。另一方面，北京也高唱「解放台灣」，這也有了種種變化，現在不是解放了，「和平統一」倒變成了新的口號。台灣當局也由「反攻大陸」改唱「以三民主義統一中國」。雙方如此變化，我們應予留意，不應輕易放過。在台灣有中華民族意識或中華思想的人們，對於這種變化感到重燃希望，鬆了一口氣。有心人厭倦政治口號，有心人厭倦流血。到現在為止，台灣人與中央的政治一直沒有過真正重要的關係吧，不管是在台灣或在大陸——只與地方政治有些關係而已。有朝一日，我們台灣人也想到中央的舞台上去扮演一些角色，或者是回到大陸的老家——我思念的老家在廣東梅縣——去尋找源遠流長的根，去掃一掃祖墳，只有這麼淡淡的希望。這一個感觸，這一種希望，是在國共雙方的上述變化中，重新燃起的。

其次，談到對三民主義的看法。一般台灣的地主階級有著這麼一種意思：農地改革是一些口實，實際情形是，國民黨一聲令下，就把農地所有權轉移了。土地拿去以後，一部分上層的地主變成了資本家，對台灣的工業化擔當了一個角色，但其餘沒有上船的中小地主是一直懷有不滿的。若從長遠的歷史及邏輯來看土地改革的意義，不但可以理解，而亦可接受的。但從感情上，當今對國民黨那種作法始終抱有不平。

再其次，我們談到三民主義的問題，台灣當局目前說他們已經在實施三民主義，這究竟是不是孫中山先生的三民主義呢？我很坦率的講，從文獻上、理論上所知道的孫先生的三民主義與目前台灣當局所執行的，是有一段距離的，這一點應該是事實的吧！這之間的差距，倘若站在台灣當局的立場，是可以了解的。何以可以了解呢？因為國民黨面臨著大陸的壓力，他自有一套來自圓其說。為了適應台灣海峽的情勢，國民黨有限地試行了他們的三民主義。問題並不在於這種自圓其說，而在台灣的老百姓大多數並不認為目前的台灣已經實行了三民主義。這才是問題的癥結所在。

從這個層次來分析，我認為台灣並沒有實現了孫先生的三民主義。我倒是希望台灣當局修正方向，把孫先生的理想付諸實現，像台灣的經濟、民眾的政治參與等等，能夠回到孫先生的理想的真面目上去。這是我所期待的。

九項提議的真意

陳：葉劍英發表九點提案時，我正在香港，我曾與友人包奕明共同提出六點意見。

首先，海峽兩岸的統一問題是全中國人的問題，不僅僅是國共兩黨之間的問題，如果黨意能夠包含民意，甚好，否則應以民意為依歸，不容違背民意，而以黨意為主。

第二點，統一之後，台灣的經濟、社會、生活方式等，在九項提案之中，是主張不變的。這種看法與社會發展的法則不合，無論什麼生活方式或社會制度，都不可能一成不變的，必要在漸進的過程中，向著民有、民治、民享，或者是民族、民權、民生的方向改進。台灣的生活方式與社會制度不良之點也有不少，同樣大陸的生活方式需要改善的也有，比如說鬥爭頻繁，官僚主義跋扈，單調枯燥的生活等等，就應予改善。因此之故，社會制度與生活方式不變，這是我們所不能同意的。

第三點，是關於軍隊的，在台灣的軍隊應對付外來的敵人，特別是蘇聯人的擴張主義，不可以因此而增加人民生活上的負擔。

第四點，台灣與大陸當局，對待本省同胞的態度與設施方面，都要充分了解同情他們遭受的種種歷史創傷。

第五點，是有關過度中央集權的問題，就是在統一之後，為了避免中央集權的弊害，應檢討國體，改為聯邦制的問題。

最後一點是，大陸對台灣呼籲和平談判時，必須盡量減除「統戰」式的宣傳壓力，並在各種設施上減少台灣同胞對統一的疑懼。台灣方面也不應該在兩岸對流互通方面，拒人於千里之外，要能跨出「海角樂園」，對軍國主義侵華歷史造成的分裂局面，展現協同合作，共建國家的歷史責任感。海峽兩岸或官或民，都要心懷全國格局，致力減少分裂所帶來的不便，以及敵對帶來的惡果。

復次，中共對九項提案之主要動機是，要使台灣內部有財產的人放心，並要使台灣的國際投資環境安定下來。

但是，台灣方面一概拒絕的態度是奇怪的，比如三通，我認為至少也應該讓一通開始，這是很重要的。從大陸來的300萬人，他們與父母兄弟姊妹都不能通信，不管從哪一立場來說，通信應該是自由才對。台灣人士對這些事不能理解，說這是你們外省人的事情，其實不然，台灣省籍的人在大陸上有二萬多人，這不是一個小數目。

李：中共過去也做過同樣的呼籲，這一次，我認為可稱之為集大成的、綜合的呼籲。

中共要以孫中山先生革命的正統繼承人自居，將這一點向海外華僑表示，這一個目標，是這次和平攻勢的一個理由，而中共真正的目標也許是對準美國，也可稱為對美國的和平大合唱，其大合唱的戲目叫作：「不許把新武器賣給台灣」。不過，美國對中共的目的，看得清清楚楚。因此之故，我認為這次不會有多大的收穫。

台灣方面，如果不僅僅說「不」，而是誠誠懇懇、詳詳細細，把拒絕的理由說明清楚，也許會得到更多內外的同情與理解。國民黨因為過去在兩次國共和談之中，損失很大，因此對於中共有很強烈的不信任感。在進入談判之前，這種強烈的不信任感不得不由中共方面予以擦拭乾淨。呼籲談判之前，為了消除國民黨與台灣民眾的不信任感，應由鄧小平向全世界宣稱，即使談判失敗，也絕不使用武力做為解決統一的手段，台灣方面才會嚴肅認真地對待這個問題。

現在，台灣與中共政權沒有接觸，但在人道上對於人民之間的往來應予鼓勵。如所周知，台灣是一個狹小的島嶼，如果大陸上有許多人要來，台灣是無力收容的。現在是一概拒絕從大陸來的訪客，這是實情。但是在海外，台灣的人與大陸的人之間，親戚的招待，同學的往來，體育競賽的交流是已經公開舉行的。

戴：陳先生對九項提案以大局的立場所做的批判，我相當留意。特別是提到不僅僅黨意，而且要盡量包含民意的主張，我很贊同。

我因出生在台灣，自認要克服「島氣」而以更遠大的歷史眼光來展望自己故鄉與國家的問題。台灣的問題，不要只以台北、台灣的管見來看世界，而是要以全中國、全亞洲，乃至全世界的視野來看世界的動向與台灣問題。也就是說，把我們台灣本身問題的定位搞清楚，來尋求出路。這是我常常說的。

並不僅僅是我國人，而是同我差不多年紀，或是與我有來往的台灣人，對於這次的呼籲，他們從報上看到以後，總是覺得自己還是局外人似的，與現實問題有著一種疏離感，這種人為數頗多。這是台灣人對於當政者對台灣的民意、台灣人究竟在想些什麼從來不甚關心的一種不滿表現。

有關三通這一點，是否應該把島內、島外，尤其是國外的情形分別對待，分開來分析、討論呢？

誠如李先生剛才所說的，住在外國的人，三通已經相當程度在進行了。在美國，曾經號稱親國民黨的學者，其中多數也去過大陸了。現在在日本居住，台灣出生的日籍華人，也一邊到大陸去旅行，一邊又回台灣探親，國民黨當局現在聽說已經不太找麻煩了。這表示三通並非全然不行，透氣筒子是愈開愈多了，只不過台灣內部沒有公然開放而已。在台灣島內是沒有搞直接的溝通，但透過島外的溝通是頻繁的，這是實際的情形吧！國民黨的情治機構也應該有所聞，卻不吭氣。

所以，就如李先生說的，在體育活動上、學術會議上交流了，但若台灣內部迅速自由化的話，對國民黨有不方便與困難吧！

李：自由化這個詞會引起誤會，是開放的意思吧？

戴：對！對！但是，台灣當局，比如行政院長與新聞局長是發表了拒絕的聲明。不過，對國際形勢比較有留意與認識的台灣企業界的人士，對那種拒絕的聲明，不會像日本傳播界那樣輕易單純地去接受。舉一例來說明：陳納德（C. L. Chennault）夫人陳香梅到北京與鄧小平握手吃飯，之後，路過東京到台北，在台灣又與蔣經國吃飯的這種作法，若在以前，蔣經國在公開場合就不會接受。企業界人士是如此說的，同時他們又加了一句，以過去那種「漢賊不兩立」的作風，該會把陳罵作反叛者，一腳踢開，給她吃閉門羹……。由此可見，這是一個極大的變化。

有一部分人主張國民黨當局不應該老是採取守勢，慢慢也該轉取攻勢，來掌握主動，尤其以三民主義自誇的國民黨。

下面我談談有關14名受邀請者的名單（按：指1981年10月9日，胡耀邦公開提出邀請蔣經國等14名政要訪問大陸）的問題，14名受邀請者的名單之中，第一次出現了台灣省籍的兩位人士，其一是副總統謝東閔，另一是省主席林洋港。我並不認為這兩個人上了名單有什麼特別重要性，但有台灣省籍企業家卻為此表示欣慰，他們說台灣人只有1,600萬，大陸有10億，我們人數並不多，不管怎樣，第一次向我們打了個招呼，這就是值得高興的事。由此，可以清楚地反映一部分台灣同胞的心情。

關於三通之中的貿易一項，台灣大同公司生產的電鍋經由香港賣到大陸去的事情，這是台灣家喻戶曉的事，台灣的國民黨自然知道，只是不便公開發表而已。

陳：李先生、戴先生所說的交流已在進行中是事實……如果家人病危，或者是死亡的事情發生，海峽兩岸應該讓他們無條件立刻返家料理一切才對，哪怕回去只准停留48小時，或三天也可以，這一點希望雙方都能促之實現。

台灣島內運動的焦點

戴：如前所述，我是台灣出生的台灣省人，被日本殖民統治了50年。我現在50歲，當然並不等於我接受到50年的殖民統治，但我的父兄輩是受到了這麼久的統治。因為有過這種處境，戰後，我們歡欣鼓舞地慶祝過光復。講得更清楚一點，那時我的父母他們親暱地高呼「阿石伯萬歲」（蔣介石伯伯萬歲），大表歡迎。偶爾，國民黨的軍隊或官員之中，有從廣東來，會說客家話的，我們就把他們請到家裡來吃飯，而且非常關切地問到我們大陸老家的近況。

我家也和別人一樣，台灣的地主過去多半是那些為了三餐而渡過台灣海峽前來的人的後裔。他們拚命與山胞（原住民）打仗，把土地變成良田，一部分人就成為地主。其間由於甲午戰爭失敗，日本人來了，有些人飽受欺凌，可是基本上，日本人為了便於統治，對於地主是採取懷柔安撫的態度的。所以說，我的家是一方面對日本帝國主義的統治反抗，另一方面又是這一統治的部分受益者，這是客觀的事實。從這個關係來說，對於國民黨的農地改革是存有不滿情緒的。

抗戰的勝利，台灣光復，使我們欣喜若狂地把蔣介石尊稱為「阿石伯」，但生活卻並未改善。二二八事件發生以後，台灣人的領袖們被慘殺的不少，於是對國民黨失望了。台籍中上層人士正在茫然若失，不知所從的時候，國民黨為了防共保台，遂實施了農地改革，從他們口袋裡把錢拿去；國民黨政權是安定下來了，但依然像日本人那樣，對他們參與政治加以限制。從殖民地以來，台灣本地地主除了小部分上層階級之外，中下層地主一直被限制參加與他們具有的經濟力相符的政治。國民黨當局也為了保持其所謂的法統，在地方政治上還讓部分台灣人參與，至於中央政治方面，卻差不多全不讓參加，這種心裡的希求被抑制了，對政治參與的飢餓感便是台獨今天的部分心理基礎。這是我個人的看法，是否如此是另當別論，但這個問題的癥結與根源應該知道才對。

居留在海外的台灣省人，連我個人在內，出身於中上階層家庭的子弟占絕大多數，這些人在海外定居，有了恆產，入了籍後，他們自上一輩一直抱持有的「被遺棄（清朝的割台）感，被迫害意識以及被歧視的差別意識」猛然抬頭。他們對農地改革的嘀咕（他們認為被利用但沒有得到補償）以及對政治社會現況的不滿情緒，開始公然表露。對於這些人來說，中共要從台灣海峽渡海而來，這對於自己的前途、生活，具有巨大的影響。所以顧慮甚多，因而正在力謀「本錢」以備討價還價。但對國民黨為了保持自己的政權，而宣傳人民公社如何可怕等的反共宣傳，台灣的企業家及海外知識分子是用著與國民黨有關的人士所不同的耳朵來聽這些反共八股的。國府的宣傳方法搞不好，將會誤導一般台籍人士把反共、反中國大陸與反國民黨、及反外省人排在一條線上，毫無分別，鬧成悲劇。

此外，台灣內部的老人、還有二十歲左右的年輕人，總之，接受中國教育較多，而受日本教育影響較少的人之中，他們對中國文化的嚮往，視野較廣大，自前面所說的「被出賣與被歧視的『台灣孤兒』意識」中解脫出來的人也有，他們之中，能把台灣問題從全中國、全世界的情勢與動向掌握的人士也逐漸出現了。

所以說，把台灣目前的反政府運動，只當作台獨在那裡興風作浪，這種看法是不正確的。其實其主流是民主化運動，而追求社會正義的實現、人權的保障以及政治上充分的參與卻是一股強烈的暗流。

其次，從二十到三十幾歲的激進分子之中，他們有強烈的政治參與要求，而又高唱民主，如果這不能被接受或受到阻礙，那就成為憤怒的一代。如果這種人有反共意識的話，就容易走向台獨運動。對於台獨運動，精密而又冷靜的分析是必要的。只動用背祖論、中華思想、黃帝子孫為依據來漫罵，那是談不上說服力，沒有太大的效果。

陳：台灣島內的經濟發展，主持其事的人，特別是中產階級以上的人們對現況是滿意的。還有一部分人，這也是包含中產階級的人，他們希望改革，他們在經濟成長的過程中，發現了行政效率低和政治上的弊害。經濟成長受損失最大的是下層階級。因為這個道理，黨外人士為主的民主運動是有基礎的，黨外的運動並不等於台獨運動。

今天，島內在高雄事件之後，政府的處置有不當之處，而高雄事件之外，又有林義雄滅門慘案，接著又有陳文成橫死事件……。

這一連串的政治事件，給予台灣社會很大的不良影響，是可以斷言的。對高雄事件，國民黨的處置是不適當的，這明明是要求社會開放、要求政治參與的一個運動，卻硬把它當作十足的台獨運動來處理。高雄事件發生時，有一些參與運動者是有較濃的地方色彩，卻不應該把他們當作台獨。

黨外運動，一般是主張言論自由，改革法律制度，人權的保障。這些方面的努力，相當得到民眾的共鳴，這是實際情形，總之，黨外運動的主流是民主化運動。

島內由於高雄事件以後，政府的壓力大，黨外採取了低姿態，但是對於前述他們努力的方向，依然在進行中。現在黨外覺得高雄事件有些盲動的傾向，比較穩健的方向是他們現在所採取的。

另一方面，在海外——主要是在美國——統一派由於「四人幫事件」，遭受重大的打擊，真正的活動幾乎完全停止了。海外的台獨運動認為高雄事件以後，中產階級的改良主義是失敗了，所以變成了非進行暴力革命不可的主張。

海外與島內運動似乎趨向兩極分化，這是因為海外台獨的主張與台灣內部人民追求他們當然的權利是兩碼事。台灣人只為了一點點權利要求，就馬上給戴上了台獨的帽子，這是錯誤的。

總之，重要的是，現在台獨運動的主張，對島內的民主化運動，變成不是支持，反而是妨害。所以我對台獨運動採取批評的態度。

李：現在，台灣內部有一部分人對現政權不滿，並且外省人與本省人之間也有不和睦的現象。這在外國也是有的吧！假如，東京突然來了300萬大阪人，兩者之間的日常生活也會起種種摩擦的。

我感覺非常悲傷的是，讓時間慢慢自然可以解決的問題，卻有許多人用短視乃至誇大的眼光來看之。沒有把握到問題本質的外國人，利用一部分對政治有野心的人起鬨，不知不覺之間助長了台獨運動，到了發展成了奪權鬥爭時，那外國人本身也會受到連累的。

外國人，特別是美國人，認為國民黨是從外面移來的，因此，國民黨等於大陸人，大陸人等於國民黨，有這種錯覺的人很多。現在的國民黨員75％是台灣省人，而且台灣的大企業多是由台灣省人所有或經營，這是30年來，民主政治與自由經濟為本的自由競爭的自然結果，是一件好的事情，但是，在政治上，企圖以暴力破壞來顛覆政府，這和奪權鬥爭是相同的，這種傾向是很危險的。

隔著台灣海峽有兩個政權還好，今後還有統一的可能⋯⋯。現在最可怕的是，在台灣島內，有人要製造兩個中國。果真如此，台灣就完了。

市、鄉、村選舉的當選者，95％是台灣省人，反而從大陸來的人，變成了少數派，在地方政治上沒有發言權。因感孤獨遂漂流海外的人也有。

有熾熱的愛國心，死也要保衛台灣的人看來很少。果真愛台灣，則先非團結起來使台灣成為一個堅強的台灣不可。當然，與大陸以平等的立場來談判統一問題的日子是會來臨的。但在現在這個時空，若自亂陣腳那就難了。因為怕共產黨要來，台灣省籍的上、中層人士在（國府）與美日斷交後，大舉遷往美國。同時，大陸出身的人士之中，也有人認為一旦台獨取得了政權之後，生活就沒有保障，因感不安，遂把子弟多送到海外。

只要是自己的國家，不管是哪裡人，只要是中國人，而又住在台灣島內的，對於台灣存在的各種缺點，應同心協力來改善、改革，使之成為更完美、更強大的台灣，這才是應負的使命。

坦白說，現在台灣只不過是各先進工業國家的衛星國而已，還不是可以自稱為貿易國而沾沾自喜的階段。而建立一個完全自主獨立的工業國家的基礎，這是比什麼都要緊的課題。

戴先生所說的「農地改革」以及陳先生「台灣不是實行三民主義」的論調，我不能完全同意。台灣的「土地改革」我想也是依據三民主義來做的，也許，地主是蒙受了某種損失，然其目的並非是要地主變窮，而是使數十萬佃農能有自己的土地。台灣的土地改革是相當成功的，這有聯合國調查的資料為證。

陳先生的「不是三民主義」的批評……。國民黨也許有些地方應該反省，但如果沒有故總統蔣介石所領導的國民黨，就沒有今日的台灣，今天台灣仍會處於窮困中吧！1949年美國不可能占領台灣，而會被中共派遣的台灣省籍的共產黨員統治下來。

美國的報紙喜歡用「政治流亡者」來揶揄由大陸逃到台灣的國民黨員或與中共不同立場的人們。它從政治史上看，台灣是從中國大陸來的政治流亡者所建立的，這點美國人卻不知道。台灣同胞的祖先大多是從滿洲人統治下逃出來的政治流亡者。首先，鄭成功就是一個明朝的政治流亡者，他從大陸率領艦隊趕走了荷蘭人取得了台灣。鄭成功與當時的台灣主人荷蘭人打了一仗，荷蘭總督正式簽投降書，台灣才納入了中國的版圖。如果不是鄭成功，則今日台灣不是中國的，它會像戰前的菲律賓那樣。220年前鄭成功把台灣從白人的殖民地變成了中國人的領土，今日，故總統蔣介石從共產黨的侵入與占領之威脅下，保衛了它。說這兩個人是台灣的恩人，不會過甚其辭吧！

此外，陳先生關於台灣的財閥批判，亦不便同意。資本主義社會當然是中產階級為中心的社會，而貧富懸殊應予避免。今日台灣的貧富之差，在29個開發中國家中最低，其最富與最貧的平均差為4.25比1。

我對最近的台獨運動完全無法理解，是奪權鬥爭還是想擴大對政治的參與，我完全不明白。今日台灣的成功並非奇蹟，是戰後困難期間從大陸來台灣的外省人和本地的人，共同攜手、流淚流汗所建立而成的。有了錢，雙方為了權利，為了功利而打起架來，這真是可悲的事情。

現在台灣的緊急課題是行政效率不高與警政辦不好的問題。社會治安太差尤為各方所不滿。提高行政效率是台灣當局應及早進行的。把民眾的不滿之情，不分青紅皂白，統統當作台灣獨立的理由和基礎，那是把問題過分簡單化了。

我認為今天世界最大的威脅是蘇聯，一國乃至一地區的局部安全是不可能或不易維持的。我們考慮到自己的安全時，若不從全世界的規模來看形勢，那安全保障政策是無法建立的。西太平洋安全的問題也以對蘇聯的行動加以警戒為要務。現在想和台灣接觸的當然是中共，另一方面，更想和台灣握手的卻是蘇聯。我的看法，中共沒有對台灣採取全面攻擊的可能，同時也不具備這種軍事行動的能力，問題是蘇聯會使出哪一招？

我個人的看法是，中華民國的國防政策，對付蘇聯的軍事進入遠東，重於反攻大陸。雷根總統提出的全球戰略，我們應積極參與。這樣也符合日本的防衛政策。台灣位於東北亞與東南亞的中央，如果被共產化，則整個亞洲便變色矣！為了防止這一點，台灣需要新式武器，其目的並非反攻大陸，我想這應該講明。如果台灣的國防政策像我所講的這樣發展下去，積極成為全球戰略的一部分的話，中共對台灣購買新式武器一事，應該不至於插嘴吧！

陳：大陸與台灣是利害與共的一個整體，首先應該確認這一點。從中華民族全體的共同利益而言，中國自然是一個國家。由於社會制度、生活方式與生活水準等，大陸與台灣不同，藉此反對統一的人，是在強詞奪理。例如，有一個國家占領了北海道，行使其影響力十數年之久，然後對日本人說：「生活方式、社會制度與日本不一樣，所以是外國。」試想想看這情形吧！社會制度是人所創造出來的東西，人才是主體，制度不好應予改善，且海峽兩岸有待改善的地方很多，這是事實。制度與生活水準都是會變的，變了以後就可以統合。還有，就是非從全球戰略來看問題不可，此點我與李先生有同感。大前題是太平洋地區的安全不能不予以保障。

美國與大陸的貿易、文化交流與友好關係愈深，這從全球戰略來看，對對抗蘇聯擴張主義這點是有利的。但是，美國實際上是由「軍工綜合體」來支配這個國家的，他們同時將兵器賣給阿拉伯與以色列，讓他們打仗，這種事是有目共睹的。對這一點，我們做為中國人，應該要深刻了解。如果大陸與台灣都要購買武器的話，則只能用來對付蘇聯霸權主義的侵略，像剛才李先生所說的，購入武器並不是用來對付自己的同胞的，同時，現在保持的兵力也絕不可對自己同胞使用。雙方應該明確宣布這一點，使相互之間有所信賴，有所了解。

戴：我是台灣出生的客家人，同時以身為中國人引以為榮，在東京我對任何政治活動都沒有參加過，我一直以研究工作來約束自己，並對於這種研究頗為自負。做為一個研究者，需要以冷靜的分析對待台灣問題，若是這種態度要受到批判的話，我願接受。以一個研究歷史的人，對李、陳二先生有關國際形勢的意見，基本上我表示贊同。

總之，大陸若要用武力解放台灣，我是反對的，同一民族之間的流血，會留下很深的傷痕。「革命」本不是要製造傷痕。我身上流著台灣開拓者的「血」與精神，我愛我的鄉土台灣。並盼望我們的同胞能以和平的方式解決海峽兩岸的對立。

本文原刊於《中央公論》第97卷第3號，東京：中央公論新社，1982年3月，頁140～155。原題「台湾の現状と第三次国共合作」

兩岸的現狀與統一問題

——和李嘉、夏之炎、傅朝樞三位先生交叉談於日本東京外國特派員協會

主辦：中報月刊

時間：1982年12月17日下午2時30分

地點：日本東京外國特派員協會

與會：李嘉（中央通訊社東京分社社長）

夏之炎（旅日作家，曾任職於北京中國科學院）

戴國煇（立教大學教授）

傅朝樞（中報有限公司董事長）

傅朝樞（以下簡稱傅）：坦白講，我離開台北已經三年多了，但無時無刻不在關心台灣的問題，聽說李先生最近曾回台灣二次，想請李先生談談關於台灣現在經濟的狀況，根據你親自所見、親耳所聞，一定有很深的體會。

聽說夏先生最近到過國內，我也想聽聽夏先生講講關於國內的情況，尤其是經濟情況，以及人民在衣食住行各方面的情況，希望在這方面給我們談談。

台灣經濟危機似已擺平，明年是開始看好的第一年

李嘉（以下簡稱李）：因為本人工作單位的總社設在台灣，所以去台灣的機會較多，對台灣的了解在大的問題多少有些把握，但本人不是研究經濟的，所以談台灣經濟問題只能做粗略的鳥瞰，而不能做細密的分析。

談台灣的經濟，似不能與全球性的經濟不景氣分開來處理。因此，台灣的經濟成績，亦就不能完全不受全世界景氣升降的影響。

自1973年後，全球有兩次石油震撼（oil shock）。第一次石油震撼，台灣所受的影響較少，如果予以評分的話，則應名列前茅：因而受到全世界的注意與讚美，甚至連日本都難以招架的打擊，而台灣卻輕易過關，不能不說是一次奇蹟。台灣在那第一次的震撼中，與全世界其他各國比較，國民所受到的損害是相當輕微的。主要的原因是政府利用補貼的方式，將油價上漲部分吸收過去，並未將價格轉嫁到一般廠家和消費者身上。日本的情況則與台灣迥異，日本政府並未在市場上作任何干預，石油價格的陡漲聽憑其在市場上做自然的反應，因而物價隨之大漲，製造業成本亦大幅上升。日本政府的態度是：能源危機是一個長時間的持久戰，不論製造業或消費者都應自身有長期應變的準備，諸如節約能源，以及以其他能源取代石油等。

這兩種不同的反應，在第二次石油震撼中顯出了不同的結果。台灣由於第一次震撼時，政府的保護措施過多，及至第二次危機發生時政府已無力再予保護，結果民間所承擔的苦難亦隨之

加重加大，而日本由於第一次震撼後，已經做了大刀闊斧的事前調整，所以在第二次震撼來臨時反而能應付裕如，游刃有餘。

台灣在第二次石油震撼中，由於政府不能再實施保護政策，以致民間招架困難，所引起的反應立即顯示在通貨膨脹上，物價陡升，外銷銳減，民眾的不滿和對政府的批評亦隨之升高，政府當然亦覺察到問題的嚴重。經過兩年的逐步改善與新角度的調整，危機似已擺平，同時因四年經濟政策與計畫的推出，使今後台灣的經濟和工業，逐漸顯示出新的契機與遠景。

政府掌握最正確的方向就是開發核能工業。目前已興建了兩座核能廠發電，另兩座即將投產，計畫設廠的還有四座。這方面我們已領先韓國，使台灣未來的能源依賴可以慢慢擺脫對石油的依賴，這是政府的先見之明，也是一項值得稱頌的政策。

其次，在經濟政策上的調整，就是將勞力密集的工業逐漸導向科技密集的工業。由於台灣的工資不斷上漲，勞力密集的工業成本太高，若干外資不得不轉向於工資低廉的地區，如泰國、菲律賓與印尼等地，以致台灣逐漸失去因工資低廉而使成本降低的各項貨品輸出的優勢，也因此不得不轉向科技密集的工業去發展。以本人此次回台所見所聞，發現政府正以無限制的預算來推進「超高科技」的發展，希望能迎頭趕上西方的科技，建立「科技密集式」的工業基礎。目前不僅有些工廠已採用「機器人」（robot）代替人工，並且已能自造「機器人」出口。就以汽車工業為例，政府深深感到過去20年對台灣汽車工業的過分保護是錯誤的政策，現在力求自立，希望能擺脫對外來的引擎和零件的依存，而建立獨立自主的汽車工業系統，不僅能供國內需要，並能對外出口。再以本人服務的中央通訊社為例，自明年四月起，全部中央社的編寫印和通訊設備將一律「電腦化」，來配合「時代」或「現代化」的需要（日本共同社六、七年來，已花了近一百億日圓，完成了以「漢字」為主的日文新聞通訊電腦化的工程）。

其實中央社不過是台灣全工業界「電腦化」的一環而已，其他工業部門，在李國鼎先生主持下，也已逐步地電腦化。嚴格說來，電腦化只是步向「科技密集」工業的第一步，但也象徵著台灣正處在一個工業的轉型階段；也可以說目前台灣屬於過渡期，等過了此一過渡期，必將向前跨一大步，迎進一個新的時代。我預計明年大約可以將舊有的問題解決擺平，所以明年也是台灣經濟又開始看好的第一年。

台灣變得很快，年輕人對政府批評非常公開

戴國煇（以下簡稱戴）：我想請教一下，前幾天我有個學生，是外國人（白人），以前曾在台灣念過書，這次他又到台灣去，回來說：「戴老師，台灣現在情況怎麼變得那麼快？」他到台灣的百貨公司，以前那裡的服務人員是愛理不理，好像客人很多。這次進百貨公司去，服務人員馬上迎上來，似乎生意不景氣。在台北火車站一帶，他有十多年不曾去了，現在都建起了高樓大廈，變成一種很不平衡的狀態，還有就是現在台灣年輕人對政府批評非常公開。由於這些，他覺得台灣變得非常之快。

台灣在政治上自由太少，在經濟上自由卻太多

李：第一，戴先生所說百貨公司的現象，並非完全是購買力的問題，而是涉及到經濟體制與管理的問題。舉例來說，本人上次返台時，曾去一百貨公司購買一套Addidas的運動裝，大約台幣一千元左右，和日本的價格相比，這算是很合理的價格：但想不到在離開該公司不遠處的地攤上，也有相同品質的Addidas的運動衫，卻僅標價台幣300元。此一現象表示：在經濟的體制及管理上出現了很大的漏洞，因此才會有這麼大的因價格差距與不合理的競爭，所引起許多大百貨公司的投資者們的抗議與批判。

過去有人說，台灣在政治上的自由太少，而在經濟上的自由卻太多。只要出現一家盈利較好的生意，則資本會一窩蜂的湧向該一賺錢的生意，惡性競爭以後，則造成了全部沒頂的後果。若與日本比較，我們就可以發覺，日本的經濟管制比之台灣就嚴格多了。他們儘管在政治上有絕對的自由，但至目前為止，對進口的管制仍不肯做一絲的放鬆，最近不斷與美國的談判、摩擦可做顯例。相對的，台灣過去在經濟體制及管理非常鬆弛，未能步入正規，以致造成不合理的競爭與脫節的現象。

第二，至於戴先生所說，最近台灣的年輕人對政府的指摘愈益嚴苛，是因為過去雖對言論有若干管制，但這兩年來實行了幾次全國性的地方選舉，逐步使言論趨向開放與自由，加上蔣經國總統的確有意為中華民國建立起嚴正、公平的法制與體系，並希望能通過這嚴正的民主自由體制，使未來政治上的接班工作能循正常的途徑來達成。因此，我們可以通過台灣的幾次選舉，來透

視政治運動通道上的某些斷面；也發現台灣與日本一樣，也出現金權政治的問題。但從總的方向來看，這兩年來台灣的政治的確有改進，邁向民主化與自由化。但是在另一方面，因第二次石油震撼，在經濟與國民生活上，當留下有某些後遺症。

戴：我的學生又講了下面的話，因為他對中國大陸也有興趣，他認為過去中國大陸對台灣的統戰，站在外人的立場來看，成果不會太大。因為台灣經濟發展，老百姓也很享受，大陸文革搞得人民很慘，這又怎麼講呢，吃不飽心裡總是不滿。但這次他去了台灣，發現到台灣失業慢慢增加，百貨公司沒什麼人，外面高樓大廈倒是很大，這種不平衡的情形，加上年輕人對政府批評很自由化，見到這樣不平衡的情形，台灣將會怎麼變，他當時從旁觀者的立場提出這個問題，我已是十年沒有回去了，我想了解一下這個問題。

大資本財團的出現可能在將來形成社會問題

李：我想戴教授的學生對台灣的看法是有失公正的，他的考慮是過分了。至少我可以肯定，台灣雖有些不景氣的困擾，但貧困現象是絕對不存在的。我上次在《中央公論》中也曾提到。根據聯合國的一項有關戰後財富分配的報告，在29個「發展中國家」，今日台灣在貧富的距離上是最小的，也就是說，和其他亞、非洲發展中國家比，台灣最沒有貧富懸殊問題的存在。該報告係以收入最高的25％與收入最低的25％作成對比，台灣的級距只有4比1，而某些國家竟高達100比1。

現在令人較擔心者是超級財團的形成。去年本人即指出，大資本財團的出現，不僅不合乎三民主義的原則，而且也可能在將來形成社會問題。但大財團的形成，並非意味著台灣的經濟不景氣，而使財富集中並導致低收入者的日益窘迫。

當然，不論經濟的景氣如何，總有人對現況不滿。以日本為例，今年大家都不滿政府的赤字財政，不滿於公務人員薪水的凍結。但上週末公務員發放年終獎金，平均每人可拿到日幣577,000（相當於美金2,400元）。中曾根康弘擔任首相不過十天，卻拿到年終獎金370萬之日幣（相當於美金15,400元）。在這種我們看來覺得眼紅的優厚條件下，可是日本人還是要示威遊行，乃至還是要不滿。在台灣雖然沒有這麼好的條件，但也不至於壞到這所指摘的程度。今天台灣一般國民，不是沒有錢，而是在不景氣的現象下，省吃節用而已。

戴：並不是指對物價的不滿，而是指對政府的人權保障或民主參與不足等的不滿，也就是年輕人似乎比以前更敢說話。

李：這毋寧說是一個好的現象。最近有一批立法委員來日訪問，其中某些黨外人士也談到這些問題。他們認為，台灣過去在各方面均有長足的進步，唯有政治的進步最為緩慢。但是，最近幾年似乎有很大的轉變，尤其是經過幾次基層選舉後，各方面也都敢說話，也能說話。政府方面也有雅量去聽取各方面的反對意見，從某個角度來看，這是很進步的現象。問題在於提出反對意見的人，所說的話是否正確，對事情的判斷是否經過深思熟慮，然不論如何，這總是政治上的一大進步。

大陸農村責任制效果顯著，城市也開始實行責任制

夏之炎（以下簡稱夏）：這幾年，有多次機會去中國大陸大、中、小城市，農村也去看了看，總的印象，覺得這幾年是國內一個很大的轉換期。當然這並不是說什麼事情都好了。只能說是從一個崩潰的邊緣上往活路的一個轉折點。大陸的極左路線從反右開始至十年文革浩劫，直到華國鋒上台仍沒糾正，前後共經十幾年。在這一段漫長時期的極左政策的指導下，國內沒有民主，經濟完全崩潰，人民完全貧民化（就是所謂的「一刀切」），即全部一樣的窮。在這種基礎上的轉化，現在是可以明顯看到的。我是一個感性的人，我是寫小說的，不能把問題分析得很清楚，我想從感性的心情來說一下我在中國看到的情況。

我想分以二個層次，一是人民；一是國家。

我第一次回國是在1981年的4月分，最近一次是上個月（1982年11月分），這中間共回去了七次，每次雖時間不長，但密度很大，並有目的的去看各種情況。

首先說人民，大陸每個人的心情，都有一部分愉快、一部分的不愉快。愉快的方面是過去壓在人民身上的政治壓力消失了；不愉快的是對物質還不滿足。生活方面，目前最困難的是住的問題，按大陸的一些接待人員及我所能接觸到的一些人的說法是，國家欠了人民十幾年的債（房子的債）。十幾年前，毛先生批判馬寅初時6億人，結果批了一個人卻多了4億人，現在城市住房已到了爆炸性的程度，幾乎沒有一個家庭是獨門獨戶的。最近一、二年，尤其在三中全會以後，政府的確比較重視了這個問題，各

地都開始蓋房子，但粥少僧多，只是杯水車薪而已。尤其國內還有一種不正之風，蓋房子時，用的名義很好聽，如在科教單位內蓋住宅，說是為了解決高級科技人員的住房問題，但等到蓋成後卻給了行政幹部。以前說蓋「教授樓」，都變成了「行政樓」。當然也多少解決了一些問題，有些工人、知識分子也搬了新房，但一家三代擠一間屋的還很多。我曾問：「這怎麼辦？」回答是：「慢慢來。」因國內正值百廢待興階段，只得慢慢來。

第二個問題是交通問題。即城市交通及農村的運輸問題。目前，大陸城市發展沒有規劃性。而且各單位以前都採取以本單位為中心的思想，各單位有自己的辦公室、廠房、宿舍、食堂、托兒所、小賣部等等，全合在一起，這在1950年代行得通。現在職工孩子都大了，工作不在一起，每天上、下班就成了大問題，交通工具擁擠得不堪設想，又沒秩序，上車完全要憑力氣衝上去。有條件的買自行車，造成了自行車泛濫問題，慢行車道不夠，自行車衝上快行車道，妨礙汽車行駛，停車等也成問題。在穿著方面，這幾年頗有改變，已經找不到穿補釘衣服的人。

吃的方面有太浪費的感覺。我是1962年離開中國的，在1959、1960、1961這三年天災人禍時期，我在北京吃過菜葉和棒子麵，那是一根蔥頭片一片菜葉都捨不得扔。現在不管城市還是農村，可以說吃的方面已經過關。如今的年輕人對糧食毫不珍惜。只要有錢，雞鴨魚肉隨便買，除了國家的合作社、供銷社、商店外，還有自由市場，應時物品一應俱全，只是價格比國營店高些。國家規定統購統銷的東西仍然憑票供應，只是這類憑票的物品已經愈來愈鬆了，因為副食品豐富，主食需量就減少了。但對旅行的人員來說，吃還成問題，城市飯店太少，出差人員及旅遊者吃飯不方便，據資料統計，北京解放初只有80萬人口，飯店有4萬多間，而四人幫下台時，北京有800萬人口，飯店卻只有2萬多間。人口增長了10倍，飯店反而減少了一半。因此，形成一批人吃飯，一批人站在桌後等著，還有一批人候在門口。如今，也看到一些待業青年搭了棚，領了執照，在熱鬧地區開設簡陋飯店，但數量還是不夠，又由於原料來源不足，質量稍差，但價格卻比國營店略高。

剛才提到百貨公司，我想說一下北京和上海及其他城市的百貨公司情況。我見到商店裡的糕點、食品堆得像山一樣，買的人也排隊。中秋節我在北京，見到很多月餅，盡量供應，一般人都能買到。食品供應情況，大約和1950年代差不多，不過我是和我離開中國大陸和文革時的情況來比較，以國際標準來說還是不夠的。例如中國食品還做得不夠精細，看上去有些髒，售貨員態度不好，像買的蘋果又小，又有黑斑，既不許挑，也沒有包裝，要自己帶口袋裝，不然就只好捧在手上或往衣袋裡塞。商業方面實在落後，主要是沒有競爭性，形成售貨員態度惡劣。買東西不准挑選，這不是社會主義的問題，是文革把整個社會風氣搞壞了。要刨根，一是鐵飯碗帶來的問題。反正幹不幹照樣拿工資，幹得好不好一樣拿獎金；二是責任問題。單位賺不賺錢與本人無關，東西壞了，國家倒楣，反正吃大鍋飯；三是不願當售貨員。覺得做這一行降低了自己身分，覺得委屈，把怨氣出在顧客身上。但看見摯友親朋面孔就兩樣了，物品挑最好的，還批評不得。

以上所講是我去年和今年初所見到的情況。但到10月分、11

月分的兩次旅行，情況卻有了很大的變化。這種改變，是由於「責任制」的推廣。

責任制的推廣，首先是在農村。今年〔1982〕7月，去農村採訪，有二個地區變化最大：一是四川，一是安徽。四川談的人很多，現在就談安徽的情況。

關於責任制，我首先要大家知道的是：

第一，「責任制」是農民自發的。農民說，若不走這條路，我們就不幹了。

第二，有些省、地區的領導人，在這情況下，敢於打破文革時留下的很多框框，敢於不顧其他方面壓力，站起來代表人民來決定這樣的政策。眾所周知，在中國，地方單位的領導人，如敢違抗中央的政策，那麼，很可能他的政治前途就完了。因此這些領導人能這樣做是很不容易的事，要有一定的勇氣和魄力。

這就說明了責任制能在四川和安徽首先推行，有二個原因：一是農民們的堅決要求；二是上層某些領導人的寧願丟掉政治前途，也要支持這麼做。這是很重要的二點。

其效果是很顯著的，農民們得到了第二次翻身。在短短時期內，農民們真的富起來了，蓋房子、買自行車、手錶，甚至還買了縫紉機。七月分時，曾有農民打開他自己的儲藏室給我看，並說：我家全年的糧食已足夠了，油菜籽賣了一半，還有一半準備賣了再買農機。

實行責任制，實際上土地並不是農民的，土地仍歸國家所有。國家規定，每年要付農業稅，生產的東西先完成國家的計畫，繳足集體的數量，剩下才是自己的。所以農民們天不亮就起身幹到天黑，有時還挑燈加夜工，整個幹勁都出來了。而比之以前人民公社時，打響了上工鐘，才扛著鋤頭來報到，排著隊一起下田，磨一天工，回來後為爭工分而大爭大吵完全不同了。

在城市一些百貨公司、商店也開始實行責任制了。比如上海的淮海中路，就是以前的霞飛路上，有許多服裝店。當時，我想去買二件香港衫，售貨員把每件衣服的價格、性能都一一介紹，而且不僅對我，就是對一般顧客也都一樣。

情況改觀的原因。第一，是他們這個店實行了自負盈虧。賣多賺多，分到的獎金亦多；第二，現在上海有很多製衣廠，設計各種不同花色、式樣的衣服，各廠衣服在不同的店裡銷售，形成了競爭，各店都想爭取顧客，多賣多拿獎金，態度自然就好轉了。由此可見，在這幾年裡，中國輕工業的發展，使得商品增加；而各個商店有了自負盈虧、獎金等的責任制，因此使他們改變了服務態度。

目前，大陸的輕工業還存在一些問題，服裝加工方面，尤其是對外加工方面，最近都不景氣，這些工廠的開工率，只有百分之四十左右。上海，甚至安徽、山東都是由廣州方面承包過來。即香港的商人向廣州簽訂了合同，但這些東西卻分到了其他城市。結果香港方面的訂單一少，他們全部受影響，因此開工率低，今年輕工業中最不景氣的是服裝加工業。而這在去、前二年是上升得最快的。這種加工，並不是製作很高級的時裝，而是最簡單的，如襯衫、睡衣、睡袍等。並通過香港再運到美國、歐洲等地去。這一行業如今是完全下來了。

但在此同時，另一個輕工業行業，即電子行業卻在飛速發展。這一行業包括電子手錶、收錄兩用機等的製造。大陸由國外進口一些零件，自己再製造一些零件，再在國內總裝，然後一部分運往香港，一部分在國內銷售。現在大陸各地都在投資建設此類的工廠。

目前我所見的食品工業，似乎沒什麼變化和發展。

這是輕工業方面的基本情況。

我記得，在二年以前，大陸發展國民經濟的次序是農、輕、重。因此國家在輕工業方面的投資比較多，也解決了很多的就業問題，但在最近一個時期，顯然是發展得比較緩慢了。

目前，國內主要發展是重工業和重化工業，比如，寶鋼的第二期工程也已經恢復了。另外，在石油化工方面，前一階段在調整過程中凍結了的南京、北京等地的石油化工業也解凍了。這一情況，是和國採石油開發前途有聯繫的。因此，從國家的層次來考慮，目前還是全部力量用於重化工業，因為輕工業的發展畢竟是有一定限度的。

以上就是我在大陸的所見所聞，我現在總結一下。從目前大陸的情況來看，和日本工業建設的合理性及現代化的程度相比較，中國恐怕還有一段很長的時間才能趕上，但人民的生活是向好的方面發展。另有一個奇怪現象，大陸的住房問題雖然困難，但房間裡的生活用品卻很俱全。比如有電冰箱、黑白電視機、收音機、手錶等等，這從大陸生活水平來說，應該滿足了。因為國內人不可能想要買一輛汽車，前一階段，很多人都想買摩托車，但石油很吃緊，因此政府禁止此風的滋長。另一個比較特殊的情況，就是目前世界性的經濟危機似乎對於國內毫無影響。一進大陸，只覺得什麼都在投資。大量的外國商人擁到北京、上海做生意，國外的投資很多，合資的談判也分別在各地進行，似乎大陸的經濟體系和國外沒有密切聯繫，當然影響多少有一些，比如上述的服裝加工業，但實在是微不足道。

以上是我一些粗淺的看法和想法。

台灣對大陸政策已有放寬，將來通商通航均有可能

傅：我坦白講一句，我在香港得到確切資料——我講這話是負責的，尤其是在李先生面前，你是中央社東京負責人，我要講的資料是確切的。過去，在1981年以前，拿台灣中華民國護照，到國內去旅行的人，而再回到台灣的人很少；就是回到台灣去以後，也一定受到台灣警備總司令部的調查，也是害怕。但是最近從香港方面得到確實資料，在台灣居住的，由1982年的1月到1982年11月共11個月中，拿台灣中華民國護照，到國內旅行並沒有留在國內，再回到台灣居住的人，有的是探親，有的是做生意，有的是旅遊，各種性質都有；到1982年11月為止，由台灣去大陸探親的人、做生意的人、旅遊的人，數以千計。據了解，這些人回台灣後，台灣當局也好，國民黨當局也好，台灣警備總司令部也好，台灣任何情治機關也好，對這些人從來沒有非難，也沒追問他們到大陸去幹什麼。相信台灣當局，尤其是台灣警備總司令部，一定有這些到過大陸的人的資料；但是台灣國民黨當局以及任何情治機構，從來沒有對這些人中的任何一個人為難。請問李先生，這是意味著什麼？

戴：最近有資料，比如說台灣到香港，若是從澳門轉，過了一個星期再出來，他不講的話恐怕也不知道。

傅：但我猜測，台灣是一定會知道的。

戴：不過，在香港出境他可以到澳門去……。

傅：但也必定要經過香港，也要經過澳門移民局。據我知道，這些人凡是拿中華民國護照進國內，台灣當局沒有不知道的，他們絕對知道。

過去，所有去過大陸的人，到了台灣盤查得都很厲害。自從今年起，什麼原因不知道，據了解，國民黨當局沒有對今年去過大陸的人盤問過一次。

我還了解在過去，國內生產的煤，假若是想經過中間商人賣到台灣去，台灣都不接受的。因為煤的資料，大陸煤、澳洲煤與美國煤是不同的，一檢查出來就知道，騙不過檢驗當局的。但據我所得的資料，從今年開始，有些人把大陸的煤賣到台灣。同時我所了解，過去所有大陸國內航運，都要經過一個轉口岸，比如經過香港或其他國家，再轉到大陸。大陸上海到基隆、高雄，中間也必然要經過轉口岸，裝了兩邊的貨在轉口以後才能到達。如國內過去買的三夾板，台灣出口的三夾板也好，印尼的三夾板也好，都是以台灣貨名義賣到國內，一定要經過轉口岸才能到達卸貨。但據我所知，自1982年開始，就不需要中間口岸，在公海上就過去了，也就是現在可以直接到達卸貨。比如在台灣裝了三夾板到上海，過去必須經過中間口岸，但現在來自台灣高雄、基隆的船（不論是掛什麼旗），都可以直接到天津、上海卸貨。天津、上海的船，也可以經公海直接到台灣卸貨。據我所了解，台灣也有想到大陸去買原料，包括工業等方面的原料，鋼材等更不必談了。但是從今年起，兩邊都保持緘默。對數以千計人士的來去，兩邊也都不肯宣布，都諱莫如深。但確確實實煤也進了台灣高雄港，台灣確已用了國內的煤。在這種情形下，是不是可以說兩邊已默默地進行了通商？在李先生看法，是不是將來有直接公開通商、通航的可能？但現在兩邊都不肯公開宣布。

台灣廠商希望當局再放鬆，希望「三通」保持經濟水平

戴：我也來表示一點意見。第一個問題是李先生講的，兩次oil shock對台灣經濟的影響問題。我方才講的那個學生，最近到台灣去的，他是一個很客觀的人，年輕的學人。他告訴我的一部分情況和夏先生所談的問題連起來，加上我最近對台灣經濟的看法。在這幾方面看來，中國大陸現在和過去就是窮，從窮裡爬上來這很容易，加上因為它不像台灣依靠貿易過日子。大陸雖然窮，但它只在內部循環，可以少受到外面世界經濟不景氣的衝擊，這點可說是不幸中的幸運。還有一點，幾次的石油震撼它只有好處沒有壞處，只要它政治能夠安定的話，我看它能走，自己走出一條路，加上現在的政策，只要農村能繼續發展的話，那麼大陸的經濟可以與日本、美國脫節，也就是不受它們世界經濟的衝擊，而有自己較好的發展。在這情況下，我最近幾次和台灣來的一些大企業幹部談，他們有位曾很坦白地講：大陸有段時間說不要收我們關稅，但最近又翻臉，這是怎麼回事？但是我們對大陸市場仍寄予希望，並希望蔣總統對我們再放鬆一點，不然我們

台灣的企業怎麼辦？這因為他們站在廠家的立場，他有二、三千的工人，在目前還想走大陸這條路，但政治問題很大，不能公開。他們有時要求國民黨當局閉隻眼睜隻眼，如突然來一下關起來，如何辦？他徵求我的意見說：老戴，你的看法怎麼樣？大陸會不會繼續穩定？不能有的時候開門，有的時候關門，教我們可怎麼辦？你看國民黨當局能不能再開明化，他們政治的問題跟我們廠家又有什關係，雙方都是老百姓，希望有比較，三通，然後保持一個經濟水平。這一點也是關係到台灣裡頭的經濟，與韓國經濟比較，論幹勁韓國比我們強，但是最重要的是我們技術好，因為農業基礎好而配合得上，所以不脫節，韓國是靠賣勞工。在這種情形下，台灣的經濟因為它貿易成分靠美國，以及靠其他自由世界成分太大，所以這次受到世界經濟不景氣的衝擊也大。雖然它兩次受到oil shock能夠過去，這下是否能恢復，也是台灣搞經濟的人傷腦筋的事。這點，是不是傅先生剛才談到的「互相諒解」的真正原因？剛才夏先生談到的中國內部，人民公社農村生活提高了，他們想需要就是這些，電子工業方面的東西需要量大起來了，大陸自己能不能充分供給呢？不一定。美國、日本不行，又太遠；日本做的東西又太高級，而台灣的產品就恰好配合，如這方面台灣與國內能夠相通，台灣方面商人當然高興，對大陸當然也是很好。

夏：我想談這方面的感覺。我去大陸之後，覺得外國商人對中國的市場有一些盲目的理想，或是幻想。外國商人努力希望想賣給中國的，是一些民生用品，在民生用品方面，中國不會用很多外匯來買。我舉一個例子：就是剛才傅先生所談的，在廣東、福建城市裡，或是一些僑鄉，很多人都用起了台灣生產的大同牌電飯煲〔電飯鍋〕，為什麼呢？因為這些東西從香港帶進來時，說明是台灣做的，因此海關認為這是本省的，可以免稅。如帶一個日本貨，則要上稅。在這個因素之下，在香港大家都去買「大同」電飯煲。如果「大同」的廠商知道香港的這一銷售情況，並依此制定他以後或明年的生產方針，那他一定要破產。因為中國對這種東西的輸入是有局限性的，只是做為一種暫時性的政策，來說明我們對於台灣是看作一個省。因此，由台灣省進來的東西是免稅的，但時間不可能長，否則就會使國內同樣的產業受到壓力。因此，大陸就希望自己來製造，當他製造成功了，立刻就關住，不能再免稅。所以剛才你談的煤問題，我想煤的問題絕不會是中國對外貿易的進出口公司，和台灣的一個什麼部門來簽訂合同。也許是通過香港商人；也許通過日本商人；然後再由港、日商人和台灣商人簽訂合同，最後只是一個上貨口岸和下貨口岸的問題。那即使上峰知道，上面也裝作不知道。

雖然兩岸當局不公開宣布，但潮流已經到這地步

傅：我剛才所說的，那數以千計人到大陸去，在國民黨情治機構明明知道，他可以裝作不知道，但是煤的品質一檢驗就分得出來，是澳洲產的；是美國產的；還是國內山西、河北產的，只要儀器一檢驗就檢查出來，不論是經過中國商人，還是香港商人或日本商人，怎麼樣變戲法，一檢查就知道。這在1981年前，這種情況在台灣絕對不可能發生，只要產自國內的煤，台灣一定不

准進口。台灣用煤最多的是台灣電力公司，屬於台灣國營事業。國營事業要用煤，用這煤是產自國內，不論是與哪一國的商人簽約，不經過中轉港口，而直接能在高雄、基隆卸貨，台灣的檢驗當局難道查不出這煤是國內生產的嗎？但這種趨勢現在已成事實。雖然海峽兩岸當局都不肯公開宣布這樣的事實，包括這批數以千計人的來回，但這些都是事實。這是否意味著潮流已經流到了這種地步？而在不久的將來，是否可進一步公開的通航、通商？

正式「對話」將是時間問題，跡象顯示在向前邁進

李：大陸與台灣由軍力對峙而轉為對立，由於國際間的變化，現在是由對立而轉進為「分立」，或是「兩立」的狀態。將來此一分立或兩立局面如何演變，尚難逆料，但無論如何只會向前進而不會向後倒退。所謂向前進是因為基於雙方都是「中國人」這一前提或共通性。目前「中共」事實上等於是「中」國人加上「共」產黨的一個混合產物或名稱。就中國人部分來說，他們的life styles與我們相同，一樣用筷子，一樣說中國話。只要他們不去推翻中國傳統五千年的歷史（我們是以繼承傳統自誇的），則雙方對話比較容易開始。但如果他們的「共產黨部分」不改，一定要繼續「四個堅持」，則一切無從談起。因此這一部分是中國分裂為二的基本原因。

剛才傅先生談到台灣今年有數以千計人祕密訪問大陸，我覺得這是很小的數字。因為自從台灣開放對外觀光以來，每年約有

大量的觀光客去世界各地旅行，僅以日本一地而論，台灣觀光客今年一年即已達35萬人。比之這上千的人真是不可同日而語。事實上中國人是講究人情的，為了探親，用各種方法去大陸，而且大部分均無政治目的。甚至已有人為了去探望年老的尊親，不顧一切的後果。今天全世界也都高唱人道主義，站在人道主義的立場，對他們訪問大陸，我想今天台灣當局也會覺得無可厚非，何況這上千的人也是一個極稀少的數字。

至於剛剛傅先生談到大陸煤的運銷台灣，假如傳聞屬實，我個人認為這與政治或信仰完全無關，是一時的權宜之計。在某種情況下雙方不露痕跡的交易也是應商人或純經濟上「權宜」的需求。尤其是煤，絕不可能有長遠的交易計畫。因為我個人對煤略有些了解。

以台灣向美國買煤為例，每家煤礦的產品，必須經過化驗證明其產地與品質無誤，然後還要派人直接到礦山去查勘，在現場化驗品質。因此大陸出產的煤絕不可能以其他產地的名義蒙混過關。而且，台灣將來對能源的依賴也不是以煤為主，而是以核子能為中心，除非台灣在未來不能從其他地方買到鈾原料，而大陸能供應，不提任何政治條件，做為純生意來談，也許還有考慮的可能，不過那也將是多少年以後的事了。

其次是過去發電的設備大部分都是以油為能源，一旦要改用煤也非易事，除了發電或煉鋼廠高爐的設備外，還涉及到運輸的設備。所以現在澳洲正在從事煤液化的研究，構想是將煤液化後，可利用原來的輸油管輸送液化煤，不但減少運輸成本，也可使發電廠及煉鋼廠的設備不必改裝，成本便可降低。

以上是我答覆傅先生的兩個問題。目前中國是處於分裂狀態。由過去的對立而進入了冷靜討論問題的階段。至少雙方已經不再互罵。一方面提出以三民主義統一中國；另一方面要以九點方案統一中國。然而雙方尚未能進入對話的階段。至於是否有一天會正式「對話」，這要看今後國際和國內情勢的變化，恐怕將是時間問題。但一切跡象都顯示向前邁進而不是向後倒退。中國問題如何解決，是否應該統一？還是保持目前的現狀，這是一個懸題，最好是不必去觸碰它。既然它不是一個迫切的問題，則可讓時間去解決它。五年，或者十年，再加上國際間好多要素，都會影響到未來的變化。

總之，統一並非目前最迫切的問題，大家最好也不必每天去叫嚷統一。就以夫婦來說，如果因愛轉而為恨，因而分居了30年，忽然相聚一堂，就要同牀都是辦不到的事，何況是兩個敵對的政權。

其次，雙方在海外民間的交流早就開始了，但十分之八、九的「交流」結果都是不歡而散。從大陸出來的人往往認為，他在大陸所受的苦難海外的人也應該承擔一部分；甚至有人認為他的吃苦受難就是因為「海外關係」而引起。例如有人自大陸寄信給他哥哥要錢，理由是你以前做憲兵，是國民黨的特務，我為你被關了20年，如今既然你有了辦法，為何不能寄幾千塊錢來幫我造一間房子？造了房子再要求出國，出國後還要再需索幾千萬日幣回國。另一部分出國的人則不肯吃苦耐勞，因為他在大陸疏懶已成了習慣。因為兩種生活方式的不同，於是造成了「交流」上極大的困難與不快。

剛剛夏先生說大陸目前情況已經有所改進。從中國人立場而言是使人高興的，做一個中國人當然不希望自己的同胞天天生活在饑饉的邊緣，而自以為榮。我對中國人從未失望過，而且對中國人可以從極度的苦難中很快的恢復過來，也是極具信心的，但是對共產黨政權的統治與性質的評價卻有我的意見。

中國自鴉片戰爭後約有一世紀，無日不在外國的欺凌與軍閥的內戰的困擾中度日，但是近30年，中國卻完全沒有外族的侵略與戰爭的威脅。二次大戰後國民黨未能好好的保住它的領土，將偌大的一片土地拱手讓給了共產黨。總算它還能深自反省，在台灣這個小島上苦苦經營了30年。當年國民黨退守日本人撤走以後的台灣，當時台灣的國民收入還不到美金75元，今天則已高達美金2,800元，從建設和建築上看，也看出一片欣欣向榮的氣象。這是雖仍有戰爭的威脅，畢竟是沒有現實戰爭的結果。

但是回頭再看看中國大陸，同樣也是30年沒有戰爭，但30年完全浪費掉，國民生活甚至還不如內戰以前。這當然是共產黨執政者的責任，你既然拿下了大陸的統治權，則應有責任去好好的經營這片大好土地。如今造成這樣的局面真是對不起中國的百姓。其次是在中共治下的大陸國土的荒廢，例如四川的伐林便是一例。過去四川自古以來從未發生過水災，但自從毛澤東下令全國伐林種糧後，便將大自然環境破壞殆盡，誘致洪水的發生，揚子江目前已經濁水滾滾，行將變成黃河第二。名為「東方的威尼斯」的蘇州城內的小河當年全是美麗的清流，如今也變成了臭水。今年去重訪大陸，到過蘇州的陳若曦女士可以作證。這種對大自然的破壞，百年後也難以恢復。

然而最嚴重的是對人心的破壞。我見過很多自大陸來日本探親的人，他們多半過不慣此地忙碌的生活，基本上就是不願意工作，他們不知道當年來日逃難的華僑，是如何胼手胝足在此地奮鬥的經過。30年前，我曾親眼看見他們當時每日通宵工作，到今天才聚有億萬財富。財富不是天上掉下來的，而是辛苦流汗的成果。可是大陸的人不了解這一點，他們過不慣這兒的生活，然後盡其所能，將能拿的東西囊括後回到大陸去。他們其中甚至指摘某些華僑生活的節儉、勤勉工作，而不僱傭人為守財奴。

我的結論是，中國人傳統的美德——勤儉二字已遭到了徹底的剷除，不復存在。房子、財產破壞了可以再造；外匯缺少，亦可再賺，唯有勤勞的美德喪失以後，便無法補救了。因為勤勞是中國人最大的資源，只要「肯幹」，中國人便可在任何困難環境下翻身，在任何異國異鄉謀生而出頭。但是勤勞美德的喪失，便無法從貧困中翻身。

夏：這不是勤勞問題，而是文化的問題。因為文化中包括了勤勞。也可說是一種價值概念問題……。

傅：剛才夏先生對這個問題已經提到了，文化的問題也是重要的。但根據我所看到的近二年來，大陸中國人民的勤勞是已經恢復了。

戴：文化是包括了社會的人的美德，美德裡也包括了勤勞，所以還不僅僅是勤勞的問題，還有一個價值概念的問題。四人幫把人生的目的、人的理想、家庭的概念、孩子對父母的概念、人對法律的概念完全破壞了，這是我覺得中國文化大革命受到的損失中最使人痛心的一點。

夏：現在我來補充兩個具體的例子。我有一個親戚，親戚的弟弟從國內出來，準備移民去美國，路過香港在我那親戚家住了幾天，那個哥哥就教導弟弟學會說謝謝，因為四人幫時代把說謝謝也看成是資本主義的事情。另外我一個大陸的親戚，年紀很大了，騎車子時被別人的車子撞了一下，跌倒在地上，進醫院住了三個月，而那人只說了一句對不起，騎了車子就走了。從這二件事中看出四人幫時代人與人之間的關係完全損失了應有的禮貌，也是文化修養的問題。

李：剛才傅先生說到去年持中華民國護照而偷訪大陸的有數以千計人。這個問題，主要有二個方面，一是戰後大陸移民美國的一些人士，回到台灣定居，這些外省籍人士經過美國去大陸，他們不怕，他們是美國的移民入美國國籍，受美國法律的庇護。另外是台灣本省人，雖說他們幾代人都生長在台灣，而親戚們也沒去過大陸，對大陸卻有一種神祕感；還有一些雖已入了日本籍，但對日本的民族主義沒有信心的人，他們這二種人雖和國民黨關係不錯，也並不贊成共產黨，卻覺得回大陸看看，未必不可，他們想去又不敢去，因此產生一種埋怨情緒。鑑於以上二種情況，國民黨當局對這方面只得採取一些稍有彈性的作法。

傅：我所說數以千計的人是不包括在日本的華僑，而是住在台灣的人。而且去年即1981年還只有幾百個人去大陸，今年就增加到數以千計的人了。

最好雙方停止宣傳，讓人們親自去體驗觀察

李：明年持中華民國護照訪問大陸的將增加到5,000人。大陸未開放前，日本與美國的自由主義者，他們曾對大陸有過很大的幻想，但是近年來由於大陸的開放，他們親自去大陸巡遊，結果他們的幻想都化成泡影。我可以舉日本國家廣播公司NHK對兩位從大陸旅遊歸來遊客的訪問為例。NHK所訪問的對象之一是五十餘歲的中年人，一是二十餘歲的青年人。曾經去過大陸的中年人說，今天的大陸還遠不如戰爭中的景況，當年的物質雖然匱乏，但比之今天還略勝一籌。戰後出生的年輕人則說，毛澤東說中國要20年可以全部復興，那麼我過20年再去中國旅遊，看看毛的預言是否兌現，但20年中間，我是不會再去的了。

若干日本及美國的旅行社建議成立一種連結大陸與台灣的旅遊日程，就是遊完大陸後順道再遊一趟台灣，讓旅客親自比較一下雙方的成就，我個人是贊成這個意見的，我認為現在最好雙方停止宣傳，互相不說對方的壞話，把宣傳的預算節省下來，讓人們親自去體驗，親自去觀察，用親眼看到的事實來比較一下，自己判斷優劣。這就是最好的宣傳。但是政府也許有其他的考慮，從治安角度上有安全的顧慮。但是我相信政府也曾認真研討過這個問題的。

戴：我想請教夏先生，北京當局對於回歸及大陸人民對於台灣的想法認識，我覺得這二者間有很大的差距，你可否解釋一下？

對自己民族要有責任感，這一代人必須把問題解決

夏：至於北京政府對這一問題的態度，我也只能從報上看到一點，而民間尤其是知識分子，對台灣回歸問題的看法與政府是有一些距離的。這些看法，有積極的一面，也有消極的一面。積極的一方面，可以從政治和經濟兩個方面來考慮。

從政治方面來說，有人認為我們中華民族在多少年以前，就是因為人民對自己國家的事情不夠關心，所以把外蒙古丟掉了。在今天還活著的人不能夠把我們國家的台灣再丟掉，而如果我們這一代人不把這個歷史問題解決了，下一代的人很可能對這個問題因缺乏歷史概念而變得無所謂。因此我們對於自己的民族，要有一個責任感。既然是這一代人造成的錯誤，那解鈴還得繫鈴人，這一代人必須把問題解決了。尤其人們擔心台灣的蔣經國先生年紀大了，而且又有病，他的後繼人又是未知數，如果說有什麼新的變化，這個問題必將更增加了新的麻煩。而避開政治從經濟的一方面來說，目前大陸剛剛從一個大變動後恢復，國內的各方面的條件，尤其在經濟方面，都不如台灣。而且中國的經濟如何上去，比如科學技術方面如何具體去著手做，還是個一窮二白的問題。而台灣因為這麼多年都在一個開放的世界裡，吸收了外國各方面的先進科技。而大陸正是缺乏這些，因此無疑是個寶貝，如果大陸和台灣能匯合起來，將使整個中國的經濟得到飛速的發展。

從消極方面，使我驚訝的卻是些年輕人。他們說：「為什麼要統一？統一了不是使我少去一個地方嗎？」對這種說法的人，

我恨不得給他一個耳光。他們的夢想就是去台灣、去香港、去美國、去外國，他們認為外面是個花花世界，地上一摸就是錢，覺得在國內沒意思，這是無知，也是愚蠢，而這種無知與愚蠢完全是缺少教育與文化，也是文化大革命的後遺症。當然大陸年輕人並不各個都是如此，而只是占比例中的極少數吧，這是個很嚴重的問題，也已引起大陸有關當局的重視。因此大陸對青年人也進行社會主義文明的教育，而共產黨也接受了這十幾年錯誤的教訓，也理解到走這條極左路線及愚民政策的路是走不通的，因此，現在採取了一個比較開放的、理智的、科學的道路，這個道路因目前剛剛開始，因此問題很多，困難重重。但既然現在是面對這個問題，並著手解決這個問題，而不是逃避這個問題，是怎樣來解決這個問題。因此我個人感覺，是一個很好的起點。

我是無黨無派，站在中國人的立場上，我覺得不管是共產黨也好，國民黨也好，都對人民欠了債。從人民的角度來看，根本沒有大陸台灣的問題。抗日勝利後為什麼要有內戰？責任應該是誰的？那時我的年齡雖然還小，但是還有記憶，那年抗戰剛勝利，蔣經國先生來上海解決一個關於經濟的問題，卻和其他派系鬥起來了，結果整個經濟措施失敗了。其實這純粹是國民黨之間的派系鬥爭，但經濟一失敗，軍事也就失敗。只得跑到台灣，形成隔海而治的局面，這是國民黨的責任。共產黨得了政權，卻不好好建設，來個文化大革命，使中國倒退20年，這是共產黨的責任。這中間，人民完全沒有關係。從今天的情況來看，統一問題北京是主動的，而台灣是被動的。為什麼台灣不能主動些呢？在這一問題上，我有許多親身的感受。比如上個月，我去了南京，在參觀了中山陵後，看見在孫中山先生坐的石像房頂，和石像裡面一間房子的房頂上有青天白日圖案，這是很大的改變，也使我非常驚訝，因為青天白日是國民黨的黨旗，在文革時期，誰家裡有這種標誌，那是全家滅門的罪。而解放初期，把這黨徽完全鏟了。但在去年卻照樣完全修復了，而且是用藍白兩色瓷磚，據說這樣可以保存100年。由此可見，現在中國共產黨的領導層在這方面的認識，已經有了很大的改變。而這種改變，並不是單單停留在諸如在《人民日報》上寫一篇文章這樣的宣傳上，而是正在具體地去進行。如今，他們已經不怕這些改變會影響人民，他們一改過去掩耳盜鈴的作法，表明他們有充分的把握。另外，我在北京還聽到去過奉化的日本記者提起：在那兒的蔣家陵墓都已修得很好。這些是純粹姿態嗎？我看不見得，起碼，他們已經認識到統一這個問題應該由這一代人來解決。

戴：但是這些事實又如何讓台灣的國民黨元老們真正相信呢？

夏：我是個無名小卒，說的話也可能沒用，光靠我說當然沒用。因此我覺得，最好的方式是來一個中央委員級，即是共產黨的政治局一層人物及國民黨的中央委員互相參觀，大陸派一批人去參觀台灣，台灣也派一批人去參觀大陸。不一定要對話，不一定要會面，可以參觀，然後想一想，他們應該對中國人民負什麼責任，如何交待？再多想一想中華民族的統一。

台灣百姓希望參與政治，台灣人的心態應充分考慮

戴：剛剛談了文革後遺症的問題。我想談談台灣老百姓的一

些心態，知識分子總認為清朝把台灣割掉了，給日本人搞了50年，如今回來了，期待著回歸祖國，又碰上二二八事件，到現在國民黨當局不公開也不表明。過去大陸利用這個做政治宣傳，但站在台灣人的立場來講，二二八事件國民黨應負有責任。當年對敢於反日、抗日的一批人殺了不少，到現在也沒有什麼交代。這個後遺症現在隨著時間的推移，尤其是1960年代以後，經濟成長了就慢慢消除。以後新生代出來了，卻又出了美麗島事件，當然台灣當局對此事另有一種說法。台灣百姓希望參與政治，能擁有發言權，但又出了個林義雄滅門案，使人民心裡有了一個結；緊接著又是陳文成案，使具有民族大義和歷史使命感的人都非常灰心。因此，我不是開玩笑，要是大陸沒有文化大革命，要是大陸1956年以前的作法上軌道的話，對國民黨當局是有很大的威脅。但文革把一切搞亂了。記得文革前，我有幾位鄉親，在日本東京大學畢業後，回大陸去參加祖國建設。結果文化大革命教他們寫檢查。問他們說：你是台灣的有錢人，跑到北京來幹什麼？你們一定是日本特務、台灣特務，使他們非常灰心，然後從北京跑了出來，現在也不高興回去了。當然，連劉少奇、彭德懷都如此遭遇，別說是台灣人了。但站在台灣人的立場來說，離開大陸幾十年，回來又受如此待遇，正是走投無路。台灣人的這種心態，我看北京當局和台灣當局都應該充分考慮，因為這始終是台灣人心中的結。

夏：我想，這不僅是台灣人心中的一個結，也是全體中國人民心中的結。

當我站在中山陵前面，看著民族、民權、民生這幾個大字，以及博愛的大石碑時，這都使我感慨無窮。我希望他們一起來，不再只是口口聲聲叫自己是真正三民主義的執行者、孫中山的信徒，應該回去看看。

戴：李先生，你的意見呢？

雙方保證不使用武力才能解除歷史的死結

李：我認為中共最初30年是「占領」而不是「建國」，即沒有法律，更沒有法治法統。一直到最近三、四年與美國建交後，加上門戶開放，自己亦算開了眼，看到外面世界，要對外貿易，要外國投資，於是才開始制訂法律。這30年我認為是30年的動亂、其中有10年浩劫。過去沒有民法，沒有刑法，也沒有商法。最近都要一一制訂，這也全是為了要適應國內外的需要。所以說，中共真正地想建國是最近三、四年之間的事。

但是問題在於今天的世界，分為共產世界與反共產的自由世界。一個國家一旦進入了共產圈子，就休想脫身，好像墮入地獄永難翻身一樣。因此我始終認為，在中國邊境上的50萬蘇聯軍隊，並非志在攻打中共，其真正目的是要保護中共的共產政權，使它不會變，不能離開共產圈子。也許有好些中共高級人士也了解蘇聯用意所在，因此他們今天自己亦深知共產主義這一套是行不通的，想改弦易轍，與馬列訣別。但是，有無膽量敢冒險脫離蘇俄的魔掌嗎？他們都記得，當年匈牙利和捷克想恢復自由民主的團體，而蘇聯出兵鎮壓。今天波蘭問題尚未解決。中共搞文革、搞造反，蘇聯不干預，這是因為蘇俄不願意看一個強大的中共出現。中共內部愈亂愈弱，蘇俄愈樂，可以高枕無憂。但是如果中共要去掉共產，或馬列的招牌，回歸到自由陣營，則蘇聯必會進軍大陸，另建立一個親俄的共產政權，這個風險是中共承擔不起的。其實蘇聯早就想進軍大陸了，但是中國太大，人口又多，它不敢如日本似地掉入泥沼，所以容忍到今天。然而如果中共一旦放棄共產主義，則蘇聯可能會不顧一切後果，占領北京去扶植一個親蘇政權。

總之，我認為蘇聯方面是很值得要考慮的因素。中共今天是兩副面孔，一副是中國人的面孔，一副是共產黨面孔。只要中國人面孔還在，海峽兩岸談話的可能性便會存在。問題是中共已經浪費了30年，他們迫切的急務是爭取時間。台灣由於缺乏能源，加上高度發展資本主義，亦有其內在的問題需要處理。所以雙方都不應急著要談統一，而應該在不使用武力的前提下，暫時力求將內部問題解決，自強進步，然後再談其他。統一是個長程計畫，而不急於一時去完成。要解消兩個敵對的政黨和人民之間的不信、猜疑與警戒，最重要是雙方對全世界都應保證，不使用武力來解決問題，只有在聲明不使用武力的保證下，雙方才能解除猜疑。畢竟雙方敵對時間太久，死結太多，只有「不使用武力」才能解除這些歷史造成的死結。何況當年在抗日戰爭期中，共產黨的口號就是「中國人不打中國人」，今天為何不能特別聲明「不使用武力解決中國統一問題」？我相信只要中共肯聲明不使用武力解決台灣問題，則台灣也必然會聲明不使用武力「反攻大陸」。這種在國際間可以引起好感，對兩岸的人民心也可以更為放心，增進同為中國人、來自同一的根源（roots）的親近感。

夏：我插句話，從我在國內所接觸到的一些人，感覺到對「不使用武力解放台灣」，這個實際上他們已經有這樣的看法，但不能夠向美國保證，因為沒有理由要向另外的國家來保證。

李：對！但他可以向全世界宣言……或向中國人民宣言也可以。

夏：如果北京方面向世界或向全國人民宣布，放棄以武力解放台灣，那麼你估計，台灣會做出怎樣的反應？

李：台灣一定也會說：我們也一定不用武力來反攻大陸。好像打牌你出牌，他也要打出另一張牌。

戴：在東京看到雙方的呼籲，台灣當然打三民主義統一中國的旗，大陸也在做另一種呼籲，比如說到炎黃子孫怎麼樣等等，大陸應該是唯物史觀，怎麼把這些神話傳說的人物搬了出來？像現在搞台獨的或是年輕一代就認為：這些我可不要，應該讓我參與政治，讓我發言，民主最重要，提這個「炎黃子孫」與我有什麼關係？這點我認為，台北、北京都應考慮，就是要關注到年輕一代，對下一代這種心態應考慮。

傅：我有一個問題向李先生請教一下，你說假若是中共發表了放棄武力解放台灣的聲明，你相信台灣也會同樣發表一個放棄武力的聲明……。

李：我的意見是：假如這一牌打過來的話，那就可能這樣打過去。

傅：我個人有一個想法，我曾經跟中共領導人談過這一類問題，他們說最好的方法是：台灣的國民黨不要用「三民主義統一中國」這樣的說法，因為共產黨也沒有說過，要用社會主義統一台灣，而且，台灣當局是否真的實行了三民主義呢？台灣當局心裡也有數。如剛才李先生所講的，台灣也因資本主義過分發達，形成財團的經營，這些都不去管它。但中國共產黨是從未說過要以社會主義或共產主義去統一台灣。以台灣人口及面積來說，他們說台灣面積是新疆省的44分之1，與整個大陸相比是0.3％，他們說大的沒有來統一他，反而是要由這麼小的來統一我？現在假如兩方面都發表聲明，一邊是不用社會主義、共產主義來統一台灣，台灣仍保持原來的制度，台灣能否也可以不講以三民主義統一中國？兩邊都維持現在的制度，僅僅說台灣是屬於中國的一部分而已，在這樣條件下，你看有沒有可能？

李：台灣講三民主義，是因為國民黨不得不這麼說，如真要說的話，那是應該以自由民主來統一中國。在台灣大部分的老百姓也會同意這一點的。但從國民黨的立場來講，他當然要用三民主義。我以前在美國曾講過關於中國問題。我說，數學上一加一是二，但政治上一加一等於一，因為都是中國。

夏：剛才傅先生所談，台灣與大陸之間人的交流已經開始，那麼信件的交流為什麼不能開始？記得淪陷的時候，上海還可以寄信到重慶去，但今天上海就不能寄信到台灣，而必定要通過東京、美國再轉。

李：對於這個問題，我想在國民黨內也有不同的意見。以我個人立場來講，通信的話對大陸並沒有太大的好處，對台灣倒是有利。對於通商問題，那意義就重大得多。大陸是10億人口，台灣才一千幾百萬，地方又小，有些措施是在種種環境之下制訂的。從治安方面，就不能不過分謹慎，自信不夠，在這樣心態之下，就做出那一些措施。

戴：據我知道，就是轉信也要非常謹慎。

夏：因為寄到台灣的信裡面還不能有簡體字。

李：現在「三民主義」也有用簡體字印了，向大陸發……。

夏：對、對！這是宣傳……。

戴：還有一點，就是國民黨雖沒有公開，但是很放寬。有一位同學，從東京大學畢業後，回南京去。她〔劉彩品〕本來是台灣人，當然國民黨知道，並讓她姊姊從台灣出來，在東京會面。這說明現在是變了，要在以前，那好緊張。

傅：是的，那一步一步是在往前走……。

戴：但我們站在老百姓的立場，站在人性的立場，希望能快一點。

夏：中國共產黨他誠心誠意地希望統一，也是在這三年裡面有所改變。以前提的也是一些口號，所以那時在國內有海外、台灣關係的人壓力也很大。

李：在先總統在的時候，那時台灣的反共也是「七分政治，三分武力」，而現在完全是以經濟和政治來反共，現在大陸也有法律，但也有些人擔心這能多久。假如萬一鄧小平不在，文革餘黨又來，那怎麼辦？

記得費正清（J. K. Fairbank）以前去台灣之後，出來時說：台灣不屬於中國，是屬於日本與美國西方之間的國家，他曾問我對中國的看法。我說中國在二位（毛、蔣）先生都過去之後，在他們生存的時候是看不出新的東西來，因為中國是東方國家，近50年來非蔣即毛，中國人也不會輕易把對方幹掉。現在可以說，兩方面都到了新的時代。

戴：李先生，那你認為⋯⋯？

李：我認為還有三、四年好看，國民黨對中共還有懷疑，連憲法都改了四次，那還有時間。

夏：去年四月，我去北京，曾發表一篇小說〈北京幻想曲〉。那時我認為新的東西不穩當會有反覆；但我今天認為，鄧小平已確立了集體領導制度，而且黨、政、軍各方面都整理好了，因此我認為這樣的一個道路是穩定的。

戴：夏先生，你認為軍隊也包括在內？

夏：對！

戴：我發現有轉變，因為你寫了那篇小說，北京居然還能讓你進去。

傅：據我了解，現在大陸你怎麼樣批評他，他明知道是國民黨的特務，但你去了，他也不會動你。

李：這就涉及到一個大小之不同的問題。他有十億人住在那裡，台灣只是一個島，再加上國際間的孤立，因此猜疑、不信任、不了解。

自信來自人民生活安定，任何變化動搖不了中國根本

傅：對！他（大陸）的自信是來自10億人民安定的生活，我了解中共領導人的心態。他們認為，你隨便玩什麼花樣也動搖不了我的根本，而且在他們看來，即使世界上任何的變化，也動搖不了中國的根本。現在中國10億人民人人有飯吃、人人有衣穿，

這是客觀的認識，因為中國人比較容易滿足。我經過了二個朝代，經過國民黨統治的朝代，現在又去大陸看共產黨的統治朝代。對於都市，尤其剛剛講的都市實行的責任制情況不太了解；但在農村，我看到農民蓋了新房子，穿上了新衣服，吃的也好。就吃的方面說，比美國是不能比，對比國民黨統治時的農村是好得太多了。現在，農村比較繁榮，也比較活潑一點。共產黨也由於這點，而比較有自信，因此他即使明知你是國民黨特務的，只要你不搞破壞，他也照樣歡迎。他們有這個氣魄，你批評他也好，罵他也好，他毫不在乎！

李：我要補充一點，中國以前先是軍閥混戰，然後是日本占領，以後還要內戰，那時當然不能有什麼期待。但以後30年不管是國民黨統治，還是共產黨統治，要不是那30年動亂，大陸會有不得了的力量。尼克森說世界上有五大超級力量：美國、蘇聯、西歐、中國大陸以及日本，但日本應不能算在內。所謂超級力量的大國，那就是不依靠別人也能自己生存下去的，因此中國大陸所以有自信，是因為它可以不依賴外國，自己循環而生存下去。日本卻沒有這資格，要依靠外國……。

傅：李先生、夏先生、戴先生的理論都非常精闢，謝謝大家！

本文原刊於《中報月刊》36期，1983年1月，頁8～22。原題「海峽兩岸的現狀與統一問題（座談會）」

台灣當前局勢與民主統一前景

——和中日諸友座談於日本東京池袋

主辦：日中經濟協會、中報月刊

時間：1983年3月3日

地點：日本東京池袋東江樓

主持：戴國煇教授（立教大學教授）

出席：陳鼓應先生（加州大學東亞研究所研究員）

邱垂亮先生（澳州昆士蘭大學教授）

西倉一喜（日本共同通訊社國外部記者）

田畑光永（東京放送新聞節目主持人）

（座談會經《中報月刊》編輯部整理）

戴國煇（以下簡稱戴）：我在東京待了28年，日本有關中國報導的記者比較少。既要在中國大陸待過，有較深刻的認識，另方面又要對台灣具了解，十分難找，因此西倉、田畑先生能來參加由《中報月刊》與日中經濟協會共同主辦的座談會，我們非常高興。而陳鼓應先生由美國來香港，途經東京在這裡相聚，一方面我們也很高興邱垂亮先生與會。我本人到現在為止還保持中國籍，雖在日本住了28年，拿的是台灣護照。我沒有到過大陸。那鼓應兄呢？大家知道，他是從大陸來台灣，在台灣長大，做過台大哲學系副教授，現在美國加州大學做研究。邱先生是台灣長大，念完大學以後到美國留學，據我所知，是在1973年嗎？（插話：1971年）1971年到澳洲昆士蘭大學教書，邱先生到過大陸，做過學術考察，也回台灣開過國建會。因此，我相信這種組合富於國際多元性，大家談問題當能保持冷靜。

外國人報導中國或台灣會得罪某一方，對日本篡改歷史看法不一

西倉一喜（以下簡稱西倉）：去年〔1982〕8月我曾訪問台灣，第一期訪問在1978年8月，兩次都約在三至四個星期左右。兩次訪問期間我聽人說，由於某種政治上的理由，李敖不能離開台灣。其實，我也有這樣的問題，因為第一次訪問以後，在1979年年底，在高雄市發生了「美麗島事件」，我所認識的一些黨外人士、作家都被抓去了。「暴動」發生以後，我寫了一個有關台灣民主運動的報告，在日本發表，使得國民黨當局非常震怒，他們馬上把我的名字列入黑名單。而另方面，我也曾到中國大陸福建省的農村旅遊訪問。有意思的是，當我回國以後，寫出了在大陸親身經驗過的事情後，台灣當局立刻改變了對我的態度，並且在《中央日報》把我的文章用相當大的篇幅來介紹。（插話：在front page）國民黨黨報並未徵得我的許可，就擅自發表，並且在翻譯上也有很多地方有意識地篡改原文的本意。還有就是把我的

文章當作反共宣傳。經過這二篇文章，看起來，台灣對我的看法是從親共分子改變到反共分子。在日本有一些人善意地勸告我，認為這樣寫不利於自己的將來，不利於中國統一。通過這次體驗，我覺得外國人報導中國或台灣，往往會得罪某一方。因為兩岸統治者的看法還是處於「黑白」的世界，或者說「敵人的敵人是我們的朋友」那樣的看法。現在我談到台灣碰到的一些事情，我上次訪問，正逢亞洲各國對日本文部省篡改歷史課本提出抗議和爭論的高潮，台灣曾經是日本的殖民地，當然會有這樣的反應。以前我到台灣的理由，是因為日本報紙對台灣這方面的反映很少，所以我特地在台灣訪問了官員以及農民，對於日本篡改課本問題，有什麼看法？結果是一言難盡，有各式各樣的看法，譬如有的說：篡改歷史表示日本軍國主義已經恢復了；還有人說現在台灣與日本的關係不好，目前只有民間的交流，應該慎重地對待這個問題。

鼓吹鄉土文學最奮力的作家黃春明先生，即提到了台灣人民歷史感情的問題。談到他少年時期，日本軍隊被打敗了，那時候他哭了，因為他以為自己是日本人的一部分。他對日本侵略有另一套看法，其成名作《莎喲娜啦・再見》即指責日本人大都是偽君子。因為日本人一方面在國際立場上反對製造原子彈；另一方面，卻又允許政府篡改歷史。對他來說，一個日本人有兩個側面。我聽到這話的時候，心裡覺得對我們日本人來說，這點很難接受。因為日本有兩個潮流，對外來說，日本具有雙重標準觀念。還有我問他，你認為現在日本與台灣的關係怎樣？他說，侵略還在繼續，不過不是用武器，而是用經濟手段。現在用經濟手段來侵略較前更為複雜。並且在台灣很多書店裡，二本書是一定可以買到的。一本是《苦海餘生》〔*China Alive in the Bitter Sea*〕，另一本是《日本第一》〔*Japan as Number One*〕。我覺得很有意思，為什麼《日本第一》在台灣受到那麼大的重視？因為現在台灣在國際地位上很孤立，要怎樣在這種情況下活下去？比如到台北市的中山北路走走，就曾碰到幾個年輕人，他們向我要錢，我問他們為什麼要錢？他們表示沒有工作。還有上次到台灣時，我以前曾住過的一家房價比較便宜的飯店，都已經找不到了。後來我找另外一個飯店，詢問他們，為什麼以前那一家飯店倒閉了？他們說，因為經濟不景氣。

台灣農村已進入現代化，大陸農村無法與之相比

還有以後我到台灣中部的農村，因為我在大陸時，曾到過福建的農村，一部分是尚未開放的，我們把兩岸的農村做一個對比，這不屬於官方安排之內的。但看來兩者的差別很大。台灣的農村水平很高，看來就像20年以前的日本；而大陸的農村不知道怎麼比，可能像日本明治時代那樣的，50年以前的那樣的狀況。在台灣農村也有變化，我碰到一些年輕人，從城市回來的，他們告訴我，因為沒有工作了，所以只好回老家住。台灣農村這些失業者的情況很明顯。另外一個明顯的對比是：台灣的農村已經是整個工業社會的一部分，不像大陸，外面的世界不好並不影響農村，農村照樣生存下去，但在台灣呢，工業不好，農業也馬上不好，因為農村也是現代化的農村。

我住在一戶養豬的家庭，我問他們，如果台灣的經濟不好，不能引進穀物，那你怎麼能養這麼多的豬？他們養了200隻豬，如果沒有外來的穀物，只靠家裡生產的糧食，那可以養多少隻？他們告訴我：只能養20隻。我覺得，看起來，台灣農村的水平比大陸高很多，但還是存在著薄弱之處。

台灣「加工區」時代已經過去，必須引進技術提高工業水準

工業方面，我和經濟建設委員會的孫震談過，他告訴我，目前台灣經濟不好的原因，是受世界性經濟不景氣的影響，可是如把眼光放遠一些，還是經濟結構的老問題。他告訴我，加工區的時代已經過去了，現在我們要積累技術，提高密集工業。據我的看法，中國的資本家，到現在為止，在很多華僑裡邊，很多人還是家庭企業經營的觀念。據我看到的情況，就是台灣的資本主義能不能超過那一段程度，否則的話，台灣很難趕上日本。最近日本豐田汽車廠與台灣訂了一些合同，五年以內開始製造小型汽車；還有是引進先進技術。

國民黨要保持制衡，黨外新老之間也有矛盾

同時，我也見到了新生代的黨外政治家林正杰，他可能代表新生代的外省人集團，但是我不曉得他代表了多大部分的外省年輕人。他告訴我，現在國民黨要制衡，沒有制衡，台灣就不能拖

下去。我就問他：你所說的制衡，包括怎樣的範圍？包括大陸，還是僅屬台灣本身？他告訴我，那是台灣本身的事。因為國民黨常常用「光復大陸」這樣的說法，要人們忍耐現狀，而不要過分要求民主。他和康寧祥也有矛盾，這個矛盾在外國人來說很難理解，因為矛盾的具體內容我不大清楚。

邱垂亮（以下簡稱邱）：他們有一個最基本的分別。這個分別所強調的是：比較年輕一代的主張整個國民黨政治體系的改革，而新生代認為康寧祥比較保守。老康主張在「體制內」來改革政治，但不改變這個體制，這分別是很大的。

戴：西倉先生方便的話，請你繼續談一下李敖。

李敖與白樺有類似看法，蔣經國三年內安排接班途徑

西倉：我碰見李敖，覺得他很有意思，雖然台灣《戒嚴法》存在三十多年，控制所有的報紙、新聞媒介，可是還有這麼厲害的人存在，實在很有意思。還有他對老兵李師科提出辯護，在有關李師科的文章裡，李敖說李師科是愛國者，但是國家不愛他，這使我想起大陸白樺的《苦戀》，這樣的看法在台灣和大陸共同存在，相當有意思。

另外，在台灣時碰到最熱門的話題是，一家政論雜誌刊出〈誰是蔣經國的接班人〉的文章。我與該作者談話，他說文章一發表，美國在台協會就給他電話，要與他見面。見面之後問他，為何要寫這篇文章。他當時沒有回答，但告訴我，如果你看一下，就知道該文發表是有利於黨內開明派。該文指出，在蔣經國

蒙主寵召以後，台灣很難出現一個能全面控制黨、政、軍隊者。還有我聽說開明派與保守派之間有很大的矛盾，此從處理一些敏感事件露出端倪。比如前年〔1981〕7月發生了陳文成事件，還有陶百川事件，我問康寧祥，這些事將怎麼辦？康回答是，如果在三年的時間內，台灣與美國、大陸在關係上沒有很大的變化，蔣經國則會選擇比較安定的接班途徑；不然的話，可能會由保守派人士接位。

戴：田畑先生對此有什麼補充？

田畑光永（以下簡稱田畑）：1980年北京發表了《告台灣同胞書》，台灣各界人士對中共的呼籲有什麼看法？以我在台灣發現的和大陸一樣，一般知識分子是「莫談國事」，大家也不想談統一問題。因為1979年12月分美麗島事件的發生，那時我人在台灣，白色氣氛的籠罩，使人心特別感到緊張。

目前台灣面臨困難的轉捩點，黨外年輕一代要求體制改革

邱：我從1971年起大概每年都回台灣，一直到1975年1月以後，一直有三年我沒回去，1978年4月及年底、1979、1980年又回去。1980年年底去中國大陸，1981年1月去大陸，4月回台灣。去年1982年本來也要回台灣，但因為有些事沒法解決，所以我沒回去。我大致上感覺到西倉先生的看法比較一般，沒有觀察得很細緻。台灣的問題是很多的，從政治、經濟、社會，到文化方面的演變，需要很長時間去觀察研究。

我認為台灣目前的經濟發展面臨了一個很困難的轉捩點。這就是說，台灣約51%的產品是靠外銷的，這種以外銷為主體的經濟體制，以前是以勞工密集，也就是加工為主的體制，現在面臨著很大的挑戰。國際經濟的衰退，西方國家對於進口貨的保護政策的抬頭，都使台灣面臨的問題更加嚴重。台灣是否能在這關鍵的年代，從勞工密集改成資本和技術密集的工業，或走日本工業發展的途徑？問題是台灣除了這條路之外，並沒有別的路可以走，後面正緊追的是中共勞工密集的經濟制度。還有東南亞各國，泰國、印尼，他們工資都比台灣低，怎麼樣使台灣能突破這一點？顯然現在台灣的經濟計畫大員如孫震等，對此都非常傷腦筋，當然條件也很困難，不過大致認為，台灣不可能在近十年內，趕到1983年的日本，但總是工業、商業的各種結構已經建在那裡，所以維持下去並達到某種經濟體制的提高，還是大有可能性的。

第二我談到政治的問題，我認為現在台灣國民黨面臨的經濟問題當然是一個問題，但最重要的還是政治問題。剛才講到黨外兩派，其實不止是兩派，年輕的一派尤其在林正杰、尤清的領導下，他們的要求就比康寧祥跟張德銘、黃煌雄這些人的要求更高，正如你所講的，像康寧祥這些人在黨外比較屬於保守派。如今年輕人的要求比較高，他們認為要在國民黨體制內求改革可能是沒有希望，他們說一定要把這體制改掉，整個《憲法》都要重來，要另寫一個基本法，來取代現在的《憲法》。或暫時把現在的《憲法》凍結，把《戒嚴法》「勘亂時期」的東西都凍結掉，或以新的基本法來暫時代替現在的《憲法》。康寧祥在這方面就不能接受，國民黨一定也不會接受，而對黨外的壓制也很大。尤清和林正杰他們都這麼說，我們一定要推廣，而且愈推愈緊，這是不是會造成1979年美麗島事件的重演？很多人擔心。我的看法是，這與做為領導階級是有關的。康寧祥的看法是，認為是領導階級所謂技術官僚的領導制度，孫運璿與蔣彥士，一個在政府，一個在黨，再加上林洋港、李登輝這些體制比較容易接受篇幅大的改革。而蔣經國本人比較傾向保守派，尤其在軍人方面，或由元老派、CC派的來掌政的話，對於體制內的改革尚要保留，對於體制改革的可能性就不大。康寧祥希望在三年內蔣經國能夠繼續執政，這樣的話，也許將來繼任的政黨就比較上軌道一點。

至於台灣經濟社會的發展，是有一定程度的。各種因素愈來愈複雜，多元化的因素愈來愈明顯，那是一定的。為了台灣好，不管將來和大陸怎樣，一般都認為開明派應和保守派合作。在這種體制下，台灣經濟文化的發展，社會現代化的發展，大概將會走上較穩定的途徑。

開明派表示可能與中共和談統一，有待於雙方的發展

關於統一問題，我認為1980年元月《告台灣同胞書》，1981年葉劍英九項建議，1982年廖承志給蔣經國的信，蔣夫人也回了一封信。至於台灣人對統一問題的看法如何？剛才您說的有興趣，就是台灣人對國民黨的看法，對共產黨的看法，和對日本人的看法。一般是年輕人反日情緒很高漲；年老如我父親那一代，反國民黨卻比較厲害，反日沒有那麼厲害。這有它的歷史根源。

但這也表示了一點：那就是國民黨的教育還是很成功，使年輕人放棄內部仇恨「二二八」事件，造成了反日，也造成年輕人的反共力量，實質上他們是怕，他們受到的是完整控制性的教育制度。他們既不滿國民黨的控制，也不希望中國統一，他們大致上可以接受孫運璿去年七月在國建會上所講的。這是很重要的，這是開明派第一次公開提出可能與中共和談，在這講話以後，馬上受到黨內保守派的攻擊。孫運璿曾說過：假如中共的經濟制度、社會政治制度，發展到某種程度，比較民主化，在這種情形下造成了和談的因素，才考慮到和談的問題。這句話是相當重要的，是具有突破性的。由孫運璿的身分講出來具有相當的意義，這段話也只有開明派能講，而現在他們已經講了。這表示不管如何，這是對於中共一系列和談聲明所引起的反應。

現在大部分台灣人認為最要緊的是維持現狀；第二，他們希望國民黨改革；第三，他們希望共產黨更能改革，這樣才能使台灣年輕一代對統一的看法，變得較為積極。目前他們是對中共大都欠缺了解。有些人認為國民黨來了也這個樣，中共來了也這個樣，我們又能怎麼辦？這是一種宿命論的看法，但這種論調反而在年輕人一代中也愈來愈流通。由於生活水準愈來愈高，剛才西倉先生說中產階級的心態，應積極加以肯定，這心態愈來愈強，在日本也是一個例子，西方社會的發展而使中產階級要求政治的參與，這是一定會的，台灣也是。關於統一的問題是現在正在緩慢的發展，都在等著雙方的發展，裡面有很多的因素。在貿易方面現在很多人都希望同大陸貿易，通信方面也是這樣，希望能通通信，這些都是合理的要求，我想國民黨以後也會慢慢讓步。

戴：我想請教一下邱先生，剛才您所提到的孫院長的發言，有沒有一種跡象，就是這發言稿是先經過蔣經國總統看了以後再講，有沒有這個可能？

邱：我所知道這篇講稿可能是魏鏞寫的，代表在美國留學實踐派的意見。我的看法是蔣經國看過。雖然或因各種因素，如蔣經國當時的健康狀況或住醫院，但這篇文章他應該看過，至少宋楚瑜一定會看，並且呈給蔣經國過目。

西倉：據我的了解，孫氏演講後引起各方很多意見，特別是美國，在日本倒完全沒有。

邱：但後來台灣新聞局長開了一個座談會，他說，這並不是表示對原來政策的改變。因為內部的反應太強烈了，據說那些軍警人士就說：那我們還要談反共？政府造成了這樣一個缺口，我們在外面怎麼交代，尤其是台灣政府在美國的那些人更緊張，因為這樣一來使政府的統戰工作也不能做了。

台灣現有三大危機，經濟、戒嚴令與繼承人問題

陳鼓應（以下簡稱陳）：有關台灣問題，剛才已談得很多，我現在想提出幾個大家比較關心的問題。我個人覺得台灣目前比較嚴重的問題有三個，或是說有三大危機。

第一，是經濟畸形發展的問題；第二，是戒嚴統治的問題；第三，是繼承人的問題。這是三大危機。關於經濟狀況因為剛才已經談了不少，所以我簡略說一下，除了一般常常談到的，比如說中小企業紛紛倒閉、資金外流、經濟犯罪等問題，較嚴重的是

大型企業發生問題，例如企業虧空得很厲害。

私人企業也都發生了嚴重的游資欠缺、停產滯銷以及大批解雇工人的現象。拿國營企業來說，如中船公司到去年為止的累虧，已高達台幣70多億，其他像台鋁、台金、中化，都發生嚴重的虧損，如台鋁去年就虧損19億，台鹼虧空8億，台基虧空8億，中化虧空6億，台金虧空3億，台鋁虧空2億，幾乎國營都虧損。今年預計在4月前，連中鋼本來是賺錢的，也要虧損4億。就是說，大的國營企業都已虧損累累。當然問題最大的是中船。這當然要借外債，向外國銀行借高利貸款就有20多億。這些貸款在未來幾年要還出，現在是以債養債。台灣中小企業的產值占整個產值約30％多，中小企業狀況很壞，這是大家都知道的，而另一方面還要看台灣的國營企業以及大型的私人企業狀況……。

戴：剛才鼓應兄談到了企業的虧空現象，現在我想知道這虧空的原因，是否可公開談一下，一方面是世界性的不景氣，另一方面是不是因為企業體制本身所帶來的低效率，或者是由於國營企業不善經營，在這方面，你能不能深入點補充？

勞資糾紛與失業率劇增，經濟發展造成政治壓力

陳：我想這兩方面的情形都有，我現在只是從大的方面來講，這細節方面，因為資料不夠，沒辦法來講。

經濟狀況的不好可以由勞資糾紛的增加做為反證。雖然具體數字還沒有，但從一些勞資糾紛可以反映出來。如在1980年，勞資的爭議事件有500多件，發生爭議的人數有五、六千人，而今

年的爭議件數1,000多件，人數要上萬，這反映問題相當嚴重。

勞資糾紛在去年至今年的件數和人數在今年突然增加，也可以反映出經濟狀況的不好。然後就是失業問題，政府公布的失業率是只有2.68%。最近黨外雜誌有一篇文章分析「失業人口和勞資糾紛」。認為失業率估計在6%的話，大約有24萬的勞動人口失業，就算我們把它打點折扣吧，那麼一家若以三、四口人計算，受失業影響的人就非常可觀了。

至於大專畢業生，據統計有26.2%沒有工作。在中等以上各學校（包括大學、高中、高職）據說有26萬在待業之中。這就是由經濟不景氣以後所反映出的，由失業率到勞資糾紛，反映出經濟狀況的確不好。

在這種情形下，問題就會連鎖性地發生。由於經濟不好，更加影響社會治安。據國府行政院抽樣調查，搶案數字已急速增加。現在有65%的民眾，認為社會治安問題列為當前施政最重要的急務，這也反映出失業所造成的社會不安。據台灣報紙的估計，認為不景氣加上社會風氣的奢侈是造成社會罪案劇增的兩個主要因素。台灣一向認為台灣的經濟發展，並宣傳這發展的好處，但我們若從台灣經濟發展所造成的問題來看，我想從這方面來談談。剛才已經談過，台灣經濟發展是商業經濟結構，而不是產業經濟結構，而且整個經濟結構是外引輸出，台灣經濟能夠發展首先是日據時期的規模，然後是由韓戰帶來美援。美援經濟援助是15億，而軍事援助是高於經濟援助的兩倍。也就是說從1951至1965年的15年之間，有45億的美援，這15年間，資本的形成美援占了34%，這是相當高的數字，所以如果沒有美援，台灣有現在這樣的經濟成長要到1985年才能達到。

再說當時的獎勵外來投資的條例成立以後，私人資本開始形成，對於資本家有優厚的條件，比如在稅收上給資本家打2.5折，所以每一個資本家都受到如此的優待，而在以後，也就逐漸形成私人企業的壟斷情況。也就是說，每個資本家投資三塊錢中，有一塊是國民黨補助的，這說明一點：以後大財閥和國民黨的相依相存的關係，成了相互勾結的關係。

美援停止以後，台灣開始變成國際轉包站，因為那時候國際資本正發展，開始轉到邊陲地區，台灣成了國際轉包站，而資金的循環跟利潤的分配都是在外國進行，台灣就由多項的單元拼湊起來，在經濟上成為外國的一個殖民地，這是台灣經濟的一個特殊狀況，它變成一種外國資本屬地的這樣一種經濟型態，那麼在外國經濟不景氣的時候，台灣立刻就受到影響。

我現在要談到一點，就是由於台灣經濟的發展，而推動了教育的普及和提高，而教育的提高和膨脹又造成了政治的危機。就是整個中下層的人，教育程度提高了，民智已開，而整個上層結構還沒有多大變動，因此在這樣的情況下，民眾群起要求改革現狀，要求參與政治，要求政治結構要改變。所以經濟發展的結果，是帶來了今天中下層的群起要求進行改革。而上層呢，是老牛拖破車，就造成了政治上的緊張狀態。我現在提出的問題就是：經濟的發展造成了政治上的危機，中產階級起來了，他們要求在政治上要分權。如由於經濟的發展建起了高速公路，同時也形成了南北黨外很迅速的集合在一起。電話的普及，有利於國民黨特務的竊聽；但也有利於黨外的聯繫，使他們能很快的凝聚在一起，形成一種政治壓力。

從經濟發展來分析，形成今天反對的意見，或是說分歧分子，黨外已有足夠的財力來支持。十幾年來，大專學生，以及研究所的學生不下60至70萬吧！這樣的一個數量，如果就按照國民黨所講的2.68%的失業率，那麼，這些大專和研究所的學生失業（以及潛藏的更高的失業率），這些人就很普遍地要求現狀的改革，所以黨外雜誌能容納這麼多的對象，這也是經濟發展、教育普及後所形成的。社會要求民主化，要求社會結構非改革不可，而這種變動最大的就是發生在選舉的時候，這以後再談。由於整個經濟的發展，對外的溝通也加快。在台灣大約每七個人中，就有一個海外關係（親戚或朋友），所以這種情況下，如果你要在政治上還是採取一種封閉的狀況，那是不行的。因此還繼續施用長期以來的《戒嚴法》這樣的統治方式，顯然是不合整個社會力的成長，和要求改變的聲音。

《戒嚴法》造成長期緊張，龐大軍費開支數字驚人

第二點我要講的是，《戒嚴法》統治的危機，首先要談的是法治基礎問題，因為宣布戒嚴時期，所以施用戒嚴法，因此《憲法》就被廢置，憲法所賦予人民的各種權利就被取消了。現在要談的就是，在《戒嚴法》之下所制定的一些特別法，最厲害的就是《懲治叛亂條例》，極大部分的政治犯都是用這個條例來判罪。在這情況下，因為是戒嚴時期，凡是老百姓，涉及政治問題、思想問題，那就把你當作軍人用軍法來審判。另一個很厲害

的特別法就是選舉法，這一點黨外怎麼算也算不過國民黨，黨外一直在要求成立一個選舉法，結果國民黨「順應民情」就立了一個選舉法，結果這個選舉法就變成了第二個《懲治叛亂條例》。以前在選舉時，如果發出嚴厲的批評，那麼事後還要假借《懲治叛亂條例》來逮捕你，並說你思想有問題。像顏名聖就是，因為他選舉言論激烈，選舉完了的時候就把他逮捕，說他要叛亂，就用《懲治叛亂條例》來對付。現在《選舉法》成立之後，就不需要了，在《選舉法》第86條規定，若言論被視為「煽動他人內亂或外患罪」，就要「處七年以上有期徒刑」。從86到89條，竟變成了刑法，成了第二個《懲治叛亂條例》，就是你在選舉時言論有問題，他可以用選舉法來懲治你，而不需要假藉另外的名堂。這也是戒嚴時期所頒布的特別法例。

第三個是戒嚴時期頒布得較早的《出版品管制辦法》＊1，特務機關不需要通過政府的行政機構、警總治安機關隨時可以禁你的書刊。禁你的藉口是「言論挑撥政府與民眾感情」，這麼一句籠統的話就可以把你禁掉，大部分書刊的被禁掉，都是根據這個特別法。所以在這情形下就造成了長期緊張，用邱教授的話來講，就是造成了集體的歇斯底里，情緒長期緊張。另外，實施戒嚴的結果造成國防重大的開支。國防軍費每年高達30多億美元，差不多相等於中共的三分之一，每年花在軍事上的費用，占了總預算的40％左右。這可以說是全世界國防預算最高的一個地區，任覺民寫了兩篇文章，一篇發表在《聯合月刊》，另外一篇在

＊1 應為《台灣省戒嚴期間新聞紙雜誌圖書管制辦法》，1953年7月頒布。

《中華雜誌》。兩篇文章都談的是經濟和國防問題，這兩篇文章中提到一些數字，他談到：「每千平方公里面積有13,000個軍人，比日本多了22倍；比中共多了38倍，是世界軍人密度最高的一個地區。」把這些數字和台灣最主要的國防對象——就是中共來比較的話，等於說把全國八分之一的兵力，集中在0.4%不到的土地上，所以任覺民提到一點，就是台灣每年花35億這樣龐大的軍費，限制了經濟和社會方面的發展，所以台灣的「富國強兵」只是表面上，而實際上不但是各自為政的發展，而且在相互抵消彼此的效果，就是前者以金錢和火力來撫養後者；另一方面它的發展又在無形中不斷的消除後者的壟斷。他又說，當前最大的壓力實際上並不是來自中共，而是來自台灣經濟、社會發展模式本身的矛盾。

關於《戒嚴法》長期統治所引起的問題，大家都已經談過，不過我在這裡談到軍費的龐大開支，實際上是西線無戰事，然而實際上形成這種緊張度。如果一部分的錢拿來用於教育、建設等方面的話，我想應該有很大的成就。

統治集團面臨繼承人問題，除非體制改革才會改變

第三點是繼承人問題。一般人談到繼承人都是談最高的繼承人，但我現在先談整個統治集團的繼承人問題，因為整個統治集團都發生這個問題。首先談的是法統的條例，繼承人的問題其實不是一個人的問題，不僅是總統的問題，而是整個法統都有問題。如果基礎有問題，那麼換一個人是沒有太大關係的。現在是

整個基礎的問題。

關於這法統的凋零的問題，根據1954年1月29日的大法官的第31號解釋，就擁有世界任期最長的2,000個國會議員。在1957年5月3日，大法官會議第76號解釋，監察院、國大代表和立法委員視同國會，這樣就擁有了世界最龐大、最高齡的國會。現在我只用年齡和數字來顯示這問題的嚴重性：就是三個國會機構裡面，70到79歲的，有779個人；80到89歲有287個人，90歲以上有19人，真長命，所以也是世界上最長命的國會。在整個三院裡，70歲以上的將近上千人，那麼這個問題，在以後五年之內將發展成為極其嚴重的問題，這是整個的基礎問題。由此也連帶產生總統繼承人的問題。

談到蔣經國的問題，這也是一個累積的問題，是在特定歷史條件下的一個問題，雖然到了民國時代，「總統制」還有父傳子繼的現象。現在大家認為後繼的人沒有一個能控制黨政軍。我個人的看法是，一個人控制黨政軍這是極不正常的現象，不能全盤控制，如果要民主化那就不是由一個人來全面控制黨政軍。

同時，我覺得這個繼承人的問題發生在什麼地方？就是要從他的政治結構裡邊來看。國民黨的政治結構，我覺得不是這個人或那個人的問題，我個人覺得在現在的政治結構之下，哪一個人出來都不會有政治體制的根本改變。將來一定是孫運璿出來，我在三、四年前就認為如此。但是孫運璿出來以後，王昇以及其他人並不就一下子全死掉了，這一批人還在，這個政治結構還在。國民黨的「三工」系統——黨工、政工、特工，這個系統一個比一個可怕，黨工系統稍微好一些。所以現在保守派的勢力很囂張，他們很多人都是滲入到黨裡邊的。所以即使是孫運璿出來，這樣的政治結構還是很難發生很大的變化，因為長期以來特工勢力是一枝獨秀，當然大家憂慮的是：在惡化的現況下更形惡化。我個人的看法是國民黨的力量隨著內政外交的衝擊，是一直在走下坡，只是他們用逮捕人和各種高壓手段來維持，但他又不能不放，「放」並不等於他開明，而是被迫讓步。因此若是蔣經國死了，國民黨就要再往下坡走，一方面可能造成危機，保守派可能會繼續逮捕人，這樣一來，民怨會積得更深，衝突會加大；而另外一方面是，我認為民主化還會再進展。

比如陳文成事件，國民黨是想用阻嚇的方式，結果是相反，引起普遍的反感、普遍的覺醒。國民黨這一批特工、政工，一出中央黨部，便覺得遍天下都是他們的敵人。形成這樣的情況，將來繼承人問題我看既有利的一面，也有弊的一面。繼承人問題馬上將會出現一種情況，大家還沒有考慮到的，黨外的人、在野派的人，將會競選總統，這樣的趨勢我看是撐不住的。我最後要說的，社會的危機還是有一個問題，那就是對於危機現在大家還沒有一個共識，所謂共識，應該是互相期待，但在台灣是單向的，你訂一套規範，然而你來實行，而不是相互交流的。這不僅在黨內黨外沒有共識，就在黨外本身都有紛爭，關於這共識問題，也有它共識的一面，就是不論黨內黨外，幾乎都以自由主義傾向為主。在這樣的情形下，國民黨中比較見過世面，比較了解現實狀況的這一派，所謂的開明派跟黨外一些人的基本看法，其意識形態的基礎，還是有它共同的一面的，那就是基本上是屬於資本主義社會裡的自由主義傾向，是有他的共同點的。

一般人認為自由主義就是談自由民主，實際上並不是，因為社會主義也談自由民主，自由主義除了要求自由民主之外，還有要求經濟分配上的平等，這裡就不多談了。在台灣的自由主義基本上屬於保守的自由主義，不管是黨外再激進的人，還是保守的自由主義。保守的自由主義比較缺乏社會意識，較易與國民黨妥協，而激進的自由主義就是社會意識加強，而不易妥協，以黨外來說，就有二派：那就是剛才談到的「體制內的改革」或「改革體制」的問題。可是從另外一個角度來看，這二派只是程度上的不同，並不是本質上的不同。兩派的不同除了個人的恩怨、代溝問題，還有就是和國民黨的戰術問題。所謂黨外派系之分，分析到最後並不是有太大的本質問題，因為一派是慢慢等待機會來接棒，而另一派呢，要把國民黨的體制趕快的趕出舞台。他們一個是分贓式，一個是改組董事會。所以講到另外有較為年輕一派，也就是較為激烈的一派，為了改革體制，據那位代表者所說的，改革體制也不過是敲敲臉盆，也不過是如此而已。

在政治層面上，這兩派都主張美國模式，黨外的兩派和國民黨開明派沒有意識形態的不同，都傾向美國模式。當然在選舉時也講一點工人、農民這樣的話。由許信良的《選舉萬歲》*2一書可以看出，這是一本專講選舉技巧的書，裡面沒有政治理想，沒有政治主張，而只有選舉的技巧，怎麼樣來贏得選舉，走中間路線，這是一本技術主義的書。同時在後面有問到許信良政治意見的話，他一方面以農民、受苦的人自居，就是替農民來講話，

*2 本書著者為林正杰、張富忠，美國：台灣公論社出版。

另一方面，他肯定剝削農民的經濟體制，這就說明了他只是觸及了政治層面，而沒有觸及到社會經濟層面。黨內黨外從這一層面上來看，他們是鬥爭上的技術主義者，他們接受國民黨所允許的政治鬥爭的遊戲規則。有些在海外合唱者又極力塑造黨外英雄形象，實際這對黨外政治水準的提高，我覺得有很大的阻礙。我剛才是從一個思想角度來看，就是黨內外有它的共識，就是以自由主義為主。當然，現在新生代裡面，也有像夏潮派的，比較有人道的，社會主義的意識形態，當然也非常受排擠。在這樣的一種意識形態之下，如果將來政治是改革了，而體制沒有變，就不可能有較大的改變。社會問題依然存在。

戴：剛才鼓應提出的比較新鮮……第一點，我覺得繼承人的問題是非常現實的問題，將來這個問題一旦出現的時候，黨外會出來進行競選總統的問題，這很有意思。但據我所知道的，很多人不用說是年輕的，包括康寧祥在內，他們都有一種顧慮，就是假如有一天，繼承人不能很順利交棒的時候，或者很突然大局變亂的時候，國民黨要大開殺戒，那麼應該如何對付？因為他們有這種顧慮，他們還是很怕，怕有那種局面出來，但是另一方面，像鼓應兄談到的林正杰、尤清這些人，他們對以往的「二二八」以及其他的事件沒有深切的體驗，他們認為自己年紀輕，或者他們主張打拚，有關這一點，邱先生能不能給我們評論一下？

邱：能否請主持人讓我們評論得廣一點？

戴：好！

中下階層要求政治參與，形勢逼迫國民黨非改革不可

邱：我倒並沒有批評鼓應兄的意思，我只是講一些另外一方面的意見，來補充鼓應兄的看法。第一方面，經濟畸形方面，鼓應講得很好，這也是台灣面臨的問題，這也正是我剛才所講到的，台灣需要有一個轉變的問題，一些中小企業的維持和公家企業的如何來解決這一問題，企業勞資各方面的問題，我想這都是反面的一面，但同時也指出了正面的一面，那就是整個經濟制度的提升方面的問題。至於失業人數啦、企業的倒閉等等，這是整個西方社會的一個共同的現象。剛才鼓應兄講的有關中下階層的政治要求問題，因為經濟發展而造成的政治危機，同樣這是針對國民黨，對國民黨來說，就是你不改不行。你要讓中下階層愈來愈參加政治，不然的話，就如陳教授所說的，難免就要在改革與革命之間選擇。中下階層既然不能在改革的程序上來參加政治的話，那麼下一步就是革命的路程，所以是經濟引導這社會問題。下面鼓應兄提出的國防問題，國防問題很複雜，但大家都同意的，就是台灣國防預算每年占百分之四十幾，來防共產黨是太高了。當然國防工業對於整個經濟的好壞問題，恐怕沒有鼓應兄講得那麼簡單。因為世界上美國就是國防工業很發達，美國就是靠國防工業來維持的，這好壞的問題是很難的，不過，我也同意，應將這國防預算減低，用在發展社會方面去。

至於繼承人問題，我感覺到有些人只是看到反面，比如說，在五年內這些年老的立法委員等等都死了，那不好嗎？如此就非要改選不可，非要新的人出來不可——這也是國民黨內很多開明

派的看法：你們（黨外）慢慢等嘛，這些人慢慢都要死的，死掉的話，就使他們非面對現實不可，法統的承繼就到此為止了，那就迫使他們非改革不可。我也同意鼓應兄的看法，假如一個國家由一個人統制黨政軍一定是不好的。中產階級現在愈來愈多元化，而國民黨統治階級以及黨外也愈來愈分散，沒有一個人再能來統治，那是不可能的。權力的分散，社會的多元化，這也是民主發展的一個必然發展程序。我補充一點，就是在好的方面，在蔣經國過世以後，他們非得把這一權力機構改得愈民主不可，如果再是軍人專制，那台灣的前途就完蛋了，這是好的方面。但在人治方面，換幾個人不重要，除非是法治社會，但是在傳統社會，換了幾個人是很重要的，都是「人治」嘛，所以人的因素是很重要的。當然我也同意鼓應兄的看法，從王昇到蔣彥士大概沒有變化多少，但只要多多少少有變化，那遲早整個的局勢就要改變。在民主制度沒有建立起來以前，這還是很重要的一點。最後我想提的，就是剛才所提到的政治意識的問題，這是非常重要的一點，我也同意。我以前也寫過文章批評鼓應兄，裡面我最反對他講的這種保守自由主義，好像現在社會你不須要觸及貧富的問題，只要讓人有某種生活的自由就成了，我很不同意。到後來整個社會的發展，18世紀的自由主義已經不能存在了，現在已經是21世紀。21世紀的自由主義裡面一定要包括資源的分配問題，一定要愈來愈公平。

但是我不同意鼓應兄的看法，好像非要革命不可。我們研究人類的歷史，可以看出，所有革命到後來就是造成另外一個革命的形勢，從東南亞、非洲、拉丁美洲，從以前的法國革命，所有的革命都是造成了另外一個革命的形勢。我也不同意說是明治維新造成了以後的軍國主義，同樣的，明治維新也造成了日本新政的很多因素，這是革新的程序而造成了革命的結果。應該看到，革命的經驗大多是失敗，沒有一個是成功的。美國的革命是一個很特殊的情況下產生的。鼓應兄願意走這條路，到時非要把革命的程序來改變體制——台灣也好，中國大陸也好，如果要革命的話，那革命以後是用哪一個制度來代替它？要革命的話我認為反而破壞更大。

至於主持人所提出的台灣種種問題，我認為這也是整個繼承權的問題，假如再過10、20年，所有的立法委員、監察委員都死光了，蔣先生也故去了，到那個時候如果還要用強迫手段，還要用一個人來控制，而不造成逐漸的擴大選舉的情況，包括選舉總統在內，到那時候我想康寧祥也會出來選舉的。

陳：我想我要對剛才邱先生的話，做一個解釋，我只是指出一個問題：繼承人是整個集團的繼承問題。有這樣一個問題存在，但並不那樣嚴重。對國民黨來說是一個嚴重的問題，但對整個民主化來說，未見得是一個壞事。所以我想我們並沒有那麼大的衝突，我只是想說明一點：不管是黨內的改革派，或是黨外的改革派，他的「盲點」很大——就是只注重政治換莊，沒有深入到整個經濟結構，整個社會結構等問題中去。第二點講一下你說的國防工業的問題，我想美國情況不一樣，美國是他有能力製造、生產國防工業，而台灣則是用錢去買，這點不一樣。

黨外政治水平有待提高，多數人的奮鬥精神應該肯定

戴：剛才問起，台灣今後政治上的民主化運動，如何把黨外的政治理論水平、作法提高？

邱：我們沒有那個能力，把尤清、康寧祥他們的政治意識提高，我認為他們已經很高啦。關於他們在政治上的自由民主體系，我也像鼓應兄那樣對他們有些保留的地方。但我認為這些人都很優秀的，不管是實際運用方面，還是在理論方面，他們都在努力。

田畑：黨外的政治水平有所提高了，在台灣時我曾問過一些有關人士，有人曾私下告訴我，台灣的民主運動還是像小孩子玩弄玩具那樣的情況，他按照日本政黨活動的經驗來看，只有一個人能達到水平，那就是康寧祥……。

邱：但也不要忘記了，所有的政黨、政治活動都像小孩子一樣。

田畑：對、對……可是他不一樣。

戴：鼓應兄，您對他的看法怎樣？可以公開談一談。

陳：到現在為止，我還是肯定黨外這一個主力，因為國民黨在黨政軍占絕對優勢，黨外雖有很多缺點，但他在表達民意，反映民聲這一點上，我是肯定的。當然，在以後黨外活動當中我發現了不少問題，比如黨外最大的興趣就是大家聚在一起，談選舉技巧，談選舉的時候談得眉飛色舞，《選舉萬歲》這書足以表達黨外的心態。黨外以為透過選舉就可以解決一切，這未免太簡單。同時黨內沒有提出問題、討論問題，然後和大家一起研究的風氣。特別是黨外領導人之間表達的山頭主義相當嚴重，在黨外

領導人中，很少使我感覺到，他們在知識上、人格上使我由衷的欽佩。

戴：在那種情況下，我們應看到一個情況，因為，黨外往往沒有集會的自由，這一點你是否看到？

陳：我們還看到，黨外往往繼承了國民黨的意識或習慣的影響。在黨外之間也往往稱呼彼此的身分，發言時也是以官銜大小排列然後發言。這些地方應該改進。顯然，三年多來是有改進，因為有新的隊伍出來，對老的有很多批評，我個人來說，在黨外領導者之間，有幾種成分。一種是知識分子型，如張俊雄、林義雄等人，我比較欣賞這些人；有一種是政客型的，政客型的上了台，是不是以後他們也會像國民黨一樣？或許有人認為因他們上了台將來會和國民黨一樣，就不贊成他們，但我認為也許他們上了台，他們會改善。不管黨外有這麼一些缺點，目前互相間也在進行批評，我覺得這是一個好現象。同時我覺得很多問題是國民黨造成的，如黨外沒有安全感，有一種被迫害感，對迫害的反應都不會是那麼正常的，我們也是會這樣。做為一個反抗分子，做為一個政治家，要替社會服務並把政治帶上軌道，我想是兩回事，我們現在還只停留在表示不滿、表示抗議的階段。我很懷念許多黨外人士，他們的奮鬥精神令人難忘。可是對領導人的缺點，我對他們要求比較嚴格，希望他們能夠改進。

海峽兩岸各有相同之處，老百姓對民運反應冷淡

戴：今天我們碰上兩位政論家，都講得很精采。現在我們還

要請西倉先生來談談對台灣局勢的展望。

西倉：我看海峽兩岸有很多問題都是從中國的封建傳統而來，有相同的地方。比如在上海，我碰到一個兩年前從台灣來的學者，他原來在歐洲留學，他告訴我，國民黨與中共之間有太多相同之處，如台灣有中正紀念堂，在北京有毛澤東紀念堂，他們也查禁言論自由，一切都有人在管，如工廠有保衛部、廠長室……（與台灣）完全一樣的。我問他，你做為一個中國人，從哪個方面來尋找出路？他說，這很難。他說，凡是中國社會，以及有中國人的地方，他認為台灣的民主運動最突出。在對待歷史留下的問題上，雖然民主運動力量還小，但他對民主運動寄予希望。還有談到選舉的問題，我有機會親眼見到北京大學的選舉，那時候問到許多比較開放的一些人，如胡平、韓紀萬。我問他們，據你們看，現在中國大陸最大的問題是什麼？他們說很像波蘭那樣，大陸只有一個執政黨，如果這個執政黨破壞國家的時候，用什麼樣的政黨來代替？他們告訴我是這樣的問題。那既然中國是社會主義的國家，為什麼工人階級沒有力量？像波蘭的團結工會，雖然後來也沒有了，但那時候他們很多人是把希望放在團結工會上的。他們說，中國的工人為什麼沒有自己的力量？他們又說，中國是真正的社會主義國家嗎？

另一方面，可能大陸和台灣也一樣的，就是老百姓與知識分子差距那麼大，比如我在大陸問幾個老百姓，他們對民主人士有什麼看法？他們對民主人士相當冷淡。他們說，這些人要民主，而更重要的是權力分配，對我們來說沒有什麼關係。

戴：謝謝。請鼓應兄作最後補充，不過因為時間關係，不要太長。

陳：剛才談到，由於長期以來內外特殊情況而造成的台灣問題，在政治上常常動不動就來「刮台風」，也就是邱教授所說的集體的歇斯底里，我們在台灣時常常談到，如果用變態心理學來分析台灣的政治行為，也很有意思的。因為這政治經常在一個很緊張的狀態之中。所以正如陳映真所講的：愛國是一個拚命的事情。其實國民黨也緊張，至於怎麼樣來減低這樣一個不正常的看法，比如那時雷根寫了三封信，這「三函」傳到台灣，就由三級地震變成了六級地震，我們在美國看了沒有什麼，但在台灣就不同，經常要「吹台風」。怎麼樣從根本上來減低海峽兩岸的敵對關係？這幾年我在美國所看到的一方面使我相當失望，就是美國的對外政策。一方面我很欣賞美國的社會開放的一面，但另一方面他對外，如支持福克蘭戰爭（Falklands war），支援以色列以最現代化的武器，然後縱容以色列，而在輿論上指責巴、游恐怖分子等，對於海峽兩岸，美國是有意的不要讓海峽兩岸有和平氣氛出現。

所以我擔心台灣的所謂開明派，即使他們上了台，而在美國的卵翼之下，也會搞這分離主義。日本一方面沒有這個實力，像美國那樣搞；另一方面日本也比較守法，他承認一個中國就是一個中國，比較少玩花樣。

但我要指出日本有二個現象是不好的。日本的經濟主要是依靠第三世界，因此造成了很多東南亞地區的環境污染，日本應負責任。第二是現在中曾根上台，是否表示日本軍國主義有復甦之勢？這個憂慮是非常普遍的。從經濟結構來分析的話，這不是沒有可能性的。因為日本必須尋找工業的原料和市場，如果現在這個經濟的強國同時也要在軍事上扮演一個角色，而美國也縱容日本在搞，如果這樣的話，我認為這是很壞的。那是使我們引以為憂的。

邱：我跟鼓應兄對日本外交政策的看法，多少有點不同的地方。我以為日本的外交政策大致上和美國差不多。對於台灣和大陸的發展，倒沒有那麼悲觀，我們大致上同意。台灣與中國一定要走民主的道路，同時大陸和台灣也絕不能忘記社會主義的基本目標，對於窮人、工農的福利問題，使他們得到較為平等的地位。中國大陸上的民主發展，要比台灣困難，理由很多，一個就是大陸中產階級經濟的不發展，在這個角度上台灣是比較容易，經濟發展比大陸好，與外面接觸很多，所以我對台灣民主政策的發展並不悲觀。

田畑：我在台灣的時候，有人認為日本是兩面派，因為日本既和大陸做生意，又和台灣貿易。但這也是根據資本家的實際利益，他們考慮到的是利益，才玩弄⋯⋯。

邱：這不是玩弄！這是很現實的，看貿易情況就很清楚，中國大陸現在是日本第四貿易國，台灣是第五貿易國，情況擺得很明顯。

戴：今天與會者提出的看法都非常精闢，我代表主辦單位謝謝大家。

本文原刊於《中報月刊》39期，1983年4月，頁8～21

站穩在我們生活的大地上

——陳國祥訪戴國煇教授談當前一些問題

旅日歷史學家戴國煇教授，精研台灣史，著有《台灣霧社蜂起事件》、《台灣與台灣人》、《中國甘蔗糖業之發展》及《華僑》等書，備受日本學界推崇。

他是台灣桃園人，1954年畢業於中興大學〔省立台中農學院〕農經系，1966年獲日本東京大學農業經濟學博士；目前任教於日本立教大學。

內政部長吳伯雄是他的堂妹婿。他日前率領立教大學棒球隊來台比賽，並洽談一本「戰後台灣的過去、現在與未來」鉅著的編撰事宜。

記者日前訪問他，討論台灣經濟體質、官僚體制、民主政治、社會發展及學術研究等問題。以下是訪談摘要：

記者：你這次回來，剛好碰上十信和國信風波，你認為造成這次金融風暴的根本原因是什麼？

台灣經濟體質太虛胖，官僚體制缺陷須創新

戴國煇（以下簡稱戴）：十信與國信風波反映台灣的經濟體

質過於虛胖，經濟上許多不上軌道和亟待充實之處，長久拖延未解，現在爆發出來了。

台灣的經濟，外觀上是資本主義，理念上是三民主義；政策在兩者之間搖擺不定，未形成健全的資本主義金融體系，也未建立完整的資本主義法治，一切顯得序中有亂。

後進國家邁向現代化過程中，政府應扮演積極而重要的角色，但我們的官僚體制存有一些缺陷，官僚的培養制度也未形成。日本花了一百多年時間，才培養出健全的官僚體制，他們的官僚積極有為，很少走後門，利用職權牟利，雖然也講裙帶關係，但不嚴重；我們的官僚體制中盛行裙帶關係，走後門的歪風把應有的現代化素質啃食掉，進步而有專業素養的人被老式、保守而腐朽的群體吞噬掉。

經濟部長徐立德辭職，固然表現了道德責任，但如果不能全面調整官僚體制，提高其效能，釐清責任義務分際，則根本無法解決問題，艱辛締造的經濟果實將來也可能毀掉。

在一個快速發展的動態社會中，問題一定層出不窮，我們不怕有問題，只怕官僚體制法令制度和社會內部沒有解決問題的力量。

記者：從金融風波及其引發的企業倒閉風潮，是否反映台灣的經濟體質和官僚體制太不健康？

戴：台灣隨著工業猛進，引發很多矛盾，尤其是都市和農村的矛盾，工業和農業的矛盾。為求正常而平衡的發展，必須有高效能的官僚，制定優良的政策和制度，加以引導，建立秩序，步上正軌。令人擔憂的是，台灣社會中民間衝力強勁，但始終看不到指導其方向及整理其秩序的充沛力量。

台灣戰後的資本主義發展，由於政治上強調反共復國，雖以保住基地為第一優先，但打基礎的意志薄弱，而且由於政治掛帥，不但流於口號政治，經濟也是口號經濟，表面看似堂皇瑰麗，實際上卻始終沒有求實、求深，未能按部就班發展，因此經濟體質十分脆弱。

其次，中國官僚喜歡管，較不尊重民間衝力，而且思想觀念囿於傳統格局，缺乏新知睿見。而且做為管理主體的官僚體制，老人當道，新人不能形成班底，因而效能低落。

痛定思痛因應新挑戰，尊重言論調整經濟結構

為求痛定思痛，我們必須在十信風波之後，針對新的挑戰力求因應，重編經濟結構，並把官僚體制弊病的膿頭找出來，徹底根除。

記者：我們的官僚體制愛管而又管不好，而且抑制民間力量的伸展，是否反映政治民主化程度太低？

戴：在正常的民主社會中，尊重言論、批判和學術自由。一個沒有批判的社會，絕對不會健康。批判和挑剔不同，更不是潑婦罵街，而是站在學術理論的立場上討論問題。

我們的社會盛行耳語、小道消息和談論隱私，拍賣小道消息的書刊大行其市，這反映社會不成熟，缺乏批判的風氣。這和印度類似。在一個成熟的社會中，小道消息很少人理會，頂多只供消遣；批評若缺乏事實和理論依據，也不會被接受。

我們迫切需要推動政治的民主法治化，並且宏揚批判精神。在民主法治的基礎上，帶動大眾媒介和學術研究的批判風氣，以便提升民眾的素質，引導民間力量的蓬勃發展。

此外，我們的民主法治，總是因為反攻大陸政治框架凌駕頭上，許多矛盾無法擺平，因而未能順利發展，結果民間力量雖很強大，但到處亂跳，非常可惜。

記者：台灣社會除了民主法治不上軌道，缺乏批判風氣而瀰漫小道消息外，人心意識似乎也是鄙俗而缺乏理想性格，你是否也有這種感覺？

戴：這次我回來，發現台灣社會瀰漫「向錢看」的風氣，許多親戚朋友老是在談論賺錢、有沒有在國外置產、子女有沒有送到外國去；到處是購物場，污染嚴重，人雖活潑，但少有理想。學術也不被看重，大家拚命想學自然科學、電腦，人文和社會科學偏廢。這種發展將使社會變得跛腳，健康不起來。

台灣整個社會太「向錢看」了，偏重工商業發展，根本不重視平衡發展。尤其堪憂的是，現在大家拚命想用工業賺錢，把農業當作一種包袱、一種負擔。這是純從經濟觀點來看。然而，農業不能只從經濟觀點來看，不能缺乏農業哲學。社會安定和農村、農業有密切關係，一個穩定的社會，少不了健康的農村。因此，農業除了經濟上的定位外，還要有哲學上的定位，否則就會變成新加坡和香港，成為都市商業小國。

我們必須構思在一個健康的資本主義產業結構中，農業所得應占國民所得多大比例，農村人口占全部人口多大比例；同時必須考慮一個富有人的尊嚴的生活方式中，從整體觀點上給農村定位，以建立一個健康而穩定的社會。

記者：台灣除了工業和農業之間的矛盾外，文化上也有中國意識和本土意識之間的衝突，這種衝突應如何化解？

戴：如何對待歷史的教訓，以及如何追求未來的發展，應該連結起來看。我們現在看到的是一方面在高唱具有沙文主義色彩的大中國主義，另一方面則在極力抗拒中國的歷史文化，提倡本土主義，而形成對立。這兩種立場都是不對的。

我們固然要提倡本土化，站在我們現在生活的大地上發言，但也不能抗拒過去的歷史。現在一些主張本土化的人，好像一定要抗拒中國意識，這是歷史的傷痕和挫折在作祟。健康的文化發展應是把歷史與本土結合起來。未來是歷史的一部分，現在更是歷史的一部分，一定要把歷史、現在和未來拉在一起。

有些高唱大中國主義的人，則常誇耀中華民族的優越性，帶著濃厚的沙文主義色彩。不錯，中華民族曾建立光輝的歷史，但我們不能一脈相傳，就顯示我們有一些劣根性，而不能繼續發揚光大，就是我們自己有問題。

因此，無論提倡大中國主義，或是本土主義，都不能走極端，更不要把兩者對立，而必須相互配合。我們必須面對自己，面對自己生存社會歷史和現實的總合。

記者：文化上的本土化問題，似乎也應包括學術研究上的本土化問題，我們如何建立本土化的研究取向？

戴：這是缺乏社會價值體系優位性所造成的，而以美國或日本的尺碼來評價，用美國或日本的眼睛來看待，造成嚴重的局限性。

我們一定要站穩在我們生活的大地上，把美國或日本的尺碼調整為自己的尺碼，把美國或日本的眼睛變成自己的眼睛，以自己的立場構成自己的價值體系，形成自己的生活方式。

美日理論僅可供參考，培養主體自覺創新機

有些在國外取得博士學位的人，就自以為很有學問，而不知道博士只是走進學問的門口，學歷不等於學力。我們不能老是往美國、日本看，美、日的理論學說只能參考，不能一味跟著他們走，而必須走自己的路：站在自己生活的土地上，看我們的過去和未來，並且培養主體的自覺，用自己的觀點來看待事實。

本文原刊於《自立晚報》，1985年3月13日，2版

輯三

台灣史的悲情與後悲情

龍與台灣史研究

——與張光直先生對談於台北圓山飯店

時間：1986年1月1日

地點：台北市圓山飯店

對談：

戴國煇，台灣省中壢市人，1931年生，日本東京大學農學（農業經濟）博士，曾任日本亞洲經濟研究所主任調查研究員、東京大學東洋文化研究所研究員、學習院及一橋大學客座講師，現任日本立教大學東洋史教授。（重要著作略）

張光直，台灣省板橋市人，1931年生，美國哈佛大學人類學博士，美國國家科學院院士，美國人文學與科學院院士，中華民國中央研究院院士，現任美國哈佛大學講座教授。重要著作計有：《古代中國考古學》（1963）、《商周青銅器與銘文的綜合研究》（1973）、《古代中國文明——人類學考察》（1976）、《考古學的再思》（1967）、《商代文明》（1980）、《中國青銅時代》（1983）、《美術、神話與祭祀——通往古代中國政治權威的途徑》（1988）。

戴國煇教授旅日30年，不但是台籍人士在日本學界享有盛名，並且也是目前中國人在日本人文學界擁有較高成就者之一，在日本學界和文化界具有不小的影響力，創立「台灣近現代史研究會」，並出版《台灣近現代史研究》學術期刊。以一來自當年日本殖民地台灣人的身分，在日本學界批判當年日本在台的殖民史，糾正當代日本人對台灣人的偏見，保衛台灣人的人格和歷史的尊嚴。戴教授學殖廣博，邏輯嚴謹，文字雄辯，其享譽日本學界和文化界，亦良有以也。戴教授之作品本刊於1984年亦曾譯介。

張光直教授係日據時期台灣新文學旗手張我軍先生公子，其在哈佛大學博士班畢業時，被譽為哈佛人類學系有史以來的第一高材生，其在美國學界之地位，不但是考古學界，並且是人文學界的華裔第一人。其為美國國家科學院院士之榮譽，亦實至名歸。

戴、張二教授係建國中學同學*。戴為祖籍梅縣的客系台籍學者，研究的是台灣近現代史；張為祖籍漳州的閩系台籍學者，研究的是台灣考古的史前文化。他們出國後，除1983年在美國見過面外，這是第一次的在自己的故鄉的台灣相見，談的又是有關台灣的歷史與文化，在他們的談話中，從史前到現代，上下五千年的台灣盡在其中。

在本刊復刊之際，能承蒙二位傑出而享譽國際學界的台籍學者慨允對談，並將紀錄發表於本刊，以光大篇幅，實本刊之榮幸，亦為同仁們最大的鼓勵。（編按：此對談為1986年戴國煇與張光直先生對談之文）

---

* 張光直，1946年讀建國中學高中部一年級；戴國煇則在1947年就讀建中高一，張光直係為戴國煇學長。

中國古史中的龍

戴國輝（以下簡稱戴）：張光直先生對龍頗有研究，請張先生從中國古代史、考古學談一談龍的問題。

張光直（以下簡稱張）：要講古代的龍，須從古代的美術領域裡的傳說，美術上的動物開始。龍是由很多種動物的不同部位綜合而成的神話的產物，商代的玉器、木器、漆器、銅器上有各種神奇、神異跟寫實的動物，主要是虎、牛、鹿、鳥，再有就是像鱷魚、蛇一類的爬蟲，在若干情形下，這些綜合起來就變成一種叫作龍的爬蟲類，有些銅器、玉器上有龍紋，這龍紋就是種綜合性的動物。古代美術最直接、簡單的說法就是古代巫師做儀式、做法術所用的法器。古代法師所司所職，就是使天和地、生和死、人和神相通。《國語・楚語》及《左傳》裡有許多地方講述古代巫師的作用，古代國王有時本身就是巫師，而國王常常利用巫師。《國語・楚語》裡有一段說，上古時人人都能與神直接相通，天地是相通的，但是到了顓頊，就命重黎使天地不通，把天地給斷了。只有若干人有通天地的特權，於是有通天地特權的人就有了政治權力，因為通了天地之後，就可以知道祖先和神的各種智慧，就可以未卜先知，知道將來發展的趨勢。怎麼樣用天地呢？就是用儀式、用玉器、銅器、漆器、木器等。從考古學的文獻資料上，我們知道若干的動物是幫助巫師來通天地的媒介、工具。在《楚辭》裡就常有「兼兩龍」（乘駕兩條龍或兩條龍拉著車）的說辭；《山海經》裡，很多神的使者都有兩條龍或耳朵上掛著蛇或腿、手上纏著。龍或者說古代藝術上的動物是幫助人通神的一種工具，在這種情形下，藝術品的所有權就是握有政治權力的一個非常重要的前提條件。

我現在正在教一門「中國的青銅器時代」，講的就是這些東西，因此國煇兄提出這個問題要我談，我就很高興了。我對學生開玩笑說，到博物館看銅器時，最好喝美酒（當然我不能主張說吃點迷幻藥）。古代巫師通天所用的工具除了法器之外，酒是很重要的一項，很可能也有迷魂藥（東漢的書就記載有大麻，再往上就不知道早到什麼時代了），現代的巫師（shaman）就是吃藥，吃了之後可見到幻象。中國古代有沒吃藥，我們不知道，但喝了酒之後，看銅器上的動物就像活動起來帶人上天了，《道藏》上有《三交經》（即龍交、虎交、鹿交），教人怎麼召喚龍、虎和鹿，召來之後，牠就帶著你去見神。這都是很古的傳說。所以，龍的起源最早是幫助巫師通神的工具。這在中國古代文明的性質上是極重要的事。

中國古代的天、地、人是相通的，我的同事杜維明教授稱之為「存有的連續性」，這與西方的宗教觀念極為不同。我們的宗教觀念是將世界分成不同的層次，人在不同的層次間可來往自如，生、死、陰、陽、人、神都可相互往來，交往的工具有樹、動物、酒，可能還有藥物，後來，龍與皇帝結合了，才有所謂「真龍天子」之說，我想這是一個線索下來的，統治者跟龍identify（合而為一）了。當然，後來的變化也跟宗教、思想的演變有關。楚國巫術非常發達，楚有龍舟，要研究龍的話，《楚辭》是很重要的文獻。龍只是中國古代動物傳統的一部分，不能代表所有的動物，龍在全中國很多地方恐怕都有，不能由楚地的龍舟而說龍起源於楚，但楚所在的長江中游保存的文獻《楚辭》及考古的遺物也特別多，所以我們對它也了解得比較清楚。三代以前的龍山文化（西元前二千到三千年之間）在山西發現的一個紅色陶盤子上，有盤龍的圖像，這恐怕是發現到的中國最早的龍的形象，在遼河流域也發現許多玉龍。還有就是在浙江、江蘇南部的良渚文化發現許多玉琮，有很多動物的形象但沒有龍。總之，在西元前二千年到三千年之間，中國的社會就有通天的巫術與政權相結合的現象，到三代就發展到高潮，由銅器的九鼎來代替。因此，我覺得龍的來源實際上是由這兒來的。

至於徐旭生（炳昶）先生在《中國古史的傳說時代》中提到龍是中國北方民族的圖騰。這要看對圖騰怎麼定義，狹義的說，圖騰就是某個部群相信它的祖先是從一種動物（或植物）生來的，因此用這種動物來做它的族象。我個人認為，目前沒有足夠的證據來證明，中國有某一部族以龍為圖騰。例如：夏始祖傳說是吃了薏仁米而生的，商是吃了燕子下的蛋所生的，周的祖先是踩了大人的足跡而生的，夏、商、周三代的始祖傳說都與龍沒有關係。因此，沒有證據說龍是圖騰。如果很廣義的說，在部族的旗子上或器物上常出現某種圖像而說這是圖騰也可以。但就其狹義的定義而言，則缺乏證據。我認為，中國的龍、鳳其實都是古代巫師用來通天、通神的媒介動物。

台灣史研究的田野調查

戴：再請教一個問題，就是在台灣的考古出土物中有沒有龍的圖騰出現？

張：我所看到的沒有。在卑南和芝山岩都挖到了玉製的人像，頭上戴了動物形的頭飾，但那動物的形象不是龍。最近一期的《國立台灣大學考古人類學刊》登了照片，很有意思，不過，要注意一點，根據我多年來的慘痛經驗，在考古學上，我們不能因為目前考古未見某物就說當時沒有，因為，第一，在台灣或任何地方所挖出的，只是地下埋藏的文物的一小部分；第二，地下所埋藏的文物只是當時所用的東西中，非常少的一部分。可以想像台灣古代所用的最重要的是木製品，但現在都不存在了。例如，排灣族最要緊的美術是木雕，假如說在排灣族的考古沒有發現木雕，那麼所見到的整個排灣族的美術水平就差很多了，所以，台灣的考古現在沒有發現龍，絕不能就說古代沒有龍，只能說我們現在沒有發現龍。

戴：現在台灣學界對研究台灣史有很濃厚的興趣，對於台灣考古或比較早期的歷史，以及台灣近現代史該用什麼方法來研究？請光直兄談一下。

張：關於台灣史的研究，我最近對台大老校長傅斯年先生愈來愈佩服。他一生做了很多事，其中之一就是創辦了中央研究院的歷史語言研究所，他在《中央研究院歷史語言研究所集刊》的創刊號寫了一篇〈歷史語言研究所工作之旨趣〉，他說創立歷史語言研究所的目的就是蒐集史料，中國歷史史學能蒐集到新穎的史料，就是進步；用舊的、轉手的二手（second hand）史料，則是退步。在我們年輕時，總覺得應該講史學理論，覺得傅先生「史料即史學」的說法很守舊。我在考古學的理論上打了有二、三十年的滾。當然，我覺得理論還是很重要，但史料實在也很要緊。台灣史的研究可從史料的蒐集、保存上著手。文字的資料有契約、碑帖、系譜等，這有很多人在做了；口傳的資料則有傳說、寓言、方言等；地上的資料如古代建築、古代廟宇；地下的資料如漢人、平埔族部落遺址的發掘，這方面工作就做得比較少。我建議，第一步，蒐集新史料，把它們保護起來，研究也要做，但第一步是把史料蒐集起來，留待將來研究。

說來慚愧，我雖然鼓吹研究台灣史，事實上沒有做過台灣史。我在台灣考古已三十多年，跑過許多地方，挖了不少東西，可是過去一看到表面那層陶片、瓷片，就把它扔掉了，說這些東西不夠古，我們要挖的是更古的東西。因此，很後悔錯失了許多漢人的遺址。非常慚愧，我實在沒有資格來談領導台灣史的研究，我只能做點鼓吹的工作，同時也參與一部分的研究，像台灣漢人的考古之類，如此而已。我就怕有人說張光直要做台灣史，甚至說要主持台灣史的研究，那我就簡直慚愧極了，因為我實在不夠資格。過了10、20年後，我也許能學到一點。所以，現在得抽空看點書，像國煇兄這樣做了這麼多年的實際工作，才真的有資格來領導台灣史的研究，我不能和他比。

與殖民統治「對決」的台灣史觀

戴：最近我在台灣出版了《台灣史研究——回顧與探索》，內容只有一篇學術論文，其餘是演講稿及座談的紀錄，沒想到在台灣這樣的小市場竟在半年內銷售了5,500本，許多年輕人看了書，寫信給我，要找我談，這種潛在的需要是始料所不及的。昨天出版社又找我寫台灣通史，社長說保證可賣3萬本以上，並願意先付1萬本的版稅，這是日本所沒有的情況。這表示出版界的有心人已發現台灣民間或青年確有這種需要。我覺得應該在台灣好好推動台灣史的研究。我搞台灣史的原因在〈研究台灣史的經驗談〉〔參見《全集》1〕的演講中已有所說明，有一個主因是我在日本生活，不願陷在日本的價值架構內，想克服日本對我的影響，能講自己的話，唱自己的歌。因此，我關切的主題是：在台灣出生的中國人應該怎樣看待日本？殖民地統治對我們發生了何種影響？台灣光復後，我們要怎麼樣重新做人？這些牽涉到台灣知識分子，特別是日據時期的台灣知識分子的思想與文學，這是我關切所在。

現在台灣青年很迫切的想知道台灣史的真相及台灣與大陸的關係是怎麼回事？日本又是怎麼回事？這類問題。我很痛心，許多人包括我自己的兄弟、親戚、朋友都掉進日本殖民統治的價值架構中，始終爬不出來。對日本殖民統治的價值架構應該先與之「對決」，而不是接受，一接受就成了奴隸了。所以，我們要在「對決」之後，重新做人。很重要的是，想再給年輕人重編一本比較客觀的通史，使年輕人對台灣史有所認識。這本通史可以描述漢人從大陸移民到台灣和原住民發生什麼樣的關係？在台灣如何建立移民社會？一直寫到日據時期。這我頗有興趣。我很願意貢獻我一點微小的力量。我個人從1955年開始蒐集以文字為主的史料已有30年，絕不是臨時起意。但因個人能力有限所以所寫的不多。現在台灣有這樣的條件，很願意為島內的朋友或光直兄等在美國的一些朋友，透過座談會或學會的方式慢慢累積起來。由台灣的學界如能有機構來主持台灣史研究的話，我很願意配合，我是有這樣的願望和打算。不曉得光直兄有什麼高見？

張：我再強調一下，我對台灣史沒有花功夫研究，考古學我還可以談一點，對台灣史我只能憑觀察所得的直覺說點意見。我覺得很多資料該努力保存起來，例如：一些古代建築、古代廟宇和已荒蕪了的漢人及平埔族的村落，都該盡力保存，現在建設很快，這些史料的保存該強調一下，這是百年的大事，再過一段時間要蒐集就更困難了。

戴：我聽說日據時期台灣總督府的檔案，因台灣氣候潮濕和蟲害已保存的不好了，希望當局能花筆錢，製成微影膠捲保存，我們可以配合整理。正如光直兄所講，最重要的是保存和整理。過去島內比我年長一輩的鄉親，研究台灣史還跳不出日本人做台灣史所用的理論架構，或抄或引，沒有真正站在我們在台灣出生的中國人的民族立場來整理，這可能是方法、思想，一個很重要的問題。最近在台灣史研究的觀點上有一些情緒化的分歧。我覺得我們不該先來下些道德批判，我們得先把事實搞清楚，再來做價值的判定。不管老一輩的台灣史研究者成績怎樣，我們得先把它整理一下，再接給新生代。新生代有某一部分的台灣史研究者與台灣社會一樣，急功近利，弄了一點東西就很急躁地想發表出來。我自己做了二、三十年就不大敢這樣。我在日本也可以用日文很自由的寫東西，日本的大出版社找我寫日本論，我就始終不敢答應，很怕自己了解不夠。台灣過去很少有人研究台灣史，內部好像有禁忌，不大敢碰。在這種情況下，我在東京靠個人的努力積累了一些資料，也組了一個「台灣近現代史研究會」，一些日本學生已學有所成，逐漸有些朋友當上了副教授了。當然，我不認為這統統是我個人的成就。台灣史研究的主體應該在台灣，海外應配合，像美國有一些很珍貴的資料，也應該配合推動台灣的台灣史研究，這很重要。

民族立場與史學家立場

張：國煇兄剛才提到研究台灣史有一種日本人的立場，而我們現在要用我們民族的立場，是不是也應該有做為史學者的立場？這史學者的立場當然不能說是完全客觀，永遠不變，但至少我們目標是朝這方向走的。換句話說，不要一代一代地換立場，是不是可以這樣說？

戴：我贊成這個說法。我之所以強調民族立場，是因為我們過去陷入殖民統治的價值架構中，未能自拔，思想、心靈上受了奴役。我們要在思想、心靈上自主、自立，重新做人，就要先建立我們的民族立場，然後再把這民族立場與一般老百姓的立場銜接，然後再試與普遍的世界史立場連貫起來。最後必爭取的立場就是光直兄所說的史學者的neutral（不偏不倚、中立）的立場。用這種態度來寫，這才是我們最後的目標。但目前我們尚未擺脫受日本思想宰制的局面，民族立場猶待確立，我覺得民族立場應先確立，然後才試圖求出neutral，不能含糊、輕言neutral，很多人就是沒有先認清自己的身分、立場，就要neutral，這沒有很高的建設性，還是應該先確立自己的民族立場，再談neutral。

張：國煇兄也知道在國外做中國的歷史研究對立場很敏感。因為外國人有外國人的看法，中國人有中國人的看法。你如果偏用中國人的看法，外國人馬上就指出你感情用事，在這種情形下，相當敏感，就盡量超越群體的界限，做詮釋歷史的看法。當然，這不是說一定做得到。

戴：是的，這是一個努力的目標。我在這本書（《台灣史研究——回顧與探索》）也提到最後的目標是要與世界史聯繫起來，但在這之前，還是要能站在老百姓的立場來看歷史，不能只站在上層少數人的立場看歷史。當然，所謂老百姓的立場是什麼？還可以再談。我們要在這樣的立足點來談進一步的超越，不然就易流於空洞。

張：說到根柢，這是個歷史客觀性的問題不是個簡單的問題。

戴：是的。我剛才提到的老百姓立場是指多數人的立場，我並不否定林本源或霧峰林家等等在台灣史上的重要。但我們同時要顧到山胞（少數民族）和漢人一般老百姓冒險越過台灣海峽（黑水溝）來奮鬥的歷史。我之所以要把霧社事件弄清楚，就是覺得台灣的少數民族被日本人殺害，需要有人幫他們講話，對少數民族我們漢人應幫他們的忙，但我始終界定得很清楚，我只能支援，而不能代替他們寫他們的歷史，只願先代他們蒐集整理些資料，然後等他們的新生代起來了，再由他們自己根據史料撰寫他們自己的歷史。漢人在大陸吃不飽，移民來台，搶原住民的土地開墾，這也是歷史事實。我們應該了解，漢人不論是泉州也好、漳州也好、福州也好、客家也好，一方面是互鬥，一方面是與少數民族戰鬥慢慢形成一個移民開墾的社會。這些我們可從歷史的動態（dynamic）觀點來研究、整理。我不願意只從靜態來看，我不承認所謂台灣人四百年史之說。台灣史是一個動態形成的過程，「台灣人」的概念以前根本沒有，是後來慢慢形成的，日據時期是用「本島人」的稱呼，也很少用「台灣人」一詞。「日本人」的概念也要遲至明治十幾年才有，明治以前的江戶時代都稱各藩之名，好比長州、遠州、薩摩等。「中國人」的概念也是逐漸形成的，並不是超時間的產物，只不過是歷史某階段的產物而已，這是我和某些島內朋友看法歧異的地方。

張：史學家也是人，也有各方面的看法。我所說的「史學家立場」，這是一個努力的方向。要寫一部比較完全的歷史，主要是能把發現的史料，沒有什麼顧忌的去解釋它，站在一個所謂真理的立場，把它研究出來。假如能做一個完全的歷史，少數人的歷史誠然不能概括全部的歷史，但如果能把上層的、下層的，這個民族、那個民族的，裡面、外面的，都把它綜合起來，包括起來，那麼這個就是我所謂的「史學家立場」。但是史學家也是時代的產物，老輩的史學家誠然應該批評的，但也應知道，老輩的史學家代表他那個時代，而我們每一個時代，應該愈來愈進步才對。所以我們今天研究歷史應該比他們那個時代進步才是。

戴：光直兄講的很對，我所說的批判不是挑剔，也不是漫罵，而是批判的繼承。在台灣史的實際研究上，上一代的台灣史學家，受了很重很重的日本統治者觀點的影響，但是，我們不能老是掉進日本統治者的觀念價值架構中。所以，我剛才講為什麼我做這方面的努力，就是要使台灣史的研究從日本統治者的立場中解放出來，第一步確立自己民族的立場，有了自己民族的立場，才能進一步有光直兄所講的綜合各種不同民族立場，而求得一個接近「真理」的，「較比完整的歷史」。如果沒有自己民族立場，只有日本統治者的立場，相信這也不是「史學家立場」，「較比完整的歷史」也就更為困難。

張：當然，完全客觀的「史學家立場」在實際上是很困難的，不但歷史的解釋會發生各種不同的歧義，並且，就是在歷史的敘述上，也不可能將所有全部的歷史都敘述出來；那太多了，如何可能，而必須有所選擇，在選擇中也就代表各種不同的看法。所以，偏見絕不可避免，我所說的「史學家立場」，站在考古學和研究人類歷史學家的立場來說，那是一個盡量要努力的方面，盡量避免和不有意地去做一種狹窄的選擇，而盡量做到能有全面的概括。

中國文化圈與台灣

戴：關於遠古時代台灣文化和大陸的關係，戰前有日本學者金關丈夫和國分直一的發掘和研究，光直兄你們在戰後，有沒再增加這方面考古的發現？

張：我只能從考古學的資料來看，現在資料還不完全，因為福建、浙江南部的資料不完全，但是，就已經看到的資料來說，在我的《古代中國考古學》的新版中，將現在看到的資料做了一個初步的綜合。我有相當的信心，到了西元前四千年的時候，已經有了一個叫它為「中國的相互作用圈」，「中國」不是漢族的意思，而是中國文化的意思，從北到遼河流域，從南到福建、廣東、台灣等海岸區域，其間有很大的共同性，這當然只能表現在考古的石器、陶器。若以考古學上所做物質文化的分類，在我看來，毫無疑問，台灣的文化和中國東海岸的文化是屬於同一個區域。金關丈夫和國分直一這兩位先生在戰前就說了，台灣史前的遺物和大陸的關係，這不是戰後才開始說的，這是戰前日本學者就已經說了，他們是根據彩陶、黑陶和石器，站在考古學家的立場說的。

光復以後，台灣的考古學資料，很快的大量增加，同時，大陸東海岸的資料也急速增加，這也就是說，我們現在比那個時候，對台灣古代的了解多得多了。主要的是，石器和陶器的形式和花紋是屬於同一個文化系統的，以考古學的立場來分類比較，我十分有信心。不過我要強調，我們考古上看到的文化，只是當時的很少一部分，我們只能根據這個來說，看不到的就沒法來說。但是，我的老師凌純聲先生根據文獻的資料和民族學的資料，他提到了「百越」的問題，那是牽涉到周代、漢代，我現在說的比那早，是史前時代，是西元前三、四千年的時代。

戴：光直兄講到的「漢族」問題很重要，島內有一些人沒有搞清楚，所謂漢族也是歷史動態的產物，不能說我們現在「漢族」的概念是超時空的。從歷史來說，秦以前只有「諸夏親暱不可棄」和「吾聞用夏變夷者」的「夏」，而沒有「漢族」的概念。又南宋以後，福建的開發，把當年的少數民族漸漸漢化，就像台灣的平埔族，漸漸漢化，已不見影子了，也成為漢族的一部分，這種情形我們應該以動態的觀念來看待。「漢族」的概念也是動態的，不能把我們現在所掌握的漢族來套歷史，所以，光直兄所講的「中國文化圈」，不是可以只以漢族為中心來一概而論的。

張：對於中國文化起源多元論的看法，這也是我的一個新的看法，是根據新的資料來的。過去我們總是受到華夏或中原為中心想法的影響，之所以如此，也是因為資料多在華北，華南、華中的資料比較少，看到與華北的有些相像，華北的歷史發展程序與南部也有相像的地方，所以，我們就認為南方的文化是從中原輻射出來的。現在華中、華南的資料多了，一看它也有它自己的歷史，又和其他地方有相似之處。我很坦白說，有地方性文化而彼此交流之說，有些外國學者很早就提出來過，但那是根據理論的模式提出來的，而不是根據具體的資料。所以，剛開始的時候，大家還不能接受，而不是說，大家一定要華夏中心主義不可。現在資料多了，尤其絕對年代的資料和碳十四的資料，發現華南、華中的文化也很古老，因此，我們只好根據新的資料的出現，來修改我們的看法，我自己30年來也有很多的修改過程，所以，我愈來愈能體會傅斯年先生說史料的重要性。

戴：可不可以這麼說，一個是所謂中原，一個是其他地區，當年交通或生產力發展的階段有所不同，有的是同時發生，有的是相類似的東西，有高的、低的，而又互相交流，然後慢慢形成中國文化圈或漢文化圈，這種看法可能是比較對的。

張：現在這種看法是一般的，大家都這麼解釋，尤其中國的地理環境占很大的作用，那就是河流的分布，黃河、長江、珠江，所有地方文化、區域文化，都沿著這河流發展。最清楚的就是江西和嶺南的關係，就是沿著贛江上去的，在西元前三、四千年之際，從鄱陽湖往南走，沿贛江上山，過一個嶺就到廣東，這之間發生影響的程序，可以看得非常清楚。從中國的地理環境來看，有河流的東西走向，又有支流的南北串通，而使得各地區文化有相互連鎖關係，現在愈來愈可以清楚的得到出來。

戴：有關我們客家人文化交流的走向，我得補上一句。我們客家從華北也就是所謂中原移民到梅縣等華南地帶後，為了謀生又搭上鹽船一路西去到了四川。這是從山歌中都可以整理出來的。據韓素音在北京國立圖書館發掘的16世紀之《客家山歌集》裡有一首：

情郎一心上四川，
坐上鹽船去建安。
寧捨金銀千千萬，
怎捨情郎離開俺。

清末，我們客家還發動了太平天國運動，失敗了後向海外「逃命」。台灣客家有一部分是這個部分的支流，至於海外華人的政治菁英，好似李光耀等人是他們的後裔。辛亥革命前後，甚多客裔人士又回流中國大陸參加革命，這一種「世界性」的交流真有趣。

本文原刊於《夏潮論壇》51期，1986年2月，頁6～15。原副題「戴國煇與張光直兩教授對談」

二二八的前前後後與丘念台

——與林憲先生對談於日本立教大學

時間：1987年2月6日

地點：日本東京立教大學東洋史研究室

對談：林憲（前丘念台祕書）

戴國煇教授（立教大學教授）

按照中國人的習慣，給林先生拜個晚些的舊曆新年。前幾天，紐約《台灣與世界》的發行人葉芸芸女士給鄙舍掛來長途電話，她係我們所敬重的前輩葉榮鐘先生的二小姐。說是在紐約於2月28日、3月1日兩天召開台灣二二八事件40周年紀念與研討會，希望我和林先生能參加並做有關報告。但我正逢學期結束考試之際，校務纏身，林先生亦是事業繁忙，不能前往與會。為彌補此遺憾，今天特邀林先生做一次晤談。請林先生以丘念台先生的祕書之立場，對二二八事件的前因後果以及丘先生在此期間的表現作一簡單的歷史回顧，以給此問題的研究留下寶貴的歷史性資料。現在，請林先生先略述以下您自己的經歷。

林憲（以下簡稱林）：長話短說，我是在台灣南部出生長大的，日據台灣時代的中學畢業後，由朋友鼎力相助，得以東渡日

戴國煇（左）與林憲（林和星），攝於台北，1999年11月（林彩美提供）

本，進入大學學習法律。在日本，我不但和台灣同學相聚，也和大陸來的同學常常聚會暢談。當時正逢國難當頭，談論的話題自然離不開中日戰爭。我和台灣的同胞青年，本來就對日本統治台灣深懷不滿，現在又看到日寇侵犯自己的祖國，家恨國仇更激起一腔青春熱血，我深深感到，只有祖國強大、同胞團結，才能將台灣從日本桎梏解放出來。因此，我便毅然決定返祖國大陸直接投身抗戰。這樣，經過一番苦心周折後，我於1944年3月回到祖國，以後其他同學也陸續回去，而大家聚集在上海一起尋找到後方去的機會。同時在此期間我們辦了一份小雜誌，名叫「河山」，以鼓吹愛國思想。但是，因為正逢戰爭進入末期，到處混亂不堪，因此我們未能進入後方，故而一直滯留在上海。

丘念台樸素誠懇

戴國煇（以下簡稱戴）：林先生是在上海與丘念台先生相識的嗎？能否談談這中間來龍去脈？

林：1945年8月15日日本投降之後，國民黨來上海接收，這段時間極為混亂。當時，由於日本侵略者的離間政策，利用一部分流氓等惡劣台胞到大陸各地來欺壓大陸同胞。更於戰爭後期施行徵兵、徵用強迫台胞當兵當軍屬，直接投入大陸戰場充當砲灰去打自己同胞。其實，除了少部分良心變質的台灣人以外，大部分台胞都是傾愛祖國，希望祖國強起來打倒日本帝國主義，解救台灣的。但是戰爭結束後，當時有一部分大陸人士就以有部分台灣同胞曾協助日本為理由，反過來壓迫無辜的一般台灣同胞，並且還有部分壞人乘機敲詐搶劫。為此，我們在上海組織的青年同志會，就起來進行澄清事實的宣傳，幫助受迫害的無辜台胞。同時，我們幫助被日軍拋棄後，從內地各地流落到上海而無人管顧的、之前被徵調的士兵軍屬及一般平民，解決食宿問題。又給他們開補習班教祖國國語、歷史、地理、音樂等。最後協助他們乘船回台。

到1946年2月，我和丘念台先生在上海首次見面了。當時，丘先生從廣東到重慶，然後在去台灣的途中路經上海。和丘先生初次見面，我便覺得他樸素、誠懇、毫無名人的故作姿態，對我們青年人尤其客氣、熱情。他向我們娓娓講述各種各樣的問題，充滿了對祖國熱愛，對台灣的關懷，使我深受感動。同時，不知何種原因，丘先生對我也產生了良好的印象。他要我返台後，再與他聯繫，希望我為光復後的台灣做些事情、盡些責任。這樣，我在丘先生去台灣一個月後，也回到了使我夢魂縈繞的故鄉，並立即與丘先生取得聯繫，開始擔任他的祕書。

台灣人反感的主因

戴：丘先生這時主要做了哪些工作，產生了什麼影響？

林：剛才已談到，戰爭勝利後，很有些人對台灣同胞不分青紅皂白，一律以戰犯漢奸的罪名加以迫害。而丘先生在廣東、重慶時，就對國民黨軍政方面加以解釋和遊說，要他們正確地對待台灣同胞。同樣，丘先生到台後的第一件事，也就是繼續向台灣省行政長官公署陳情。因為當時台灣省行政長官公署已開始抓人，甚至連在日本統治期間組織文化協會進行反日鬥爭，愛國且久負盛名的林獻堂也有被捕入獄的可能。因此，丘先生竭力向陳儀說明這樣兩個情況。第一，是關於台灣獨立運動。確實，日本投降後，日帝最末代台灣總督安藤利吉曾策劃過這個陰謀，但事實上也只有幾個人被迫參與，而他們只予敷衍拖拉時間以等待國軍前來接收而已。其次，對於台胞中極少數真正喪失良心，直接加害同胞的戰犯和漢奸證據充足者應抓之外，大部分的士紳仍然是無辜的，他們有被迫參加皇民化運動的背景，內心也是極為痛苦的，故而也是受害者。丘先生認為，台灣剛光復，就不分青紅皂白地濫捕和打擊士紳台胞，對於局面的安定及台胞的情緒上是很不利的。

我回台後，因為丘先生當時是國民政府委派的監察委員，需要到台各地察看調查，我就跟隨他。當時我們就切實感到，台灣社會情勢是不安定的，人們對黨政軍當局及接收人員的態度作法是不滿的。造成不安定和不滿的原因有這樣幾個：第一，當時尚有幾十萬日本軍民沒有被遣送回去；第二，國內接收官吏良莠不齊，接收人員驕傲橫行，多欺壓民眾。大陸的軍人和商人來台後，除一部分克守本職、與人為善之外，很大一部分人以勝利者自居，張揚跋扈；第三，當然也存在著風俗習慣不同的問題，台胞長期同祖國分離，且又受日本殖民統治達半世紀之久，對問題的思考方法、社會行動方式與大陸同胞有些差異，這種思考方法與生活方式上的差距也帶來了矛盾；第四，戰爭結束後，原來去祖國內地和南洋海外的台胞紛紛回台，他們本來在外就受歧視與委屈，回來後大部分又失業，因而本能上對當局帶有反感。

促國民黨正確對待台灣同胞

除了上述幾個原因外，還有兩個最大和最根本的原因，就是政治上對台灣省行政長官公署制度的不滿，和經濟上對大陸接收人員獨霸日本殖民產業的憤慨。對前者而言，台灣同胞認為，日據時代，台灣總督府高踞在人民頭上，現在光復了，仍然不像大陸一樣實行省政府制度，而是用類似總督府一類的台灣省行政長官公署的特別制度；此外，台胞不能擔任高層官吏，只能做打雜聽差的下級官僚的工作，這不就是歧視台胞嗎？這和日據時期又有什麼不同呢？儘管當時當局設置台灣省行政長官公署有出發點好的一面，但客觀上卻是引起台胞的極大反感。就後者而言，光復後，台灣人期待著日本人在台的國營企業和私營企業能回歸到台灣民間來，好好藉而發展出來。但恰恰相反，接收大員將其全部變成了國民黨政府的國營，黨營和官僚資本管轄之企業。這樣，失業和生活困難的情況極為突出，我認為經濟上的混亂比政治因素還要重大。因此，台灣民眾和士紳紛紛要求爭取政治上的民權和經濟上的生存權。這就是說，他們本來的目的並非是一律反對大陸來台人士，而是要反對剝削和壓迫台灣民眾的官僚，尤其是貪官污吏。然而，抓住經濟實權和政治實權的清一色都是大陸人，亦即所謂的外省人，這樣表面上就變成了本省人和外省人的對立和抗爭了。其實，台胞並非真正完全排外，對大陸來的好官吏、好老師是尊重的，私人關係也是很好的。

提議組團赴中央溝通

再回到丘先生的話題，他當時就感覺到，這種狀況如果持續下去，遲早會出事。丘先生一直認為，要挽救台灣的困境，必須和祖國的強大聯繫在一起。要是讓重大不幸事件發生，丘先生擔心會導致有野心的第二國插手台灣，再次使台灣脫離祖國。他認為，台灣同胞對祖國不太了解，國民黨有關人士也缺少對台灣的認識，而醉心於恐懼台灣脫離祖國或親日漢奸論，強調特殊化而實施行政措施（其實反對在台灣實施自治也是違背三民主義的）。光復一年，台灣民眾不能直接同南京、中央政府聯絡，上下不達，內外隔膜。因此，丘先生提議應由台灣民間發起組織一個團體到南京中央政府溝通去，直接向中央表示對光復的感謝，對蔣主席領導抗戰表示致敬。開始想給這個團體取名「謝恩團」，但又覺得太封建保守，故改名為「光復致敬團」。這一提議得到台籍紳民普遍贊同，各地士紳和民眾都積極支持。但台灣省行政長官公署卻不太贊成，怕代表團到南京去告狀。所幸以李翼中為黨部主任委員的台灣國民黨省黨部相當支持。丘先生本人也是省黨部的執行委員，這樣，就以省黨部為中心來籌劃並組織各地士紳參加「光復致敬團」。說得俏皮些，這是鑽了台灣黨政分歧不睦的空隙。

戴：「光復致敬團」的組織結構是怎麼回事？

林：我是這個團體的隨行祕書。但是關於團長的人選卻有一番周折。本來應該是抗日資深、德高望重的林獻堂先生擔任，但台灣省行政長官公署卻不同意，因為林獻堂是不會受人操縱而又有名望，怕愈有名望的人，在南京的講話就愈有分量，對那些官僚不利。還有陳炘，他是數一數二的台籍留美的經濟專家，又於光復後號召全台資本家創辦了大公企業公司，對振興台灣經濟有一番抱負，但大公企業公司受到種種限制未能展開鴻圖外，他本人此次竟不能被承認為正式團員，只能掛財務委員的牌子參加。「光復致敬團」於1946年8月底從台灣出發，經上海到南京。當時正逢蔣主席去廬山，沒有能夠立刻見到。我們到陝西去祭黃帝陵，向祖先報告台灣的光復，以此表示我們台籍人民也是炎黃子孫。但是，當地國民黨軍政方面說那一帶有共產黨活動，不安全，不讓去，結果只能在鄰近的一個縣城遙拜。有的團員不滿地說，共產黨也是炎黃子孫，難道我們從遙遠的新光復的台灣來祭黃帝陵他們會來阻礙我們，會來打我們嗎？

國共內戰如兄弟鬩牆

戴：當時，「光復致敬團」的活動各大報都報導了嗎？

林：有很大規模的報導。記者多人始終跟隨團的活動，全國民眾都會知道。再說致敬團見到蔣主席後，除了感謝和致敬外，直接要求早日設法安定經濟以解除民困。又對有關部會要求中央能下令釋放被抓錯的「戰犯」、「漢奸」。團員中李建興（台籍礦業鉅子）於本團會見內政部長並當時擔任國共和談代表的張厲生時，甚至流眼淚說：國共內戰猶如兄弟鬩牆，台灣經過50年異族統治而始回到自己祖國，看到同胞兄弟流血相煎，台灣同胞感到非常傷心，希望能夠和平解決，早日共同建立民主、富裕、強大的新中國。

戴：剛才林先生談到當時台灣黨政分歧，這是個重大的問題，能否更詳細地說明一下。

林：可以說，這是國民黨內派系鬥爭在台灣延伸。因為陳儀是政學系，李翼中是CC派。可以說，掌握台灣省行政長官公署的都是以政學系為核心的人，但黨卻在CC派控制之下。

陳儀任用親信獨斷獨行

戴：光復後，竭力想嘗嘗自由甜頭的一般知識分子和士紳特別討厭差別待遇，因為日帝統治了50年，已嘗上足夠的歧視，所以反對以台灣總督府為模型之台灣省行政長官公署的體制。剛才談到大公企業，我認為當時台灣中產以上階級力量已相當雄厚

（比起大陸一般情形），想自主地發展台灣式資本主義經濟。比如留美的陳炘，在日據時期就想組織公司，但日本人利用法令阻止他。現在光復了，也不能盡量發展辦公司業務，他們當然不滿，轉而反對台灣省行政長官公署及公賣局的存續。話說回來，政學系在國民黨還算是比較開明的。當時沈仲九是陳儀的智囊，一說是陳的母舅，亦一說係妻舅。他留日時編過《浙江潮》，因而與魯迅、許壽裳等有過交往。陳儀與魯迅及許壽裳等有親密關係亦是出於同一緣分。沈有濃厚的社會主義思想，特別值得我們注意的是，他一直是一個自遠於蔣介石的「怪癖」人物。他要藉日本殖民地的模式來建設台灣為模範省，他們整理了日本人留下的50年間之經濟統計，主要的目的就是想要搞他的計畫經濟，為了實現他的理想，他想把台灣特殊化，把台灣與大陸的混亂局面割斷，最好是把日本人留下的所有企業、產業當為他計畫經濟之不可或缺的「基礎」。但局勢不饒他，時間亦不他與，終於挫折。我想，他們的這個企圖或許沒被台灣同胞所理解或見容的吧！

林：對陳儀具有把台灣搞好的誠意是可以肯定的。但他做為一個軍人，習慣用強制的方法來推行其政策，他任用親信，根本排斥當地的民眾士紳，採用不民主且包辦的獨斷專行，比如用惡霸的包可永（時任台灣省行政長官公署工礦處長），就是其中一個。這樣，少數人把持了台灣的命運，根本無視民眾的自治要求，和發展自主性企業之願望。比如，台灣選出第一屆國大代表在南京國民代表大會也提出了台灣的自治要求，但報紙不予報導。直到後來《台灣民報》得到消息資料後才以首頁全面予以披露了。其實，地方自治不是企圖獨立和分離，為什麼要壓？這個界線並不是劃不清的。

台灣中上層人士勾心鬥角

戴：站在當今的觀點來看，有兩個問題很值得注意的：第一，台灣人踴躍參與政治的大多是舊時的文化協會的有關士紳，在日據時期他們就提出建立台灣議會制度，但光復後提出反而被壓制；第二，政學系的開明只是一小部分人，但大部分官僚仍然是跳不出裙帶關係，以及貪官污吏的既封建又醜陋的泥沼。

林：陳儀帶來的大部分人並不開明，他們還包圍著陳儀，不讓其明瞭事實真相和局勢的急遽惡化，而導致他判斷的失誤。

戴：台灣的知識分子和士紳大約有如下幾種人：一部分人骨氣不夠，在日據時期向日本人獻媚投機；一部分人被迫參加皇民化運動，心有內疚；一部分人從大陸回來，強調自己的抗日功勞；最後一部分是抗日坐過日本人牢的良心分子。這四部分人之間分歧內鬥相當厲害。林先生對台灣知識分子和士紳的中上層分子們的分歧有何意見？有這樣一種說法，他們爭著當有關當局的「第一姨太太」，這種情況導致了陳儀和有關權力當局對他們的不齒與不信任。

林：台灣中上層人士互相排斥，勾心鬥角，公署有些幹部就利用這點搞以台制台，結果也成為導致台灣政局不安定及混亂的原因之一。如他們都能像丘念台先生和林獻堂先生們那樣，不為爭官，不為爭錢，不為名和利，一心為台灣民眾效力，陳儀對台灣中上層人士看法大概會有所改變。

戴：現在能否請林先生回憶和介紹一下二二八事件前後的丘念台先生？

林：1947年1月初，丘先生由南京去廣東，我自上海直接返台，已發覺到社會情況緊張變異的跡象。關於事件的真正原因，我認為並非是本省人和外省人鬧對立。問題之爭端，在經濟混亂，就業漸趨困難，接收人員之亂來，橫行霸道。小惡積大形成民怨而終於闖禍。事件當天（28日）我住在信義路朋友家，從報紙上看到消息緊張，下午外出到台灣省行政長官公署附近的博愛路的親戚家，在路上看到一個流氓在毆打一個穿卡其布裝軍人模樣的人，旁邊有台籍同胞上前加以制止其暴行，並勸軍裝外省人士趕忙避開。在事件期間，我就聽到許多本省人士保護了外省人士的例子，好比林獻堂保護了嚴家淦（時任台灣省行政長官公署財政處長）就是個典型例子。此事件主要是中上層台民士紳要爭民權，爭取政經雙方面的參與權及要求民主自治，而下層人士要爭生存權。

丘念台於事件後趕回台灣

戴：丘先生是何時從廣東回台灣的？

林：事件發生一星期後，國民政府從大陸調大批軍隊到台灣開始鎮壓。又二、三日後，白崇禧奉命到台灣宣撫，行前致電丘先生，要借重其聲望，協助白解決事件。白崇禧到台第二、三天，丘先生就趕回台灣。丘和白以前沒見過面，直到「光復致敬團」到南京後才見到面。白很尊敬丘先生。丘到台後就要求白崇禧下令停止殺人和釋放被捕者。丘先生還認為自己講話不如事件目擊者講話有力量，就要林獻堂和李建興去向白陳情，李甚至還帶老母親去自白，因他老母姓白，一方面可以藉而認親，另一方面亦可藉老太太的身分和面子來為台民請命，向他陳述台灣人並沒有想脫離祖國獨立的意念，請中央寬待，即日解除戒嚴停止捕殺。數日後丘先生即隨同白部長前赴南京，直接向南京政府提出種種建議。

戴：丘先生直接解救了多少人？

林：丘先生將王添灯、宋斐如、林連宗等人的名單向陳儀提出，要求查明這些人的下落並加以釋放。

戴：丘先生救出的最有名的人是誰？

林：丘先生間接幫助了林日高、蔣渭川，為他們作保。其中林日高後來在吳國楨任省主席時期被任用為省政府委員，但終於似乎因與共產黨的關係問題沒有交代清楚而被槍斃掉。

戴：能否把蔣渭川看成是台籍在台CC派的頭子？

林：有關係，但分量不足當為頭子的吧。蔣渭川愛出鋒頭，脾氣有一點暴躁，亂罵人，他利用他老哥蔣渭水的聲望與國民黨拉上線，而組織了「台灣省政治建設協會」準備一顯身手。但後來其女被來逮捕他的特工槍殺掉，真是可憐憾事。

陳儀很敬重丘念台

戴：林先生是否直接見到過陳儀？對他的印象如何？

林：我見過陳儀二、三次，都是陪丘先生去見的。我總覺得他有軍人的霸氣派頭。但他對丘先生的態度倒是滿客氣，很敬重丘先生。

戴：丘先生逝世前，我在東京見到他。我曾經要他老人家給我們留見證，如錄音帶等等，將來可以發表時發表。因為他告訴過我，以他名義在《中華日報》出版的《嶺海微飆》，書中很多話不是他說的，或者不是他願意說的，當前不便公開點出來加以匡正。但雖然答應我，但過沒多久，他就在日本東京青山謝世，真可惜。不知丘先生有沒有和你談過，他對二二八事件之總結一類的話？

林：他對事件的發生及發生後的處理都很痛心。因為事件終於演變成本省人反外省人的一種相貌，而解決事件時則變成大陸派來的外省人的軍隊鎮壓台灣籍人士的一種悲劇。丘先生向白崇禧提出，行政上一定要多重用本省人，經濟上要多開放一點，讓台灣中產以上階級積極參與台灣的經濟活動。我還聽說，中央開始沒有立即要撤換陳儀的意思，丘先生則要求白崇禧無論如何要撤換陳長官，改變台灣省行政長官公署制度，實行與大陸同樣的省政府制度。可見，丘先生是真正從台灣同胞的角度去考慮問題的。至於談到我個人對二二八事件的看法，我認為這次事件是反抗貪官污吏；是反抗經濟壓迫，爭取生存的民眾要求運動的一般表現。

丘自稱台灣派或愛國派

戴：當時，國民黨中流傳著所謂二二八是共產黨策劃之說，丘先生認為如何？

林：丘先生不認為是共產黨參與策劃的。當時台共的實力還不至於有全面領導或煽動這次事件的力量。謝雪紅插手的台中的局部情況是個例外，當然有個別共產黨員或親共分子參加了事件。至於斯時謝雪紅是否已歸隊共產黨組織，我們都得存疑。就我親眼所見，從當時在台北中山堂的處理委員會的開會情形也可佐證。開會時，只有王添灯講話，大家都是亂哄哄的。要是有計畫之行動，怎會容忍如此散漫或亂七八糟的脫序狀況持續存在。可見，處理委員會主要在企圖代公署來臨時維持治安而已，並要求進行政治體制和經濟情況的改革和改善。他們從來沒有採取行動要直接替代政府，或接管行政權的。

戴：丘先生晚年期待著台灣將向何處去？如何解決省籍矛盾諸問題？

林：丘先生晚年時，我雖已離開祕書職，不過時常會到他家探望的。但丘先生並沒有詳說。我覺得他內心有矛盾的。仔細看《嶺海微飆》上的文章，許多也並非是他之本意。他一方面有為台灣一般老百姓講話和請命的責任感以及使命感；另一方面他又不得不站在國民黨的立場說些「官話」。一方面有時又挺固執甚至於頑固，看到什麼講什麼，別人不願或不敢講的，他又會向上面直訴。因此，他所做的事情，得不到多方面人的諒解。他討好不了任何派系。借他自己的話說：「我不屬於任何派系，勉強一點說，我係屬於台灣派或是愛國派！」這話是對他為台灣同胞嘔心瀝血的光彩寫照。

左右派都不諒解他

戴：東京的僑界都是很看重丘先生的，林以德、林以文昆仲和李合珠都一樣對他的為人和做事是尊敬的。因我也是客家人，當我在林以德或李合珠家探望他時，他用客家話對我說，小鄉弟，你應該好好地為台灣的未來奮鬥，但台灣要搞獨立是註定要失敗的。我有一次非常俏皮地問他，為何台灣不能獨立？他把雙手一攤：「你可多看史書就可以明白。」我曾要求他與我的談話錄下音，以存留見證。他雖做過允諾，說下一次再來，但終於沒有讓我錄音下來，這是十分遺憾的。他自己也認為，那本出版的傳記《嶺海微飆》並不十分全面。

林：丘先生是一位直爽，說話開門見山的長者，講話從不顧忌。因而也有人說他是共產黨。可見，左右派對他都不諒解。他也孤獨和苦悶。但正因為如此，我們可以相信他自己對自己下的評語：「我原本是台灣民眾派的代表」，係一種衷心所說的真話！

戴：今天承蒙林先生在百忙中，為我們談及二二八事件的往事和丘念台先生的一些軼事，這將是一份很好的歷史資料，再次表示我衷心的感謝！

本文原刊於《人間》18期，1987年4月，頁68～77。原題「丘念台與2・28前後」

歷史解釋權・二二八・台灣人原罪論

——杜繼平[*1]先生訪我錄

出身台灣桃園的日本立教大學戴國煇教授精研台灣史多年，著述宏富，著有《中國甘蔗糖業之發展》、《新亞洲的構圖》、《台灣與台灣人》、《華僑》、《台灣霧社蜂起事件——研究與資料》、《台灣往何處去》、《台灣總體相》等書，在台灣、日本皆享有盛譽，本刊（《美洲中國時報》）特趁其返台之便，請其就台灣史研究諸問題發表看法。

杜繼平（以下簡稱杜）：近年來，隨著台灣政治的「本土化」，台灣史研究在台灣也蔚然成風，這與台獨想藉鼓吹台獨史觀以建立台獨的國家意識，強化台獨的國家認同有一定的關係，也因而出現所謂爭奪台灣史解釋權之說。戴教授研究台灣史多年，已有極豐碩的成果，請戴教授談一談你對歷史研究與當前台灣史研究的看法。

戴國煇（以下簡稱戴）：我主要研究的是台灣近現代史，傳統的史家把歷史當作過去的東西，但我認為歷史特別是近現代

＊1 時任職於《美洲時報週刊》；現任《批判與再造》總編輯。

史，並不是過去的東西。當代的事物是過去的歷史在當代的顯現，而現在正進行的事物則會影響未來。因此，歷史可分為：1.做為過去的歷史；2.做為現代的歷史；3.做為未來的歷史，這三者是連貫的，能掌握這三者的連貫性、有機性才是真正的史學家，並非把史料、資料堆砌在那兒就算是歷史家。別人是否接受這種觀點是另一回事，但我此生是奉行不渝的。所以，我的歷史看法多與人有異，我喜歡多從歷史追溯的觀點思考問題，也討厭以口號代替思考，把歷史政治化就更討厭了。我是以動態的觀點看歷史，這點很重要。像史明提出的《台灣人四百年史》就是政治口號、概念。就好比新聞的標題與內容往往不一樣，但標題對一般百姓的影響力常大過內容。史明的《台灣人四百年史》不論其內容是否有學術價值，但他一提「四百年史」卻發生了作用，有人因此誤以為四百年以前就有台灣人的概念，或有台灣史存在，這就太冤枉了史實的具體形成過程。我由日本岩波書店出版，並由遠流出版社譯出的《台灣總體相》一書出版後，大家才知道我對台灣歷史形成的具體過程做了一番整理。此書雖不敢自認很成功，但起碼我是第一個嘗試從古代大陸、東亞以至台灣當代，把台灣與世界史聯繫起來，這種觀點已發生一些影響，這是值得安慰的事。

從方法論來說，首先要盡量發掘史料，加以批判、整理，最後再予以解釋，這才是理想的歷史研究。但是解釋者須有幾項條件：第一要真正懂歷史哲學。德國鐵血宰相俾斯麥（Otto Von Bismarck）說道：「我們不是要從經驗學習，我們真正要學的是歷史教訓。」這話可能有些人不太了解。經驗與歷史教訓是不同

戴國煇（前排右二）與友人餐敘於國際學舍（新店），前排左起：吳瓊恩，右一王曉波；後排左起：陳映真，左三起：邱毅、吳克，左六起：呂正惠、杜繼平，1997年12月25日（林彩美提供）

層次的問題，台灣有些人把它們混同了。其實，經驗僅是粗糙的泛泛之物，經過抽象的提煉之後才是歷史教訓。歷史教訓如何塑造、建構起來是至關重要的事，因此，需要有歷史解釋，但必須說明的是，做歷史解釋需要很熟練的史學方法、很高的史學素養、很嚴密的史學訓練，才能很好地把經驗提升為歷史教訓。當然，我只是努力以此自期，並不是說我做得很好。

近幾年台灣史研究蓬勃發展，成為顯學，應予肯定。但可憂的是很多人是在搶題目，喊口號，為了一時的政治目的而做。我不搞政治，因此沒有和人爭過歷史解釋權。我把自己很清楚地定位為學者，不參與政治鬥爭，我只是憑我的良心、學養，學無止境地追求我剛才提過的那些目標，也就是盡量蒐集史料，很公正地加以批判，然後以一個當代台灣出生的中國學者立場，期能做出對未來的歷史有所交代，並能真正回饋台灣百姓的歷史解釋，如此而已。所以，對我來說，所謂爭奪歷史解釋權，那是搞政治的人的思考，與我無關。就學問來說，我只想站在大多數百姓的立場，秉持科學、理性、公正的態度寫出經得起歷史考驗的著作。

前幾年，為了翻譯《台灣總督府警察沿革誌》出版的事，在報上引起歷史解釋權的統獨爭議。其實，《台灣總督府警察沿革誌》是我在日本搜尋到後，交由日本龍溪書舍翻印，透過管道送回一些給抗日老前輩楊逵、葉榮鐘、王詩琅和文學家吳濁流先生，及其他有研究的人。當時是想將這本非常重要的歷史資料寫好解題，公開讓大家利用，但因此書是日本特務警察所編，舉凡官書必有虛構不實之處，於是就想請這些抗日或搞過社會運動的台籍老前輩看過，繩愆糾謬，舉出日警添飾之詞，還其本來面目後，再寫解題。沒想到此書部頭甚大，老前輩精力已衰，無力詳閱糾舉，因而沒收到他們的回信。結果，王詩琅譯出部分，過世後，由親台獨的年輕學者出版，竟引起所謂台灣史解釋權之爭，真是笑話。會發此語，顯現他們根本不知道歷史研究為何物，翻譯只有準確與否的問題，干解釋何事？足見他們只是搞政治鬥爭，不是真正搞學術。

杜：最近國府行政院成立了「二二八」專案小組與研究小組，在野的民進黨人也約集了一些學者研究「二二八」事件，戴教授對此有何看法？

戴：從1985年我獲准返台後，曾多次回來，除參加學術會議，也很注意台灣政情的變化。很早我就和一些可敬的政界人物提到，「二二八」事件一定要交代清楚。我有一個信念就是，絕不能讓類似「二二八」的事情再在台灣發生。行政院與在野黨組成「二二八」研究小組，我是樂觀其成。但目前台灣社會的政治氣氛太濃，不利於做客觀的學術研究，尤其是有關「二二八」的研究，更易受政治左右。目前看來，政界人士是從政治立場考慮，希望把「二二八」事件擺平，做政治解決，讓台灣社會更和諧，以凝聚人心，穩定台灣政情。因此，雖說是樂觀其成，但因朝野兩黨所做的研究都不免有濃厚的政治色彩，很難有深入、客觀的研究成果，這時民意的監督就很重要了。我很期待學術界、文化界、新聞界能客觀冷靜地監督政治黨派的「二二八」研究。

從學術的立場，我們當然希望能夠把學術的歸學術，學者應本其社會職責把「二二八」研究做好，不然將來還是無法對歷史交代。我個人自1955年到日本求學後，不久即開始注意蒐集有關「二二八」的資料，因不想藉「二二八」賺錢，打知名度，故近幾年除了偶爾發言外，只默默做蒐集、整理史料的工作，很少寫。但由於「二二八」近年成了受矚目的熱門題目，有些從未用心蒐集整理「二二八」史料的人，也趁機搶題目，大搞「二二八」，把「二二八」政治化，靠「二二八」吃起飯來，這可能會引起負面的社會影響，實在是很令人遺憾的事。不過，這像出痲疹一樣，降溫以後，就會走向正軌，一些冒牌的自然會消失，台灣百姓可能要忍耐等待一段時期。

杜：怎麼才能搞好「二二八」研究？

戴：這可分幾點來說：第一，光復時台灣社會的具體狀況，這非常重要，但到現在為止，似乎尚未有人好好整理。

第二，現在許多人忙著罵陳儀、罵國民黨、罵當年的軍隊如何差勁。我想，「罵」是容易的，道德批判是難以反對的，但是做社會科學或歷史科學的研究，就應該避開情緒性的漫罵。「二二八」自1947年迄今，已超過40年，不能還只是罵。我們應該研究：1. 當年國民政府在重慶怎樣決定接收台灣的班底？2. 派那些軍人來，軍隊的結構怎樣？陳儀接收的班底怎樣？主要的人物怎樣？到現在為止，這些研究都沒好好做，只管罵，是不對的；3. 當時台籍菁英分子的政治勢力與思考如何？他們如何準備祖國軍隊接收人員的到來？他們之間的矛盾又如何？都還缺乏客觀的分析、整理。現在一般只用簡單的二分法，只看到一邊是陳儀、外省人、國民黨；另一邊是台灣人，只著眼於整理那一些台灣人被殺，這固然也很重要，但台灣人內部的複雜性卻被忽略掉了。台獨一般喜歡按自己的政治立場去硬套台灣史，對「二二八」只會說台灣人是受害者，但這不符合歷史的總體真相。舉例來說，陳逸松在回憶「二二八」時提到，3月5日，「二二八處理委員會」開會他在台上說明，蔣渭川帶一批人來，在台下大吵大鬧，對陳逸松大喊：「大交椅你就要搶著坐上去了嗎？」

如果台灣人都是「二二八」受害者的話，為什麼陳逸松跟蔣渭川有矛盾？陳逸松、蔣渭川同是台灣人派系的頭頭，後來蔣謂川的女兒被殺，蔣渭川則在事件後，出任台灣省民政廳廳長。這就是說，「二二八」事件很複雜，並不那麼單純，我們不能以當前的尺碼來衡量當年的政治情況。一般人都不太考慮台灣殖民地被解放後，在重建秩序時，大陸來台灣的不同機構與派系固然有矛盾、搶地盤，但台籍菁英也一樣在搶大餅。「二二八」事件正進行時，台大裡的一些台籍人士還有人在搶台大校長的位子。說這些，並不在褒貶他們的道德優劣好壞，而是說，最重要的是，如何客觀面對、整理當年的歷史實況。但現在一些台獨人士常不做客觀研究，就先來情緒性的漫罵。

第三，從世界史來看，我們都知道，二次大戰前殖民地不只台灣一地，二次大戰後，殖民地在重建新秩序時，帶有什麼樣的問題？再者，台灣有其特殊性，如韓國現在雖分為南北韓，但它原先是整個國家被日本併吞受其統治，台灣則是被日本從中國割裂出去。台灣住民應怎樣整理、看待日本帝國主義在台灣的50年統治？整理日本帝國主義在台灣的定位也等於台灣住民對自己的定位。如何對待像台灣這樣被割開的殖民地，與如何定位日帝的在台統治？這兩個問題，是我提出的，其後一些日本學者根據這樣的觀點，有所發展，寫出了不錯的研究報告。由於自我定位的問題，許多台籍的台灣史學者始終沒搞清楚，所以，我才提出「主體性」的問題。

當年我批判留日台獨學者王育德所寫的《苦悶的台灣》＊2說，不是台灣在苦悶，而是他自己在苦悶。王育德因我是客家籍且能寫文章，就想拉我進台獨組織，參與台獨刊物《台灣青年》，以使台獨不流為只是閩南人參與的運動，從而擴大號召。但我始終拒絕，理由很簡單，我認為他們的那種主張與運動是沒

＊2 本書名應為「台灣——苦悶的歷史」。

有前途的。我這麼說，並非站在國共兩黨立場而有此看法。主要是因他們缺乏自我要求、自我省察的觀點，只是情緒上反國民政府，從而反外省人、反中國人。所以在《苦悶的台灣》裡，王育德一定要說日本幫台灣近代化。我就告訴他：「奇怪！王先生你這樣說是不對的。你既反對國民政府也就應該批判日本人，這其中並沒有矛盾。」我告訴他，你對日本帝國主義統治台灣的歷史沒有定位好，所以有這種理論，你這種理論將來是站不住腳的。只是因為國民政府為鞏固政權，壓制言論自由，你們在島外就自以為是在為台灣人犧牲，島內支持你們的人也是這樣看，但像我這冷靜的人看來，你是在欺騙台灣老百姓，也騙你自己。你既然真要搞台灣獨立運動的話，怎麼可以拜日本人做阿公？這是不對的。所以，你要好好批判日本帝國主義，它在台灣究竟扮演什麼角色？它在台灣50年給台灣帶來什麼？給台灣老百姓帶來什麼？同時也不可以籠統地以「台灣人」一詞含括台灣住民，台灣人有有產、無產之別，有閩南、客家，有先住民，但你沒有進一步去分析。所以，你這種論調是沒有前途的。果然，日本台獨聲勢日衰，他的書沒有什麼銷路，日本人也不想看。

因此，要做好研究一定要理性、公正、科學，不能隨意割棄對本身主觀意圖不利的資料，而對有利的資料就拚命膨脹誇大、突出。當前台灣教育水平大幅提高，國際資訊甚為豐富，台灣老百姓可以比較、思考不會再受騙了。過去，國府實行威權統治，台獨人士以被迫害者自居，台獨派的台灣史學者就可以不用功，輕率立論，也沒有什麼人競爭，一有人批評就報以漫罵，因為漫罵是最簡單的，不需要學問的。這樣，台獨派的台灣史學者看似好像是被迫害者，其實是靠寄生在國府的威權體制中，以遮掩其不學。

現在，言論、學術自由已相當充分，學者就應確立做為學者本身的「主體性」，善用這些自由，做好學術研究，而不是忙著大肆主張什麼「台灣人的主體性」。

有一些台獨的台灣史研究者提出所謂台灣社會是「移民」社會、「殖民」社會之類的概念，很有意思的是，我怎麼看都看不到「先住民」社會的概念，這真是目中無人——無「先住民」。事實上，在漢人（閩南系與客家系）渡過黑水溝（台灣海峽）之前，台灣並非無人地帶，早已有先住民，漢人來台是移民，但同時不要忘記也是對先住民的殖民。現在很糟糕的是，台獨的朋友對這部分的責任不願承擔也不願面對。如果台獨朋友說，因為我漢族系是多數，所以少數的先住民應該聽我的，那麼從一個中國的立場來說，台灣的人口更是少數，甚至大陸閩南人的人口可能超過二千萬也說不定。台灣如要走民主的路，很重要的一點是要能尊重少數人的權益。因此，我的台灣史研究中列有先住民，也因此，我才花了那麼多的時間蒐集史料，出版了《台灣霧社蜂起事件》專書，把霧社事件搞清楚，理由在此。有些台獨罵我，硬塞給台灣人原罪感。其實，我是在做自我定位。我的客家父祖做為漢族系政權的先鋒侵略過先住民，我本身有原罪感，這點他們看不出來，或故意不看。台獨很喜歡用道德批判來支持台獨的論調，其實他們本身的道德水平太低。所以，他們的主張，在現在自由開放的環境中，也得不到人民真正的支持。

我們看台灣歷史的形成過程，一定要從動態的觀點來看，也就是先有先住民社會，才有後來漢人侵略先住民，帶殖民色彩的移民社會。台獨說從荷蘭、西班牙一直到日本、國府都是殖民統治者，把自己的責任推得一乾二淨。他們說台灣的移民社會是「本土化」不是「內地化」，也不是「內地延長化」，這種邏輯根本不合社會科學，是拿台灣史硬套他們的政治立場，也很可能是他們的水平不夠，看不出問題所在。事實上，研究社會史應做結構性的分析。但是，他們為了要把自己塑造成被迫害的群體，就不願意說，台灣漢人的移民社會裡帶有殖民的性格，實則移民與殖民是重疊成一體的。這是他們的盲點，這主要源自他們是在搞政治而不是搞學術。近來島內有些不搞政治、真正在做台灣史研究的人，希望他們能夠以冷靜的態度把錯綜複雜的台灣社會結構搞清楚，不然就無法解釋台灣史的問題。

杜：戴教授的論文與《台灣總體相》一書中都有「共犯結構」的提法，原意是促請台籍人士多反躬自省，不要只會一昧怪罪統治者，然而一些台獨人士沒有弄懂這個概念，滋生頗多誤解，還撰文對戴教授進行了激烈的情緒性反彈，是否可請戴教授將「共犯結構」闡述得更清楚一些？

戴：「共犯結構」的概念是從「自我反思」的省察中得到的。1957年，我就讀東京大學碩士班二年級，在參加研究院的專題討論會時，我報告日本帝國主義如何侵略台灣，當時只有二十多歲，年輕氣盛，只管憤憤不平地批判日本帝國主義，我是當時唯一的外國學生，我的老師神谷慶治先生聽後，笑一笑說：「你以為日本統治台灣，在台灣搞糖業，受害的只有你們台灣人嗎？」我剛開始沒聽懂，他接著說：「台灣人民固然受到糖業資本的剝削，但由於日本實行保護關稅，台糖被以高於國際價格的價錢賣給日本人民，日本中下階級的消費者因而也成了高價糖的受害者。社會科學的問題應該這樣看，當然我們對不起你們，但就殖民地統治的體制來說，你沒有這個觀點就不夠科學。」這席話如醍醐灌頂，驚醒夢中人。過去只知道指責殖民的日本帝國主義壞，從來沒想到日本老百姓也是帝國主義殖民體制的受害者。

於是，從我自己家裡反省起。我家是地主家庭，一方面曾因抗日受到血腥鎮壓，另一方面又因日本的殖民專制以警察（公權力）強硬鎮壓了佃農的挑戰（如抗租）而受到保護，獲取了利益。我的叔父念了後藤新平辦的醫專，當醫生賺了大錢。但我的兄長到日本念書回來，除了念醫學、法學的之外，都因日本人的民族歧視而找不到合適的工作，只能乖乖待在家裡靠「貸地業」過活。老實說，如果沒有受到日本帝國的保護的話，我家能有錢送那麼多人到日本留學嗎？所以，我就想到「共犯結構」，一方面我們受到日本帝國主義迫害，一方面又寄生於日本帝國主義，其間的關係極為複雜。我並不是說台灣人都有原罪，而是說只有把這複雜的結構弄清楚，真正面對弄清過去台灣歷史的總體相，然後才能把戰後光復，國民政府遷台至今的發展，做個正確的總結，從而走出未來光明的道路，這就是我研究台灣近現代史的真正目的。

目前，台獨把台灣政治的「本土化」等同於「台灣化」，這是偏頗的說法。「本土化」的真正含意應是接近草根，尊重民意的意思，在台灣經濟發展、教育提高後，就要靠民意來表達政治要求。這並非就是「台灣化」，否則置外省第二、三代於何地？

台獨咬住表面上的「台灣化」，實在太狹窄了。因此，我對台獨的主張實在不能接受。

本文原刊於《美洲時報周刊》第320期，1991年4月13～19日，頁70～72

恨事不恨人，可恕不可忘

——張瓊方小姐訪我錄

編按：此文為1992年5月《光華雜誌》編輯張瓊方為介紹戴國煇教授在台出版的新書《愛憎二二八》而做的採訪。

張瓊方（以下簡稱張）：您在《愛憎二二八》序中提及本書的立場是：非政府、非中共、非台獨的第四立場，能否進一步說明？

戴國煇（以下簡稱戴）：我主張三種尊嚴，其一是出生的尊嚴：沒有任何人能事先選擇父母，也沒辦法選擇人種、出生地。我在台灣出生，是所謂「客家系台灣人」，自然以此為所有的出發點。

其二是民族的尊嚴，我認為民族不是那麼容易改變，也無法斷然切割；此外，我主張職業的尊嚴，職業無貴賤之分，皆有尊嚴，我只是本著學術的尊嚴，盡我所能。

綜合起來，這就是我的「第四立場」。也就是學術的立場、中華民族的立場，也是台灣人的立場。

張：您在本書中行文採夾敘夾論方式，如何力求客觀理性的立場？有無檢視標準？

戴：任何歷史研究，特別是近現代史，因為很多當事人還在，要做到冷靜客觀比較容易，要達成剖析到真相、真貌則難。夾敘夾論不一定不客觀、沒有評論只是收錄資料、羅列資料，在資料的選取上也可能不客觀，更何況資料還有造假的。

我認為客觀與否，在於對資料有無正確、獨立的評鑑能力，看問題的角度是否周延。這些都要經過時間的考驗，和社會大眾的評判。

打開「社會的記憶」

張：您研究「二二八」，除了史料蒐集不易，最大的困難為何？

戴：最大的困難是自己先入為主的觀念，是「社會性記憶」與「社會的記憶」間的差距。

所謂「社會性記憶」是指一般老百姓的看法；「社會的記憶」則是檔案、當年的報導等。

一般老百姓的「偏見」，可以經過檔案的公開研究、探討，時間的沖洗，慢慢健康正常化。但由於40年來，「二二八」一直被視為禁忌，沒有公開資料和探討研究。老百姓們的觀念，也總是停留在「外省人欺侮本省人」、「國民黨殺台灣人」的階段，無法超越。

許多受難者遺族說我是為國民黨、為外省人講話，其實我並沒有替誰說話，只是謹守社會科學家的本分而已。親戚中也有人犧牲，生命的寶貴、遺族的心情，我能體會，也十分同情；但做為社會科學家、歷史家，我要有犯眾怒、向常識挑戰的勇氣，因為我不是為少數幾個人在研究史實和寫歷史。

我們的社會很缺乏知性的誠實，總是人云亦云，甚至許多學者也鄉愿、遷就，不願犯眾怒。我想也許二、三年後，大家會慢慢接受我書中許多新觀念和新看法。

張：書中對所謂「半山」——原為台灣省籍，日據時期赴大陸，光復再返台——的批評著墨頗多？

戴：我這樣的寫法是很招忌的，因為過去人們總認為陳儀是罪魁禍首。事實上陳儀是心有餘力不足，很多公權力他根本無法掌握。而許多「半山」打著抗戰有功的招牌，回台灣來搶日帝遺留下來的大餅，許多冤獄都是「半山」去密告的。

不過，「半山」和「外省人」不應該分開來看，關於這方面，我在《愛憎二二八》中沒有談得很清楚，將來在學術專書中，會有比較詳細的論述。

愛、憎何去何從？

張：《愛憎二二八》是您所謂的通俗本，先於學術專著發行，您希望達成什麼效果？

戴：過去我研究個案的方式是，先公開我蒐集到的資料，以便學術界同好互相研究參考，然後著手寫學術專著，最後才寫通俗本。這次倒過來先出通俗本的原因是，我覺得大家似乎瘋了，胡言亂語，摸都沒摸過「二二八」的人，也敢出來隨便說話；我再不出來釐清的話，大家的方向都不知道會被帶到哪兒去了！

在這本書的任何一章，我都沒有下結論，只是提供一種思考方法，希望大家能繼續努力做好研究，而不是停留在誰殺了誰、誰該負責任等問題上打轉。

張：有關「二二八」學術研究專著及資料彙編現在進行如何？官方資料的公布，對您的研究影響如何？

戴：過去研究「二二八」，完全靠自己採訪，現在政府已公開資料，大陸方面也有資料公開，對研究「二二八」自然大有幫助。

《愛憎二二八》這本書沒來得及用上這些材料，日後的學術專著自然能有更多資源。我預計在二、三年之內，完成學術論著和資料彙編工作。

張：海外人士如何看待「二二八」，與此地有何不同？

戴：基本上沒有多大的差別，也是自我憐憫、自我安慰把一切責任推給別人的人多。人很奇怪，穿衣服喜歡與眾不同，思考就不願意和人家不一樣，只要找到代罪的羔羊，大家就滿意了。

歷史傷口怎麼縫合？

張：悲劇發生40年後的今天，蒐集研究「二二八」達36年的您，現在感想為何？政府近來對「二二八事件」的處理方式，您有何看法？

戴：這是一個民族向現代化挑戰與掙扎過程中發生的悲劇，「二二八」比較特殊的是，台灣被分割50年後，回歸祖國僅16個月，就發生這樣的事件，可以說是「雙重」的悲劇。但無論如何，我們應該本著「恨事不恨人」、「可恕不可忘」的心情，來看待這件歷史悲劇。

政府當局已有誠意撫平歷史傷口，李總統人道主義上的安慰，郝院長也請了遺族代表聚餐，這些都值得肯定，但我認為還不夠。

首先要鄭重道歉，並且要對遺族做適度的補償，此外還應在中研院成立台灣史研究所，闢專室收藏「二二八」有關檔案，供遺族及學者們參考，因為「二二八」的研究只是剛開始，並非完成。

也可以請流亡至大陸的相關人士，回來看看。至於建紀念館，我是反對的，中國人向來是只重視硬體，不考慮軟體，試問「二二八」的紀念館有什麼東西可以陳列？甚至紀念碑我都不主張建太多，擺排場式的表面工夫，確實阻礙了我們社會的進步及現代化。

總而言之，傷口的膿不擠出來，光貼膏藥是不行的，處理「二二八」的歷史傷口，也應如是。

本文原刊於《光華雜誌》，1992年4月，頁98～99

如何看待台獨運動

——馮滬祥先生訪我錄

本文作者為省籍農學博士，曾任政大歷史系客座教授，與李總統亦有私交，現任教於日本東京立教大學史學科，從前曾經同情台獨，現已完全放棄；因此本刊特由馮滬祥社長（國是評論社）與其對談，請其以中性立場分析台獨與化解之道，俾從多角度促進國人省思與討論。

馮滬祥（以下簡稱馮）：現在有很多人愈來愈熱中與大陸交流，原因之一就是台獨愈來愈囂張，很多人擔心再這樣下去，台灣會垮掉，所以也促使大家覺得應加強與大陸的交流，以平衡台獨的氣焰。尤其李登輝總統多少有點縱容台獨。所以大家非常擔心。不知您的看法如何？

戴國煇（以下簡稱戴）：關於以加強大陸交流來平衡台獨這點，我想這是比較技術性的想法。很多外省朋友可能會有這種打「大陸牌」的想法，但實際上並沒有這麼簡單。我曾經在美國有過一場演講，但變成文章後，國內的報紙卻不敢刊登。其中有幾個論點，第一個是台獨組織可以說是國民黨逼出來的，這我們要有勇氣來承認和面對。其中的原因可以從二二八、雷震的案子一路看過來，也就是說是強人政治所造成，當然，依據國民黨的講法是說，在當時若沒有如此，是撐不過來的，但它的後遺症就是台獨運動。

台獨認為他們的起點是從二二八開始，這點我倒不認為是如此。因為二二八當時我正是建中初中部三年級的學生，很多事情在我的書（《愛憎二二八》，遠流出版公司）裡已經寫過了。台獨運動的真正起因，應該是他們已經不能接受國民黨政府，但是又怕中共打過來，而且當時美國政府也一度打算放棄老總統。所以，台獨運動真正的起因應該是在中共掌握政權以後，並不是在二二八時，也就是說，在1949年底中央政府搬到台灣前後時的事情。

當時一些台獨分子也從香港搬到日本東京，他們想找我寫一些東西，但我並沒有答應。當時他們寫的一些東西，在我看來，就像一堆破爛布兜在一起。所以，去年〔1991〕我在美國演講時就說，台獨搞了四十幾年，卻沒有什麼成就，這表示這個台獨運動是沒有台獨精神的台獨運動，是個虛構的、假的運動。在場有幾位台獨人士就叫我拿出證據來，我就說你們號稱有很多美國哲學博士（Doctor of philosophy，Ph. D.），但據我觀察，到目前為止卻沒有一篇好論文或一本好書，談到美國獨立建國的歷史。

基本上，就我來看，對於獨立運動而言，美國獨立建國的歷史是很重要，頗值得台獨鄉親們去學習。因為它基本上是一個由盎格魯撒克遜人（Anglo-Saxon）做主流，與歐洲母國的文化切斷臍帶行為的典型，但是卻鮮有人對它做過深入的研究。要想搞一個真正有獨立精神的台獨運動，不能光做表面工夫，喊些口號的。如果他們能夠認真研究，是可以把美國獨立建國史變成自己的理論來對付國民政府。但是我看台獨鄉親們的胸襟太小、看法也不科學，只熱中於喊些口號，愛排場，恐怕也利用不上。

接下來，我就說如果台獨運動還可能繼續囂張，中共要負大部分的責任，因為國民政府這邊已經開始憲政民主改革了。而中共卻沒有搞好，大陸沒有魅力，所以台灣內部都不願意和中國大陸合在一起。

在這裡我用很通俗的話來做比喻，前新聞局長邵玉銘曾經寫了一本書來談所謂的「台灣經驗」，這當口號來講是很好聽，但喊出來如何能有說服力，是需要執政黨去充實的。意思就是說，台灣是一個小島，只有2,000萬人口，可以把她比擬成一個小巧玲瓏的小姐，現在又有800億美元的外匯存底，更可以說她的外表包裝也夠漂亮的，但是裡頭卻很難講的。別的國家經濟越繁榮，像日本賣娼的女人都不見了，而台灣不但賣娼女人繼續存在，而且年齡愈來愈低，所以台灣這個小姐雖然看起來很好且漂亮，但是裡頭還是有其病的。

反過來看大陸，就像個碩壯的山東大漢，碩壯是說明他人口很多、資源豐富和歷史悠久的意思。現在就是這個山東大漢逼著這個台灣小姐結婚。像基本教義派的台獨主義者是說絕對不嫁，但是像主張獨台或美麗島系的便說，現在時機還未到，將來再和你談。我的意思就是說，這個小姐正在思考，這個年輕力壯的山東大漢的前途到底有沒有潛力。雖然現在鄧小平說要搞一個具中國特色的社會主義，但是到現在仍然還沒有說服力，還停在喊口號的階段。所以我說往後如果台獨繼續囂張，中共及中國大陸要負很大的責任。因為他沒有魅力，如果他本身治得很好的話，那誰願意和他分離呢？

最近我也有個演講，裡面我提到一個「睪丸理論」，這雖然不文雅，但是很容易懂。（按：已編為書《台灣結與中國結——睪丸理論與自立・共生的構圖》，遠流出版公司出版）裡頭我說到大陸就像一個渾沌或泥沼，掉下去就不見了，所以鄧小平說要十七、八個香港來拉——大陸。我在演講中就提到，兩岸現在從全世界的局勢來看，就像人體跟睪丸的關係，也就是說，睪丸是不能被吸入人體裡去的，若是被吸入，那精子就死掉了，也就是沒有新的生命力了。這個理論我和香港的朋友也談過，我說香港如果沒有大陸做為腹地，就沒有今天的繁榮，但是你們討厭他們的體制，就像睪丸一樣，不想被吸入人體，因為一旦被大陸整體地吸進去，不僅對香港不好，對大陸本身也不產生最好的結果，所以應該留在外面。

當年我講這個理論，台灣並沒有什麼感覺抑或反應，因為台灣很自傲，認為這個經濟奇蹟是完全靠自己本事造成，但是到了現在，美國、日本經濟都不好，台灣如果沒有大陸為背後地的話，是無法維持今天的局面的，意思就是說他們間的關係不該是獨立的，也不該是切斷及分離的，而是一種自立共生的關係。像以前的台灣企業，都是從日本學技術，具有輸入半製品，加了工後再將完成的產品轉到美國，但是現在日本、美國都不行了，所以就轉到大陸去了，因此現在他們也逐漸可以接受台灣是處在一個睪丸地位的一種邏輯。

馮：能不能進一步請你分析對台獨的看法？

戴：我曾經聽過一些外省籍和本省籍朋友的意見，覺得這些都還需要進一步的溝通和討論。有些外省籍朋友有時會認為台籍的人一定會主張台獨，這是不對的。我在1985年回國時，胡秋原先生和鄭學稼先生為我開了一個歡迎會，那時因為江南事件，所以氣氛還相當凝重，在場還有一些熱中但沒有公開化的台獨運動的朋友參加——有一件事在此提一下，楊逵先生那時也由台中趕來參加，後來在聚會完回去的當天晚上不幸過世。所以後來我在《中國時報》人間版刊了一篇文章紀念他*1，然後又再次申請來台參加他的葬禮。

在歡迎會時，我曾經說，對省籍矛盾的存在不要迴避，我們要勇敢的面對，才能克服。當時我也提到，台籍朋友把外省人當作一夥來看，這也是不對的。因為所謂的外省人是從福建、新疆、山東各省而來，他們的環境、宗教、背景都不一樣。而台籍人士從一個小島的眼光來看，認為政府為了維持安定的局面，而把二二八當成一個禁忌，接著又有白色恐怖，來應付海峽那邊的威脅，所以把一切的問題都放在黑盒子裡，變成黑箱作業，大家都不敢討論。

大概是在1986年左右，我在《聯合報》登過一篇文章*2，裡頭談到我們對台獨的言論不要打壓，要讓他們講出來。同時我也提到敗戰沒多久的日本，也有北海道和九州的獨立運動，更明顯是琉球的獨立運動。就我們來看，琉球並不是日本的，它是處於中國和日本兩大勢力的中間，琉球的主流人士看誰有力量就靠哪

*1 文題為「最後的見證」，《中國時報》，1985年3月13日，8版。參見《全集》6。

*2 文題為「政治狂熱與政治悲劇」，《聯合報》，1989年11月24日，3版。參見《全集》6。

邊。他們在二次大戰時幫日本背了黑鍋，受到比日本本島還激烈的美軍之轟炸，而且日本人還輕視他們，所以他們有獨立運動的出現。

我1976年第一次到美國，路過火奴魯魯（Honolulu），當時我有一位外省籍朋友〔蔣孝昌〕在當地，他娶了一位日裔美國人的第三代太太，他在招待我時，請了韓國人、琉球人，但就是沒有日本本土人。他說因為他們琉球人跟日本人處得很不好。但過了兩年，我又到美國開會時，情況完全不一樣了。琉球的獨立運動已經慢慢消失了。因為那幾年日本政府已經表示道歉和關懷，而老百姓套句閩南話俗語，「西瓜偎大邊」——對老百姓而言，意識形態並不很重要，他們所重視的卻是日常的生活和對他們的關懷。我在上面所講的意思就是說，省籍矛盾一定要勇敢的面對它，絕對不要把它當作權力鬥爭的工具，要不然就會發生希特勒殺猶太人、南洋土著殺我們華僑、華人的悲劇，這是一種最大的罪惡。我為什麼要研究吃力不討好的二二八？為的就是要消這種氣。所以，第一個我要勸我們台籍朋友敞開胸懷，不要有所謂的省籍誤解，不能光說外省人一句話，而要了解這外省人是包含很多省分。而外省朋友也不能光說台籍的部分人士有股怨氣，而要明瞭這怨氣是由何而來。我的一個希望，就是不要把台灣變成帝國主義的基地；第二個就是海峽兩岸間絕對不該再流血；第三，絕不能讓二二八或白色恐怖等悲劇及非人道的慘劇在寶島重演。

馮：你覺得對愈來愈嚴重的省籍問題，該如何化解？

戴：我們可以看看，南斯拉夫或前蘇聯在中央亞洲的少數民族問題，他們摻雜了民族和宗教的問題，所以相當複雜。台灣在這方面還很幸運，因為它並沒有宗教的問題，一般的本省人和外省人都拜佛或媽祖，在這種情形下，台獨鄉親們想要把省籍問題提升上綱到民族問題，是不大可能，不至於成功的。而且，前蘇聯的少數民族之所以到現在會搞獨立，是因為以前蘇聯用戰車及恐怖政治加以壓制，現在一鬆就全部浮上檯面來了。我們客觀地從世界近代史來看，一個國家要獨立建國，一定要有某種條件，要不然隨便幾十萬人獨立，只是為了一時高興，那以後如何支撐下去，就是一個很嚴重的課題了。

我們再看看二二八，就外省籍朋友而言，像這種動亂在過去的大陸是到處都有，所以已經習以為常了，但是對台灣人而言，因為受了50年的日本統治，把一切希望寄託到國民政府，歡迎中央軍的到來，但是當時從大陸特別是福建來的官員對台灣同胞並沒有多給予關懷，不曾想到這些受到異族統治半個世紀的同胞兄弟，而只想要撈錢，所以台灣人積了一股怨氣，光復一年四個月就發生了二二八事件。後來政府撤退到台灣，為了鞏固政權又實行土改。我們看陳儀失敗的最大原因，就是當年他的社會主義理想沒有重視並運用台灣社會中上階級地主的力量，反而把他們排除在外，想要建立新的政權基礎。而退守到台灣後陳誠沒辦法，一定要實行土改，要不然共產主義的細胞就會滲透進來。雖然老總統當初也提拔一部分的地主鄉紳，但總是為數不多，其實遷台隨後的國府為了照顧一起逃難到台灣的國民黨幹部及其眷族已經夠吃力了。但台籍人士不會想及那些，他們認為外省人來吃台灣米還鴨霸，不讓台籍人士參與政權及其他。怨懟不斷地升高到經國先生謝世。因此一些中小地主的後裔到日本、歐美等國之後，就搞台獨。台獨運動的起源應該是這樣分析才比較合乎邏輯。

有些外省朋友或許因為焦急還是危機意識過重，就覺得這個問題很嚴重，其實並沒有想像中的嚴重。目前以加強大陸交流來平衡台獨運動，我認為這是一種玩大陸牌的戰術性作法，但這只是一時，如何構築戰略性的目標才是最根本。也就是說，台灣的草根性情結要把它化解掉。我常說，他們的台獨運動沒有台獨精神，他們只是受到美國、日本現代主義的價值觀念，再加上一點基督教的影響，在這種情形下政府和執政黨要對他關懷，自我不斷地革新，還來得及，還要趕上潮流。

我雖然對台灣的政情不很清楚，但我是從一個外在的角度來關心。我們一直是處在現代化，不斷地遭受外來的刺激，我們要加以反應，其中一個反應就是把它打出去，西歐對非西歐國家所體現的是現代的、進步的、有力的，但卻是霸道的，所以印度被變成殖民地；日本則因地處偏僻，而且缺乏資源，所以逃過一劫。另外，日本係既小又巧易於轉身。而中國因為太大了，所以變成國父所說的「半殖民地」。日本在學了西方的霸道之後，卻反過來欺壓亞洲的自己人，結果還是輸了。所以在這種情形下，我們該怎麼辦、該如何走下去？因為我認為我們對省籍的問題要一起來超越，不要不承認，要勇於面對，就像我剛才所說的，這是國民黨播的種，大家要想辦法來根除它。

另外，有一些外省籍朋友知道我跟李總統有些往來，當然這主要是因為我們同行，他是我們的大學長，所以就問我，李總統是不是在搞「獨台」？我說我不認為是如此。第一，這可能是把台籍人一定搞台獨的偏見加諸其上所造成的誤判；第二，我認為蔣經國先生是相當厲害的，他之所以會選李登輝先生當副總統一定有他的道理。據我所知，當年蔣經國先生已經開始煩惱，認為雖然國民黨的國府在大陸上失敗，但在台灣好歹經濟已經搞起來了，而且教育也沒有歧視本省人，那為什麼本省人還是恨外省人呢？所以他也講了一句話，就是「我已經在台灣住了40年，我也是台灣人」。經國先生之所以選上李登輝先生，就是要他不要讓台灣出亂子，要把這股怨氣慢慢消褪下去。所以，我基本上對大家認為李總統搞「獨台」，包括王曉波等統派人士，我都認為這種看法太畸形。

馮：那您如果以李總統的立場來看，應該如何做才能消除這部分的疑慮？因為他可能顧此失彼，顧到了本省籍的怨氣，想要盡量去掉，但卻失掉了外省籍那邊人心。

戴：關於這個問題，我到目前為止認為他運作地相當不錯，但是他的遠景開陳得不是很夠，或不夠透明，並沒有讓外省朋友接受或了解，就這點而言，應進一步的澄清。我總覺得你們的一些雜誌，應該要更高層次來看問題。因為你們雜誌的構成分子都是菁英，像一些既往的黨外雜誌習慣以二分法來看事情，予人亂貼標籤，這是一種偷懶不花本錢的作法。我的意思就是說，如果想要提升自我的水平的話，就要提高層次來討論問題，要開放胸襟，不要一味的以二分法來看事情。所以我還是希望大家給李總統更多的時間，更多的建言。

馮：大家對他的另一個批評，就是他不怎麼接受批評，像一些教授，包括我自己寫的文章，都被封殺打壓，雖然他口頭上也說要接受批評，但實際上卻不是如此。不知您的看法如何？

戴：關於這點，老實說，我和他的關係與諸位和他的關係並不一樣。這並不是說我比較了不起，而是說我能提供的資訊，主要是從日本的局勢或農業的走向如何，所以我就沒有發生類似您的問題。但是島內有沒有發生所謂的權力衝突，這我就很難講了。我站在一個從海外看的角度，我是希望第一個國民黨要趕快進行內部的革新，因為你好，那民進黨也會跟著好。第二個就是對民進黨的朋友說，如果你們偷懶，那國民黨也會偷懶。第三個就是台獨，如果台獨繼續囂張，那大陸要負很大的責任。這些看法和我對島內及兩岸關係的關懷，就是我這次回來參加這個會議（第一屆世華和平大會，1992年10月）的最大理由。

我到現在對包括王曉波在內，說李總統搞「獨台」的說法，並不能接受。也就是說我們對台灣草根性情結的諒解，並不是嘴巴說說而已，而是要實際去做，去關懷。目前傾向台獨大約50歲以上的人，他們的教育背景和外省籍的朋友並不一樣。因為外省籍朋友經過大陸的大時代變化，而台籍人卻被日本人關在小島這裡，這並不是好壞的問題，而是經驗不同，因此對政治文化的體會也不一樣。但是我從多次見到李總統，總覺得他愈來愈有進步。他一直在經國先生身旁磨鍊，從台北市長、省主席，到副總統這樣一路上來，因此我是覺得大家不要急，要多給他一點時間，我相信經國先生的判斷是不會錯。我們對一個政治人物不要急於給他論斷，對李總統不要太早給予定調，我們應該相信經國先生的判斷才對。李總統也說過他的導師一個是上帝，另一個是經國先生。

馮：可是就這點而言，他也曾說過要走出「前任陰影」，不曉得您的看法如何？

戴：這是因為情況在改變，如果不走出強人政治的陰影，強要他扮演強人的話，因為他不是一個強人，所以沒有這個基礎。而且現在走向民主憲政之路，實行多黨政治，所以無可避免地他要如此做。不過，總歸一句話，省籍問題一定要雙方努力來化解，不僅外省籍朋友要努力，連本省籍的人也不能忽視，尤其對過去播下的種所造成的怨氣，外省籍朋友更要多一份心來加以關懷，以求化解這股怨氣。

馮：不過也有些人認為，這是40年前造成的，為什麼要這一代的新生代來負責？

戴：這種想法是不對的，因為倘若如此，那我們怎能要求日本人賠償、道歉呢？所以我們必須以開闊的胸襟來面對，並且要多加關懷。

馮：但也有些人認為，日本人是侵略中國，情形並不相同。就「二二八事件」來說，基本上是兄弟相殘的事，本省人固然有怨氣，但外省人在前半段也很多受害，同樣會有怨氣。應該公平對待雙方，才能服人心。

然而，我也很同意您的講法，應以開闊胸襟與關懷面對問題。不過很多人仍然擔心，縱然李總統本身沒有意思要「獨台」，但他身邊的人或他的一些作為，經常被人認為就是「獨台」，而他又不願去溝通、說明，只知用高壓手段打壓，就變成惡性循環。結果這種對台獨的憂心愈來愈濃，會造成內部動亂，給予中共進犯的機會，這就是大不幸的事了。

戴：我也了解你們的危機感，我在遠流出版的《台灣總體相》一書，最後幾章中也提到，我主張集體領導，黨政分開，但是黨政要協調。我雖然不很懂政治，卻是出於一片關懷之情，認為台灣不能再出亂子，再來一次二二八，台灣就完蛋了！

本文原刊於《國是評論》第4期，1992年10月7日，頁28～32

後悲情的暢快對話

——與許信良先生對談於天母誠品書店

主辦：中國時報「人間」副刊、遠流出版公司

時間：1994年6月4日下午3：30

地點：台北天母誠品書店

對談：許信良（前民進黨主席）

戴國煇（立教大學教授）

主持：詹宏志（遠流出版公司總經理）

戴國煇教授旅居扶桑三十多年，專攻台灣史，學養、氣節備受各方敬重；許信良浪跡海內外，則是活動力旺盛、思考敏銳的前民進黨主席。由於二人今年先後出書，不約而同探索了台灣人的未來角色，本刊（按：《中國時報・人間副刊》）特於日前假天母誠品書店為他們舉辦了一場標題「後悲情時代的預告：台灣人未來的舞台與角色」的對談；顧名思義，這場對談意在一掃悲情的老調，開發新的、「後悲情的」本土論述。

戴教授最近出版新書《台灣結與中國結》，副標題為聳動地蹦跳出「睪丸理論」的字眼。深恐引起誤解，戴教授在發言開端即先行向在座女性致歉；不過，隨後即以嚴謹的治學角度，釐述他所謂「睪丸理

論」成形的過程與大意。在他看來，台海兩岸的地理差距太小，地緣政治與地緣經濟的密切連結，形成了他所謂「睪丸與男體：合則兩美，離則兩傷」的理論基礎。港澳台一方面須以中國大陸為其腹地才有發展，另一方面本身又已有獨立發展的格局，此二端乃辯證形成一種他所謂「自立與共生的構圖」。

許信良滔滔雄辯，直截指出「知道的比人多，活動力比人強」兩大特色是新興民族的鮮明旗幟，而台灣人在他心中正是當代新興民族的代表。許信良對21世紀的國際新秩序抱極樂觀的態度：一方面，經濟上，是沒有國界的自由市場；另一方面，政治上則是沒有戰爭的和平年代。經濟競爭因此成為最大的活動，而兼糅中、日、西方文化和移民社會活潑特質的台灣新興民族，透過對中國市場、資源的最佳使用，將是其間最大的受惠之一。

戴教授在反駁答辯時，提供了一貫冷靜的省思角度。他讚揚許信良大格局的世界觀，瞻望未來豪邁無前。但他希望許能進一步考慮何以自然科學無法在基督世界以外地區生根的危機；以及浮光掠影的經商或觀光是否能真正提供新興民族經濟智慧等問題。再者，戴教授也以日本在19世紀末試圖「脫亞入歐」卻慘遭滑鐵盧的例子，具體批評了新興民族論的可能盲點。

許信良在作結語時，則不改其樂觀自信的口吻，指出台灣人的心理準備及潛能遠高於其實際的管理經驗。但他也承認，未來仍有一大段路好走。台灣人必須將自己的文明提升到一個更高的層次，才能在未來的21世紀發揮對中國、對世界的「特殊影響力」。

（**編按**：此文為1994年6月8～10日戴國煇與許信良對談前，中時人間副刊的預告文章）

許信良（左）與戴國煇（林彩美提供）

詹宏志（以下簡稱詹）：今天對談的大標題是「後悲情時代的預告」，我想先做一點解釋。首先「後悲情時代」或「後悲情論述」的來臨——這一用語並沒有什麼太大的學術意義，而是一種認識台灣新處境的觀點。因為過去談台灣的歷史、處境總有一種悲調（悲情）的基調，針對著一個被壓迫的歷史而來。今天，戴先生和許先生要提出的，卻是兩種脫離了悲情基調而存在的新理論、新觀點。我指的是，戴教授在其新作《台灣結與中國結》中有一極重要的討論，那就是——「台灣怎麼面對中國大陸」——台灣在尋找自己的「身分」（identity）時，怎麼面對巨大的中國此一問題，戴先生以為，如何看待這一關係，不能全由被壓迫的角度出發；他因此提出了一個「自立‧共生的構圖」以為討論的基礎。另一方面，許先生最近也提出所謂「新興民族現象」的理論，認為有些民族在歷史關鍵時刻會產生特殊重大的發展，甚至衝擊到周遭的國度或文化。這些例子包括過去的蒙古人、滿洲人、荷蘭人、英國人、美國人和日本人；而依照許先生的觀察，台灣已經具備著很清晰的「新興民族現象」，也就是說，這個社會的人群在特殊的時空條件下已形成了不一樣的知識和活動力，新的任務、使命或歷史舞台已經展開在他們眼前。戴先生和許先生的這些觀察、理論，和過去談論台灣人角色的看法是相當不一樣的。而戴、許兩位不但各自提出了新的理論，他們也在我們社會中扮演著極獨特的角色。戴教授於1955年離台負笈東瀛，獲得東大博士後就一直在日本任教，他不但是重要的台灣史拓荒者，而且長期以一個外來者的身分，深刻地反省、批判日本文化。許先生，大家都知道，是個傳奇人物。他不僅擔任過反對黨的領袖，也曾經亡命天涯、作過階下囚。如今他又以一個民間人士預備競選總統，這在中國歷史上是個異數。今天兩位在此進行對談，是極難得的機緣；我想就先請戴教授，由他的「自立・共生的構圖」談起。

戴國煇（以下簡稱戴）：我先從我的新書說起，我的新書《台灣結與中國結》有個副題是「睪丸理論與自立・共生的構圖」，頗讓我苦惱了好些年——實在是苦思了半天仍找不到更文雅、適當的用語，在此先向在座女士表達我衷心的歉意，希望不要把我視為性騷擾的犯人。不過這個理論我確實也構思了多年，第一次是緣於日亞航的社長（他同時也是我東大的大學長），看了我在岩波出版的《台灣》一書後（中譯本書名改為《台灣總體相》，魏廷朝譯，遠流出版），特別把日亞航裡科長以上的幹部找來聽我的演講。我問日亞航社長是否可用睪丸這個用語，他認為這是在做學問無妨。後來我又應邀為日本財經界的重要幹部演講，分析台灣的現狀和將來政局如何演變，也討論了台灣和大陸的關係，當時也提出了「睪丸理論」這個概念。

我之所以構思「睪丸理論」，是因為台灣面對著一個惡鄰，既不能視而不見，就只好進行溝通。一般人雖企求自求多福，但近代國家的特性卻是避不開政治。人民必須積極參與政治，以普遍的價值來進行政治活動才可以享受到民主的生活。我們如今喊口號說不要和大陸在一起，但這一想法如何讓大陸人理解呢？於是我想到自立但非獨立、分離的看法。先把台灣搞好，也期待大陸、港澳都可以搞好，然而我們盡量協助他們。意識形態對峙的時代已過，今後主要是經貿如何對等互惠的問題了。

我討論「睪丸理論與自立・共生的構圖」，一方面是要告誡中共，如果急於併吞台灣並沒有好處。如同睪丸一樣，如果吸進體內就會失去繁殖的作用。香港朋友就比較了解我的看法，他們不喜歡中共的統治，但也深知若沒有大陸做為腹地（背後地）就無法維持繁榮。同樣，台灣也必須以大陸為腹地才能有發展。大陸當然有各種問題，雙方接觸也會造成摩擦。但問題並不在摩擦本身，而在於——台灣或大陸內部沒有解決問題的能力。

詹：戴教授提出「睪丸理論」這個觀念，我認為不僅是一種描述，也具有策略上的意義。在戴先生那篇〈台灣與現代中國〉〔參見《全集》4〕的長文裡，我們可以看出以大清帝國為核心的Pax Sinica，由於列強入侵而逐漸瓦解——台灣正是這個崩潰過程中受害的社區或社群，而台獨理論的產生依戴教授之見是一種「否定性的自我同定」（negative identity），也就是一種透過否定方式尋求集體經驗的心理特質。依戴先生之見，只有待二二八這類的傷痕撫平之後，台灣何去何從的問題才會顯示出來。而從更大的環境來看，舉世的經濟重心已經由大西洋轉到太平洋，台灣的經貿活動也逐漸由新大陸回到舊大陸，中國做為一個腹地也是台灣生存的必要條件。事實上，無論從實質的描述或深層的策略，台灣和港澳都是中國大陸的睪丸，既是連結的又不會被吸納，形成了一種自立和共生的構圖。這對港澳地區而言是個事實的描述，而對台灣來說，既是事實的描述，也是策略上的建議。

以上是我對戴教授「睪丸理論」背景的解釋與補充，希望沒有誤解戴教授的看法。接下來我們請許先生提他的「新興民族論」。

許信良（以下簡稱許）：大家都知道，700年前蒙古人曾以不到100年的時間征服大半個世界；為什麼蒙古人會突然崛起呢？我稱此為「新興民族現象」。這樣的例子當然還包括三百多年前的滿洲人；當時，明朝有1億5,000萬人口，正規軍就有一至二百萬；反觀滿洲人只有不到20萬的人口，八旗兵也不過六至七萬——這也是「新興民族現象」的顯例。

我們再看看17世紀西歐的小國荷蘭，他們曾遠征台灣，影響力遍及大半個地球；即使今天世界的霸主美國，一、兩百年前人口也不過一至二千萬，他們的富強也是晚近的事；再談到日本，他們被視為20世紀1950年代以後的新興民族，何以如此？因為他們「知道的比別人多，活動力比別人強」的緣故。

為什麼某些民族會知道的比別人多，最重要的是他們有機會接觸最多種當時的文明。像蒙古人就同時汲取了金人、漢人、歐亞大草原民族（歐洲人和阿拉伯人）的智慧，才能在短時間內稱霸世界。另一方面，島國子民往往比大陸民眾活動力要旺盛。「知道的比別人多，活動力比別人強」因此可以說是新興民族的兩大特色。

台灣過去三十多年的經濟奇蹟不是國民黨的功勞，而是這個新興民族能力得以發揮的結果。為什麼我們知道的最多？首先，拜大量的留學生分赴美、日、歐研習外人之長技的緣故。其他像生意人、觀光客到世界各地走動，使得我們也學得了西方的科技管理，這是中國大陸遠不及我們的地方。

由於台灣曾被日本統治過50年，台灣對日本最為了解，也從中獲益最多，所以學得了日本人不少的智慧結晶。再者，台灣是以漢人為主體，所以對中國文明也相當了解。而台灣人除了兼採西方文明、日本智慧和中國文化三者之菁華外，更重要的一點在於，他來自移民社會。移民社會的一個特色是「一切要從頭做起」，但從頭做起憑藉的是什麼呢？第一，先前具有的經驗；第二，新的創造力——這和老社會、蠻荒人完全不一樣；移民社會的另一特點就是「要拚才會贏」。奮鬥、冒險的精神是老社會所欠缺的。台灣社會結合了這四種文明（西方、日本、中國和移民文化），所以才會「知道的比別人多，活動力比別人強」，台灣因此充分具備了「新興民族」的條件，南進、西進政策都是台灣人表現新興民族力量的結果。事實上，台灣人已開始從事征服事業，只是還沒完成而已。

由於國際環境不同，21世紀的世界新秩序將和兵戎相見的舊世紀不一樣。那是個什麼樣的國際新秩序呢？在經濟上，它是個沒有國界的自由市場，在政治上，則是個沒有戰爭的和平年代——進一步說，也就是用全世界的力量保障和平。要維持和平首先就不容許用武力改變現狀，像最近北韓要發展核武引起的危機就是一例。所以我們不必太擔心中共會武力犯台，因為國際局勢不容許它那麼做。

台灣在這樣的國際新秩序下，可以用經濟的力量來從事競爭。戴教授說得好，世界經濟發展的重心在東亞，尤其是中國、台灣具備了新興民族的優越條件，加上它和中國大陸的特別淵源（語言、文化、歷史等），所以特別有能力掌握中國市場、使用其資源，並影響中國社會。今天台灣的各種條件遠勝過300年前的滿洲人，所以我們應該有信心才對。

詹：許先生雄辯滔滔，並且將豐富的內涵以淺白的話表達出來，裡頭不但有歷史的解釋，也有著發展的戰略。許先生由歷史描述中凸顯出，400年來台灣是個重要的國際天然通道，今天的發展是其來有自，不是突然發生。

不過許先生的理論著重自主的發展，似乎外力很難加以攔阻；而戴先生的理論，則預設著一個可怕的惡鄰——中國，能否請許先生針對這點再談談，並且試評戴教授「睪丸理論」。

許：戴教授把中國和台灣的關係比喻為身體和睪丸，「合則兩美，離則兩傷」，這點我並不表苟同。因為台灣和中國已經是兩個不同的個體，是兩個人的關係。在國府開放和中國大陸交流之前的40年，兩者沒有任何的往來，只有彼此的叫囂喊話而已，但台灣卻能存活過來。剛才我提到21世紀台灣必須靠中國市場，而台灣比美、日具備更多的優勢；但如果台灣只是睪丸，那麼它就沒有獨立的意志去掌握優勢。還有，兩者如果是一體的話，那中國的錯誤勢必會時時危害到台灣，但事實發展卻不是如此。

再者，台灣和中國的發展也不必然是融洽和諧的，因為這是兩個不同獨立個體的接觸，時有衝突是必然的。今天台灣的經濟能力雖比大陸強，但若放任商人到大陸投資，不斷損耗的結果會讓我們吃不消。至於如何制定攻策，我在我的新書中將有詳細的檢討。

詹：剛才許先生由經濟的角度出發，說明台灣對中國或在中國的優勢是由於了解，而不是基於有機的相屬關係。如果由這個角度看，那麼如何理解「自立、共生」和依賴的區別？是不是能請戴教授提出說明，且進一步針對許先生的「新興民族論」提出批判。

戴：我總認為批判不等於反對，它是一種交流、商討。我個人始終將自己定位為台灣的客家人，積極思考有關台灣和原鄉的問題。之所以如此堅持，首先是針對許先生和親台獨鄉親的主張而來。我向來認為「台灣民族」要向後找是不可能的，必須向未來去求解答。如今許先生提出「新興民族論」，這是一種新的開始，表示一個政治人物如果沒有宏觀而富含時代精神的領導理念，將會遭到淘汰。

站在客觀的角度，我要說從康熙到乾隆所建立的中華大帝國，不但比漢族政權更優秀，也不比當時歐洲的霸權差。但首先會提出的質疑是：這麼一個大帝國就因為沒有深厚的基礎來支撐——也就是自然科學發展不出來（自然科學事實上只有基督教文明中發展），因為導致後來吃了大虧，一路挨打到現在。放在當前現實來講，儘管台灣商人到處賺了不少錢，但絕大多數是二房東，是日本的代理商，所以我基本上無法像許先生那麼樂觀。

第二點，我再由學術角度提出一些想法就教於許先生。過去，湯恩比（A. J. Toynbee）、李約瑟（Joseph Needham）、威爾斯（H. G. Wells）幾位英國學者都曾展現大格局的思考，以全世界作對象來寫書——這點許先生庶幾近之，令人敬佩。另一方面，法國人則走精緻路線，也有鮮明歐洲中心的國家民族主義色彩，卻欠缺了國際大視野。反觀德國，則由於它的資本主義發展和政治統一甚晚，所以比起英法兩國就少了世界性的經驗。我們拿黑格爾（G. W. F. Hegel）的歷史哲學和世界史作代表，他是用理念（觀念）來補其世界性經驗的不足的。我提出這些歷史知識分類的看法，希望許先生在繼續其理念的鋪陳時能加以考慮。台灣必須發展其世界性經驗，否則光是經商致富是沒有前途的。

第三，許先生提到日本，但談到日本的時候，我想可以先從慶應大學的創辦人福澤諭吉談起。他在明治維新不久後就為文提出「脫亞入歐」的主張，認為日本繼續留在儒家文化圈會沒有前途，而必須向歐洲學習。後來日本先後打敗清朝和俄國，最後在1945年卻慘遭兩顆原子彈的荼毒，如今他們又開始要返回亞洲陣營了。這意味著什麼呢？意味著個人或國家，都不能僅為自己的利益打算，否則往往會因小失大。我想，我並沒有把台灣視為睪丸小存在的意思，因為辣椒是愈小愈辣，只要我們把民主憲政搞好，力量是很大的。但台灣民眾往往是國難當前，遇事就跑，只想坐享別人的成果——如果不能克服這等劣根性，那麼「新興民族論」可能會成為沙灘上的樓閣。

詹：我想對戴教授的觀點稍作回顧。戴先生以為在提出「新興民族」的樂觀理論前，許先生得先解決底下三個問題：

第一，何以自然科學只在基督教文明中發生？不過，這題目太像歷史研究所的題目，對許先生不盡公平，或者許先生可以不用回答。

第二，假如新興民族會有其歷史舞台的話，根據歷史經驗看來，這些民族興起前都有充分的世界性經驗，而台灣的世界性經驗何在？觀光、經商的經驗，夠不夠稱為世界性經驗？

第三，從福澤諭吉提出「脫亞入歐」論後，日本人一路往前衝，最後卻不得不再返亞洲陣營。也就是說，日本的例子可見，發展不是沒有障礙、限制的。

戴教授提出「睪丸理論」正是要指出台灣在發展過程中可能面對的危險，亦即台灣要成為新興民族，可預見的限制、障礙何在？後兩個問題可能是許先生必須答覆的。

許：關於第一個問題，我的看法是：不論科技文明在哪裡出現，重要的是東方民族一樣可以學習得很好，西方在這裡未必占有優勢。

第二個問題提到新興民族應該具備世界性經驗，我的看法是不必然如此。滿洲征服中國之前並沒有統治大國的經驗，但他們成為中國的統治者後卻治理得比漢人好。美國人也是如此。重點在於，新興民族的領導菁英要有世界性的眼光，那麼即使沒有世界性經驗也不是問題。

第三個問題，戴教授可能是提醒台灣不能成為帝國主義。我完全同意台灣不能走日本的老路，但台灣要想在21世紀發揮重大的影響力，必須要能解決、照顧世界性的問題，才能贏得世界各國的同情與支持；也就是說，我們在發展的過程裡必須同時盡到發展的責任。

詹：我想追問幾個問題，第一，無論是「新興民族論」或「睪丸理論」，台灣人的舞台在哪裡？是指內部發展，還是可以包括中國、亞洲或世界？第二，這些理論的條件和限制何在？第三，台灣和其他華人社群的互動如何？第四，與日本、美國的關係是怎樣？第五，新興民族的關鍵性資源是什麼呢？先請戴教授發言。

戴：首先，針對台灣與日本、美國的關係。冷戰結束後，由蘇聯的解體我們可以見到，一種以俄羅斯人為中心的、蘇聯人形象已經完全破滅。美國的建立卻是一州州結合為合眾國，代表一種民主制度的結合。但我們不要以為美國即是公義的化身，美國制裁伊拉克，其根本在護衛西方的油田。也就是說，我們必須知美、知日，而不是盲從他們。新興民族要把自己先搞好，絕不能再吹牛、呼口號。

再談到和其他華人社群的關係。向來，我就反對以血緣做組合的「大中華經濟國」，經濟必須互惠而不該閉關自守。

詹：再請許先生做最後的發言。

許：新興民族是否要掌握世界領導權，我個人並不認為必然如此。我強調的是新興民族要具備「帶動世界進步的影響力」。新興的台灣人的舞台在全世界，但其關鍵性的資源在中國。台灣絕對會比美、日等國家更善於運用中國資源，掌握中國市場。這一切雖然不是那麼容易，但我們應該有信心。

本文原刊於《中國時報・人間副刊》，1994年6月8～10日，39版。由林一民記錄整理，原題「後悲情時代的預告——戴國煇vs.許信良」

兩岸應回到自立與共生的原點

——姜建強*先生訪我錄

戴國煇，1931年出生於中國台灣（祖籍廣東省梅縣）。1955年赴日留學，1966年以論《中國甘蔗糖業之發展》獲東京大學農學博士學位，後在亞洲經濟研究所任研究員。現任立教大學史學科教授兼史學會會長，從事農業史、近代中日關係史、台灣史和華僑史的研究。（著作略）

姜建強（以下簡稱姜）：據我所知，戴先生幾十年來，一直是以一個學者的身分從事學術研究，在學界贏得了很高的聲望，是一個令人敬重的教授。今天，很想就學術層面的一些問題請教戴先生。

戴國煇（以下簡稱戴）：首先我很高興。你們的《中文導報》我看過兩期。在日本辦華語報不容易，如要達到某種水準，那就更不容易了。台灣、大陸都是中國人，所以我還是很樂意地接受你的採訪的。

* 時任《中文導報》記者。

要警惕「出埃及」概念的泛政治化解釋

姜：我看過李登輝先生與日本作家司馬遼太郎對談的文章。在對談中，李先生提出了《舊約聖經》中〈出埃及記〉的話題，並說，台灣已經出發了，今後，摩西與人民都會很辛苦。這引起了兩岸的很大反響。但我又注意到了戴先生在今年〔1995〕10月18日《中國時報》上發表的題為「台灣人『出埃及』是一條民主轉型之路」的文章〔參見《全集》6〕。在文章中戴先生卻認為李先生所說的〈出埃及記〉實際上是「出埃及」的意思。請問，這之間有什麼不同呢？

戴：我的這篇文章本來是用日語寫的一萬六千多字的長文，後壓縮在《中國時報》上發表。我總覺得，台灣人也好，大陸人也好，都容易犯的一個毛病就是不思考原本事物的真正內涵。李總統與司馬遼太郎的對談發表後，確實引起了不小的反響。台獨人士認為，李總統「出埃及記」把真心話講出來了，把台灣從中國的框框中帶出去求解放。李總統就是摩西，紅海便是台灣海峽。而反主流派則指斥李總統自稱為摩西，卻並不懂「出埃及記」是什麼意思。其實，從常識來看，中國人一直把《聖經》當故事來讀，當一部歷史書來說，和司馬遷的《史記》一樣。因此，《舊約聖書》中的〈出埃及記〉也是歷史上發生過的一件歷史事件，是一個歷史記載。但「出埃及」從西方政治思想史的角度來看，則是一個求自由的概念，是一種自我解放的運動，它可以發生無數次，從中體現出人的無窮無盡的活動。因此嚴格來看，李總統當初所指的原意應該是「出埃及」，而不是〈出埃及記〉的歷史事件來看，那麼李總統應該是回到福建老家永定去建國才符合〈出埃及記〉的歷史記載，而不該是在台灣建國。

姜：照這麼說，是李登輝先生沒有把〈出埃及記〉和「出埃及」區分開來，所以造成了某種誤解，是不是？

戴：可能雜誌的編輯沒有整理好。他們亦可能沒有讀懂〈出埃及記〉。現在，「出埃及」的概念已經出現泛政治化的解釋，把搞台獨的思維與它聯繫起來了。其實，這是一個很大的誤解。當李總統說出「出埃及」以及又說到「已經出發了」時，是指民主化運動，是指「經營大台灣，建立新中原」的所謂「可以指望之地」。

新認同的出發點不等於要脫離大陸

姜：既然是誤解，那麼，在台灣光復節50周年前夕，李登輝先生發表談話時，則又提出「新台灣人」的說法。請問戴先生這又如何解釋？

戴：「新台灣人」這個概念最初是蔣經國先生在1987年提出的，他說「他已住了台灣40年，他也是台灣人了」。而李總統現在所說的「新台灣人」是指目前台灣地區2,100萬人應該凝集、整合為一個生命共同體。他主張應該把台灣地區的全體住民整合起來，凝聚起來。宋楚瑜坐上省長位子的一個原因，就是要讓世人看一下外省朋友也能當省長。這體現了李總統的意圖，是為了解決族群的矛盾問題。現在，大陸對李總統不放心，認為這樣搞是趨向台獨。我認為這種可能性或許是一半對一半，大陸一直強調建立中華民族的共同體，但搞不好台灣也可能會飛掉。因此，大陸不要夜郎自大，要好好地研究一下台灣的特殊的歷史和文化背景和台灣人的心態，老是把責任推給別人是不行的，台獨的問題我認為不在台灣而是在大陸。只要大陸搞好，沒有人會與你分離的。很顯然，新認同的出發點，不等於要離開大陸，又有可能藉而與大陸統合。

姜：剛才戴先生提到族群問題。我想要問的是，現在台灣島內有原住民、本省人（閩南人、客家人）以及外省人等所謂的四大族群。不論現在正在進行的立法委員的選舉，還是明春將要舉行的第一次總統直選，相信族群關係都將成為話題。對此，戴先生有何看法？

戴：對族群矛盾問題的看法過去有簡單化二分法的傾向。一竿「打死」外省人，並不加思考內涵，便把閩南系本省人等同視為台灣人。其實外省人是多元的。現在把他變成了政治概念。這裡涉及到一個如何看待1949年移到台灣的國民黨政府問題。蔣家父子政權實際是帶有軍閥地方屬性的一種政權。蔣把地方軍閥都吃掉了，就是沒有能力吃掉李宗仁的桂系。台灣人那時沒有多少力量，與國民黨也沒有任何關係，但突然來了二百多萬人，而且來了以後以老大自居，不給台灣人位置及適當的安撫，反而處處打擊，還用白色恐怖等手段。台灣人感到很不是滋味，台灣人認為「這原本是我的地方呀」、「我是主人呀」。現在有些本省人的老一輩人只會說，但不會寫中文，割台50年的後遺症得需要治療的呀！軍閥屬性的「老大」政權便不斷搞出外省人與本省人的對立。不過，現在在慢慢的消解，族群關係不像以前那麼僵了。

日本社會三種政治動向

姜：今年正好是《馬關條約》簽約100周年。能否請戴先生在這裡談談日本今後在兩岸關係上，應該、或者是可以扮演什麼角色。

戴：大致說來，目前在日本可分為三種政治動向。第一種是一批有眼光、有遠見的學界政界人士認為，台灣的存在畢竟很小，從國家利益的角度考慮，跟大陸保持良好關係，支持大陸經濟發展十分重要。但這派人也怕大陸和台灣真正統一起來，力量太大。有恐懼心理。這是主流想法。第二種勢力不贊同共產黨，認為大陸是個潛在的大市場，可以利用，但也希望支持台獨，然後藉台灣來制衡大陸。這批人還認為，日美同盟可以解決這個問題。第三種是大部分老百姓的觀點，認為中國已經這麼大了，台灣不願意走在一塊，為什麼要勉強台灣呢！台灣保持現狀最好，要逼人家統一，大陸太霸道了。在這問題上，我認為日本人和外部勢力不要插手，兩岸人士，自己好好談。

不能再發生中國人流血事件了

姜：我最近在看您1989年用日語寫的《台灣往何處去》一書，最後一章關於大陸的「六四」天安門事件〔參見《全集》3〕引起了我的注意。幾乎和所有的有良知的學者一樣，對於那場血腥，您亮出了自己的觀點。現在我要問的是，天安門事件已過去六年了，大陸局勢也發生了很大變化，怎樣從一個學者的角度，再回首那場血腥呢？

戴：六四天安門事件的確是令人很痛心。一個國家和政府對學生運動，對學生的參政、議政不應用武力做鎮壓的手段，而是要用開導的方式，因為青年人的熱情和能量是很可貴的。日本明治維新的作法很值得我們學習。明治維新要日本資本主義化，從本質上說也是一場驚天動地的革命，但後來還是有60%的幕府官僚被留了下來，德川及高級官僚並沒有遭到槍殺，反而成了貴族，還送他們留學。同樣是制度性的變革，中國所花的代價太大。1949年以後大陸就發生過反右、文革、天安門事件等。而日本花的代價就小多了。站在中國人立場上看真感到悲哀。不能再犯錯誤了。在兩岸關係上，搞對立的國防，這不但是種浪費，讓軍火商賺錢，而且還相當危險，搞得不好，要死好多好多的自己人。在這方面我們一定要慎之又慎，不能再發生中國人流血事件了。

杭廷頓的局限性

姜：最近美國政治學家、哈佛大學教授杭廷頓（S. P. Huntington）在一次講演中稱，李登輝總統帶給台灣的自由與創造力，會在其身後存留，李光耀資政帶給新加坡的誠實與效率，卻很可能會隨他進入墳場。杭廷頓的這一說法，不知您有何看法？您做為台灣人會由此而帶來自豪嗎？

戴：在我看來，杭廷頓是一個普普通通的美國學者，真不知道為何那麼多人在捧他。他對東方世界懂得太少太少了。美國人學者通常是以國家利益來不斷修正自己的學說的。他貶李光耀，無非是李光耀在強調要用亞洲價值觀來抗衡西方價值觀。這是對美國的一個很大的挑戰。美國人當然不會高興的。

姜：不過，杭廷頓說過，未來世界的衝突，既不是經濟的衝突，也不是政治的衝突，而是文化的衝突。這是不是一種泛文化論呢？

戴：可以這麼認為。社會學理論解釋不通，就用文化來解釋。現在流行一種說法，即日美問題就是文化問題。大和銀行事件，最後也用文化來解釋。近年來，我一直在思考一個問題，即黑格爾、馬克思、馬克斯・韋伯（Max Weber）等西方學者討論東方問題時，總涉及中國。到目前為止，我們對他們的論述也沒有任何質疑。這就奇怪了，因為他們都沒有到過中國，都看不懂中文，但寫的東西卻被認為帶有經典性的。他們的中國論抑或東方社會論的基礎是什麼？所根據的資料是什麼？搞二手的資料對不對？這些都需要我們自己重新去探討並解釋的。

大學問才能通向大政治

姜：最後還想問一個問題，韓立紅在〈斷編殘簡〉一文的開首引用了您的「三大尊嚴」之說，即出生的尊嚴、民族的尊嚴和學術的尊嚴。我想是不是就學術的尊嚴請戴先生談點看法？

戴：學術的尊嚴，就是一種職業的尊嚴。任何一種職業，除了偷騙搶之外，都應受到尊重。學術做為一種職業就更如此了。社會科學的本質就是該具有批判性。但中國人講中和，以和為貴。學問要做好，常常會吃虧。不鬧意見，不犯眾怒，就不是嚴格意義上的學術研究。我的一個觀點是：大學問才能通向大政治。兩岸現在小學問、小政治太多，缺乏整體的歷史感，缺乏大的理想，這樣就很難通向大政治。這一局面必須改過來才是。

姜：據我所知，戴先生是台灣「國家統一委員會」（國統會）的委員。能否請您介紹一下這個委員會？

戴：我是國統會的研究委員，並不是委員。主要是做研究。有時間的話，可以選題目來做研究。但就目前來說，我忙著在寫新著，台灣在忙選舉。還沒有選題目，等到明年總統選完以後，才會進入正常運作。李總統如果明年當選，我想國統會會照他的運作去做的。

姜：戴先生，在採訪您之前，我就聽您的學生韓立紅說過，您是一位旅居日本40年來而沒有加入日本國籍的中國人。我認為這充分表現了您的獨立人格和學者風範。僅就這點而言，我們這些後輩就應該對您肅然起敬。今天您能在百忙之中接受《中文導報》的採訪，在此表示深深謝意。

本文原刊於《中文導報》，1995年12月7日，10、11版

輯四

日帝的台灣和朝鮮的殖民統治之比較

在日、在美的朝鮮人和中國人

——與曹瑛煥及姜在彥兩教授鼎談於日本東京三千里雜誌社

時間：1984年

地點：日本東京三千里雜誌社

與會：曹瑛煥（美國亞歷桑那州立大學亞洲研究所所長）

姜在彥（花園大學教授）

戴國煇（立教大學教授）

殖民地體驗

姜在彥（以下簡稱姜）：透過戴先生的著作，知道戴先生站在中國人的立場，進行著諸多的研究。最近，戴先生又去美國一年，聽說同在美的華僑會面，並受到在美朝鮮人團體的邀請作了演講。我同曹先生，則在三年前本雜誌第28號上進行了對談，從而得知在美朝鮮人的狀況，在讀者中亦引起很大回響。今天，我們想結合在日中國人和朝鮮人的問題，並對此在美朝鮮人、中國人的狀況，展開交談。首先請戴先生自我介紹並發言。

戴國煇（以下簡稱戴）：我是於1931年出生在殖民地台灣。然後進入主要是日本人的中學，在初中二年級戰爭結束。之後從大學畢業，進入預備士官學校一年，於1955年秋天來到日本，但那時，我恨日本人，討厭日本。本來想去美國留學的。但哥哥生氣地對我說：「枉你是搞社會科學的，為什麼停留在個人的層次恨日本人。即使恨也沒有辦法，問題是怎樣將其對象化，以一個更高的層次來思考，並加以重新把握。」

姜：您哥哥以前就在日本嗎？

戴：是的。他留學來日本，是法科的學生。學徒出陣時被動員，復員後就留在日本了。在日本和也是留學生出身的嫂子結婚，一直沒回台灣。父親命令我「去看看你哥哥的情況」，這樣我就到日本來了。

曹瑛煥（以下簡稱曹）：我於1932年出生於殖民地朝鮮的馬山。高中三年級時，朝鮮戰爭發生。戰爭前成立了學生護國團，我是第一期生。戰爭發生時，校長希望我代表這個高中參加，於是我便做為志願兵參加了戰爭。當時的參加者都在洛東江附近戰死。那時，我聽說美國憲兵司令部在尋覓翻譯，就去了，被當地錄取，從而成了美軍的翻譯。以後，因為當地錄取的人都被送進士官學校，培養成正式的軍官，我就辭職了。然後去美國留學，在田納西大學的研究所當了助教。因為有朝鮮戰爭的體驗，所以對共產國家很關心，在大學選擇了蘇聯的課程。有一天，老師讓我去圖書館，給我看了許多書，其中有馬克思等人的著作。不管怎麼說，因為我是學生護國團的一期生出身，當時僅看一看金日成著作的封面，都感到害怕（笑）。

姜：曹先生是如此。戴先生兄弟也是來留學，然後住在日本的吧！

戴：我來日本留學或許是很幸運的，我選了東大的農業經濟，經常能夠見到東畑精一、神谷慶治兩先生，他們都是相當自由寬厚的。但是，既然留在日本，光是農學博士，混飯吃是很難的，所以常常感到苦惱。這時，正好進入了亞洲經濟研究所，在那開始搞華僑問題。以前對此就有關心，但真的要搞也有許多難處。一個是華僑社會本來就是個封閉的社會，而且也是個方言很多的社會。迄今為止，日本人研究者幾乎都不懂華僑各地方語言，而在搞華僑問題。

此外，經常會談到，日本對於我們台灣人或者在日中國人來說，究竟是一種怎樣的存在，這是一個和我們自己「實際存在」相關的問題。這也是和在日朝鮮人所共有的問題。在日本人中，哪怕是相當進步的研究者也說，日本在朝鮮做了壞事，而在台灣毋寧說是做了大好事。但是，在殖民地統治下，是不可能有做好事情的。個人的善意在任何世界都存在，而在體制的框架內，個人的善意僅僅是空虛的東西，況且，由加害者方面不自覺地嘮叨什麼善意，更是毫無意義的。對這種理論必須在論文中給予有力的駁斥。但是，幾乎沒人這麼做，因此，門外漢的我，開始研究起台灣史以及殖民地統治史。

曹：我的情況是這樣的。在亞歷桑那州立大學亞洲研究所進行研究時，開始對中國的政治經濟，乃至亞洲系美國人的政治參與問題產生了濃厚的關心。另外，說起「韓國系」就有批判說是右翼，為了保持平衡，我也去平壤和北京。做為韓國出身者，我還是第一人呢。

姜：戴、曹二位是同時代人，雖然出生地有台灣、朝鮮之別，但都有一定時期在殖民地統治下生活，而且戰後一段時期，都在各自國家的動亂中經歷了許多磨難。

世界史中近代的產物

戴：來日本之後感受最深的，乃是在日朝鮮人的語言狀況與我們的相差甚遠。比如就母語來說，我和太太是不同的。此外，還有叫作北京官話的中國標準話，現在，中國大陸把北京官話稱作「普通話」，台灣則叫「國語」。而我們則是在不知道這種北京官話的環境中長大的。

姜：那麼，您說的與太太母語不同，是出生地區不同吧？

戴：是的。雖然是從中國大陸移到台灣的同一個漢民族，但我太太的祖上是福建漳州出身，而我則是廣東省客家出身。1945年8月15日之前，在台灣的客家出身者約占13%，而80%多是南福建出身，餘下的為少數民族山地原住民。但在1945年以後，國民黨軍隊進入台灣，開始使用標準的北京官話以前，我哥哥是在東京的大學裡，跟日本人老師學習北京話，《魯迅全集》讀的也是改造社的日語譯本。而且，哥哥的孩子，也就是我的侄子們只會日語。嫂嫂儘管也是台灣人，但因為是從戰前來日本的，所以沒有機會學習北京話。這就使得他們很難同家鄉掛上鉤。

我在華僑社會演講時總是說，我們必須感謝在日朝鮮人的活躍。比如，即使是《入管法》也好，還是這次指紋問題，雖然我們人數少，但能否因此就姑息原諒自己的不行動呢？

曹：這樣的話，我覺得一般來說，在美國的亞洲系人也必須感謝黑人和墨西哥人。因為，亞洲系的人在美國被稱為模範的少數民族、沉默的少數民族。也就是說，黑人在第一線苦鬥而得的權利，亞洲人是坐享其成。因此，黑人不太喜歡亞洲人。他們說，我們老是鬥爭，而利益則都成了你們的東西。

戴：華僑社會，特別是在日華僑的特徵是，儘管在意識形態上是分歧的，但共同點是低所得階層幾乎沒有，即是中產階級為中心的團體。因此，他們是不戰鬥的。另外，因為還有中國這個藏身處，所以總是能夠迂迴、「欺騙」。做為基本的問題意識，朝鮮的朋友們批判日本的殖民地統治，台灣出身的我們則無理由沉默。我們一沉默，就有日本人會這樣說「朝鮮人立刻會向日本人發牢騷」，由此來「曲解」和非難朝鮮人。因此，我認為我們應該理直氣壯地說。同時，我也自認為是不斷在批判日本的。

還有一個問題，所謂亞洲經濟研究所是通產省的外圍團體。通產省方面對華僑研究的真正目的是：為了振興貿易，怎麼樣契入華僑的流通網。

姜：為了向東南亞滲透。

戴：僅僅站在那個立場上考慮華僑問題，是令人困擾的。我認為，在某種意義上，包括在日朝鮮人、在日華僑在內的全世界華僑，都是世界史中「近代化」所創造出來的東西，怎樣將其聯繫在一起，做為社會科學研究的對象來研究，對照他們所處的時代背景，怎樣通過世界史的視野來發言，這就是我對華僑史研究所採取的一個立場。也因這一關係，我到美國去的。

去年〔1983〕一年，我受加州大學柏克萊分校的邀請去美國。還有二個部門邀請我，一個是亞洲系美國人的研究部門，一個是中國研究中心。我一直認為，世界性的華僑問題，做為世界史的「近代」而產生的所謂朝鮮海外僑胞，還有印僑，再往前追溯，還有猶太人，他們都有共同的普遍問題存在。因此，我也一直在思考，怎樣在世界史的範疇來抓住這些問題的根本，並找到能解決這些問題的出路。我雖然亦會常常想起民族問題說穿了是階級問題的經典式提法，但現實是渾沌的，眼前的形勢是怎麼也不能順利地用上述提法解決問題。現狀是階級問題和民族問題總是交叉著在蠕動。我主張，應該將其做為階段論來加以定位和捕捉問題。

因此，我當時最期待的是中南半島「解放」會帶來正面效果。我現在自我批判的正是下面這一期待：當時中國和越南關係很好，因而我認為，做為中南半島「解放」的一個副產品，在法國殖民地統治下形成的華僑社會和華僑問題，有可能可以做為首次伴隨著「自下而上的革命」而解決的模型出現。然而，船民（boat people）問題和以後中越戰爭的問題相繼發生，徹底打破了我的「理念性觀念論」。雖說民族問題最終是階級問題，然而，實際上要達到那裡的過程相當遙遠，也存在著非常困難、複雜的問題。這一點是我們不得不看到的。在這之前，還存在著社會主義中的民族問題之困難。

當然，我並不認為，現在美國已解決了人種及民族問題。美國是一個移民國家，當然存在著人種的問題，少數民族的問題、黑人集團力量問題、墨西哥人集團力量問題，還有原住民問題。就是這個美國社會，在越戰過程中，以洛杉磯為中心出現了黃（膚）色兄弟的連帶運動，應該關注。這是以反戰集團為中心的運動。雖說現在沒有很大的力量，但做為今後的萌芽還是充分的。

因對此有興趣，蒙受招待，以美國的華僑社會和日系人的社會及其比較為題目，我到美國去了。因為認識曹先生，因而能多少實地看到在美朝鮮人的狀況，從而希望能以更廣的視角來展開我的華僑論。

另一個就是，怎樣抽出近代中日關係史中的台灣和做為日本近代擴張主義原點的台灣這一問題，來加以定位，這在展望我們非日本人和日本人關係之未來方面乃極為重要，這也是我到美國去的另一個理由。

姜：戴先生同曹先生攜手合作實在太好了。曹先生也對中國和日本問題極為關心，對在美朝鮮人、亞洲人整體理解也很深刻，更重要的是他就在美國。就這個意思來說，為了開拓在中國人、朝鮮人問題的今後展望，我認為也應該關注美國的「黃（膚）色兄弟之連帶運動」。

戴：這個運動現在好像處於低潮的樣子。

曹：儘管如此，我想這一運動也確實帶給日本影響。因為做為傳教士從美國來日本的人當中，也有朝鮮系的美國人。他們在日本逗滯期間，開始對在日朝鮮人關心起來，而且，美國教會也很關心這個問題。

經常同戴先生交流，自己也產生了將朝鮮和台灣加以比較的欲望。最近在美國，對比較殖民地史的關心在提高。前些日子，在科羅拉多（Colorado）大學的中國人經濟學者蕭某給我來信，因為想比較台灣的殖民地政策和朝鮮的殖民地政策，問我能否給他寄資料。但是，我自己也沒有進行詳細的研究，也沒幫助多少。

姜：我認為，必須將日本與亞洲關係的原點放在台灣。比如，1875年江華島事件的前一年，日本就向台灣出兵了，就殖民地歷史來說，也早了14年。因此，在某種意義上，台灣殖民地政策的各種經驗都在朝鮮「被靈活應用」了。這個視角在日本學界是很不充分的。

曹：另外，台灣和朝鮮雖然同樣是日本的殖民地，但兩地抵抗日本是有落差的，為什麼台灣抵抗少呢？如把這個置換成少數民族的問題，從社會學的觀點來看的話，數量很多的少數民族對統治者的抵抗強烈，並站在運動的前列，也因此而被憎恨。就這一觀點來看，在日朝鮮人數量多，在美國黑人數量多，力量對決的解釋也可成立。

在人種問題、民族問題方面，存在著方法論尚未確立的問題。與關心的高漲相反，學問尚停留在較淺的程度。

姜：世界上都說，今天先進資本主義國家所具有的共同問題是女性問題和少數民族問題。特別是少數民族問題，各國的實際狀況和移居的經過也是多樣的，就共同處能綜合概括的方法論問題，還在摸索的階段。

曹：我弟弟在美國大學寫博士論文時，主任教授是猶太人，他勸我弟弟寫一寫在日朝鮮人的問題。因此，在給我弟弟蒐集資料的過程中，我想，如果比較一下住在美國的亞洲人和在中國的朝鮮人，將是十分有趣的。我以後想和在海外的朝鮮人開這樣的學術討論會：比如請做為蘇聯市民而參加蘇聯政府的朝鮮人，來報告一下他做為朝鮮人是怎麼考慮朝鮮半島問題的，是怎麼考慮蘇聯的朝鮮人政策的。然後將討論加以整理歸納，提交給各自的政府。

在日華僑社會

姜：在日中國人的場合，台灣籍和中國籍，怎麼稱呼才正確？

戴：在日華僑包括取得日本國籍者在內，估計約有六萬五、六千人。其中半數為台灣出身者。台灣籍、大陸籍並不是意識形態的區別，而是指來日本前的「出港地」。在以大陸為出港地的人中，廣東省大多與船有關係。福建省出身者更早，可以上溯到倭寇活動前後。然後是浙江省出身者。溫州、寧波，還有江蘇省上海附近都為貿易關係，也有廚師、裁縫、理髮師等的後裔。還有一個是東北，這明確是和滿洲國的關係。再就是山東省。還有經由朝鮮半島到日本的舊行商人的後裔。戰後，在漢城的華僑東渡日本，然後去美國，這種情況亦有。

姜：中國革命勝利後，聽說在以仁川為中心，有5萬人是所謂的船民。他們也有來日本，也有去美國的。

戴：另一方面，東南亞華僑幾乎都是福建省和廣東省出身者為核心。另外，在第二次世界大戰前定居的美國老華僑，可以說完全是廣東省出身。而且，因為他們都是在近代國家成立之前離開故鄉，所以沒有近代國家的國民意識，只有鄉土意識還濃厚地殘存著。

姜：聽說孫文去美國的時候，夏威夷也幾乎是廣東省出身者。

戴：因為孫文是廣東省出身，所以才去了那裡。

姜：在辛亥革命以前的階段，與其說是中國人，還不如說是廣東出身。

戴：即使以後，要上升或成熟到中國人意識、中華民族意識也相當不易。就我看來，非常清楚地給我們造成中國人意識、中華民族意識的正是日本軍國主義對中國的侵略。因此，像毛澤東所說「讓我們團結起來的是日本軍國主義，我們必須感謝這個反面教師」。具體來說，從1931年的「九一八」（滿洲事變）到1936年的西安事變，隨著抗日統一戰線的漸漸形成，中國人意識也成熟起來。

姜：就我們外人來看，儘管大家都是中國人，但他們當中沒有那樣的意識。

戴：當然並非全然沒有，只是很難從鄉土意識發展成熟到民族、國民意識。直到最近，廣東和福建也不輕易地通婚，因為語言也完全不通。

姜：朝鮮也是如此，在《江華島條約》以後對抗日本侵略的過程中，民族意識也形成起來。在這個方面，可以說日本帝國主義在中國和朝鮮，成了促使民族意識形成的一個引爆劑。

戴：另外一個重要的事是來日本的華僑的性格。東南亞明確是苦力出身為主。這就是說，是以做為中間者附屬於殖民地統治機構的形式形成的。也有的中國人是在英國統治馬來半島、荷蘭統治印尼之前去的，但其主流幾乎都是在殖民地化過程中形成的。伴隨著殖民地統治權力的滲透，他們需要在統治者和本地居民之間工作的人。本地居民當時還沒有充分適應資本主義商品經濟的能力。

這時鴉片戰爭發生。由此，華南一帶的自給自足經濟趨向解體、崩潰。在這之前的中國史上，通常這就會展開農民運動，以農民起義變成易姓革命。鴉片戰爭之後，其一部分同太平天國結合在一起，後又流入孫文（辛亥革命），最終歸於毛澤東（中共革命）。造反農民之外的一部分何去何從呢？幾乎在鴉片戰爭前後，歐洲勢力開始迅速統治東南亞。那時必須注意的是，在歐洲，由於教會的內部告發，各國從1840到1870年代，都決定禁止黑人奴隸貿易。與此同時，美國黑人勞動力市場也枯竭了，就某個側面而言，做為黑人奴隸勞動力的替代，印度亞大陸和中國人所謂的苦力在全世界範圍產生了。

您知道「苦力」這個詞的語源吧？苦力的漢字是個非常恰當的代用字，英語coolie的語源是北印度語的kuli。順便說一下，在南非，至今說起苦力，還是指印度人。以緬甸為界，它的西面是以印僑為中心，緬甸以東則華僑為多，就馬來半島的人口結構來說，印度系占約10％，華僑系為35％。在這裡，世界史在「苦力」方面連成一體，這是我的發想「框框」。

與此相比較，日本是後進資本主義國家，國內相對過剩人口多，不太需要外部勞動力，所以當初就沒有移入工人。在日朝鮮人的存在明確是「日韓合併」的結果吧！

姜：是啊！在近代史中出現了華僑問題，它具有全世界擴展的規模，我們朝鮮人海外僑胞，也在日本進行「合併」前後，具有了向世界擴展的規模。不僅在日朝鮮人，在中國的朝鮮族據說也有175萬，在蘇聯的中亞地區有50萬，在美國有70萬人。這樣的比較研究，也是今後的課題。

戴：包括中國、台灣在內的全體中國與近代日本的關係怎麼樣呢？構成在日中國人核心的是下列這樣一些人：「滿洲國」方面的逃亡者、汪精衛政權的亡命者、台灣舊殖民地時代協助日本者、國民黨到台灣後從內部出逃者，以及從戰前就以神戶為中心承擔台日貿易者等。因此，與東南亞華僑不同的是，出身苦力的勞動者階級幾乎可以說沒有。還有的一部分人是像我們兄弟一樣，原為地主的孩子，出來留學後就滯留在日本，以及一部分徵用工出身者。他們因為日本的年輕人被徵到「神風特攻隊」及「預科練」*，海軍工廠缺乏優質的工人，從而自台灣被帶到日本頂替日本工人。

姜：這叫海軍少年工吧。

戴：是的。好像也叫海軍工員。我想說的是，在日華僑是由意識形態而分的，因此絕非是一塊岩石。共同的只是他們都非苦力出身。另外，由於華僑人數少，日本勞動力的補充部分就朝鮮半島已足夠。在台灣有製糖業，島內需要勞動力，因而台灣人也未成為強制押送日本做勞力的對象。戰爭時，從大陸帶來距離近，而且也可以說是幾乎不用成本。

姜：與在日朝鮮人的形成稍有不同。因此，運動成為激進的可能性也小。

---

* 預料練習生的簡稱。

戴：與此同時，像東南亞那樣，做為中間者培育起來的華僑社會特殊性在日華僑社會中亦很少。

在美亞洲人的現狀

曹：這樣一比較，有許多特色，但在比較之前就決定答案的話，比較的意義也就失去了。

戴先生所說的亞洲系，特別是中國去美國，是代替黑人做為苦力去的。在苦力中，有許多人是獨身，而且和黑人在一起了。現在看上去像黑人的人中，也有陳君、黃君，只是連紀錄都沒有留下。

像這樣各種不同的背景，亞洲人做為中間者在美國社會中起了什麼作用，還有亞洲人為何謀求安定的專職，在亞洲人中，知識分子最近增加……。

姜：特別是戰後從韓國移民到美國的人中，許多是知識分子。

曹：是啊。菲律賓人也一樣，三分之二以上的人為大學畢業。我們看一下全部的美國亞洲人，32%是大學畢業者。而白人是17%。因此不能完全做比較，若能就事實本身比較的話，大概能比較客觀地看待問題吧。

最近，美國底特律城，一個陳姓中國人被錯當成日本人給殺了。被殺的理由，聽說是二名失業的白人，因汽車問題而反日情緒強烈。而且還發生多起老撾（寮國）來的難民，被當成日本人遭到毆打的事件。就美國人來看，他們是區分不出亞洲人的。

戴：是啊。在美國，中國人、日本人、朝鮮人都是一樣的。就這一點來說，今後日本人賺錢，我們被打的事情還會繼續。

曹：另外，韓國人經常說壞話，說是北朝鮮的官吏在何處做為外交官竊盜被抓。這樣一說，住在美國鄉下的人根本分不出南北，一律看不起朝鮮人了。這樣看來，形象是不能脫離祖國而存在的。

姜：對。亞洲系美國人參與政治，具體究竟有些什麼問題？

曹：先簡單介紹一下統計數字。現在美國的亞洲人數為370萬，占全人口的1.7%，這是根據1980年人口調查得到的數字。即使如此，這個數字也只體現了一半。為何呢？這裡，中國人是81萬，菲律賓人是78萬，日本人是71萬，印度人是38萬，朝鮮人是35萬。然而，一般來說平常在美朝鮮人為70萬，和在日本的數字大體相同。

另一個特徵是，亞洲人是所得最高的。白人一個家庭年收入為22,754美元，而亞洲人是23,453美元，約多700美元。而亞洲人對這個統計是不滿的，因為亞洲人普遍家庭成員多，勞動時間長，因此沒有多大落差。但是，因為從數字上看比白人高，所以，停止了以亞洲人為少數民族的特別對象贈與獎學金的制度。再看猶太人，他們比亞洲人所得更高。除去猶太人，一般白人的所得還要再減少。

戴：猶太人也被列入白人之中啊。

曹：當然。朝鮮人的所得在日本人、中國人之後，比菲律賓人稍高。另一個有趣的事是，亞洲系的人長壽。亞洲人平均壽命82.5歲，白人為74.2歲，黑人是69.9歲。

在選舉中，被選為聯邦議員的亞洲系美國人為21人，其中13人為日本人。成為市長的有16人，日本人占大部分。一般來說，與黑人相比較，亞洲系人對政治關心少。特別是中國人，對政治幾乎不關心，好像光搞經濟。日本人在白人居多的城市地區，也出政治家。白人中強於政治，弱於經濟的是愛爾蘭（Irish），相反的是猶太人。在美朝鮮人或許會成為愛爾蘭人（笑）。

姜：朝鮮人一聚在一起，談政治比經濟多得多，從韓國來的留學生和日本朋友喝酒，日本人總避開談政治，因而總感到有什麼欠缺。這大概就是民族性吧。

另一方面，中國人不管在美，還是在日，都對政治沒有關心，這究竟為何？

亞洲系美國人的政治參與

戴：關於這個問題，我認為有必要從幾個側面來加以分析。也就是說，中國有這樣的傳統說法：「好男不當兵」、「好鐵不打釘」。對政治也常常是採提防的姿態，直接參與政治，是不得了的事情。中國歷史本身也是如此，同時，政治問題太顯露，好像令人生懼。華僑本來就是中間者，一次也沒掌過主導權。因此，從漫長的中國歷史來看，沒有比搞政治更危險的。一般人總誤解，以為中國人厭惡政治，其實並非如此。其證據便是，在新加坡，中國人就認認真真在搞政治。只是他們不說自己是中國人，而說中國的新加坡人。馬來西亞也是「中國人」占35%，他們有自己的政黨。

就我來展開曹先生的話題，日本系美國人很多人參與政治的條件是，第一，戰後日美關係進入蜜月時期；第二，日系人士夏威夷第二代部隊宣誓忠於星條旗，在義大利戰線流血犧牲。因為美國是喜歡這一套的移民國家，這二點剛巧合在一起。

另一方面再看中國人，中國革命以後，杜勒斯（J. F. Dulles）長官對中南半島形勢鼓吹「多米諾理論」，這個理論的潛在意思何在呢？這就是東南亞有華僑，這個華僑是潛在的北京第五縱隊，將血緣關係在政治層面上無限地擴大，這就是多米諾理論具有的另一個側面。

姜：就是「多米諾骨牌理論」。

戴：是的。在這樣的狀況下，「紅色」中國又一直同美國對立。在麥卡錫主義下，在美中國人又怎能參加政治呢？不能參加。同國民黨一起幹也不例外，正如曹先生所說，就美國人來看，台灣和大陸中國都是中國人。正因為此種狀況，到1972年中美建交為止，在美華僑沒有參與政治。

然而，現在有新的動向。東部的小州——特拉華州（Delaware），中國系物理學家吳仙標博士競選副州長獲勝。現在，北京和華盛頓雖然有各種問題，但因發展著迄今沒有的，類似蜜月的關係，以其為背景，華僑得以參與政治。

曹：是的。剛才說中國人對參加政治的積極性很弱，但看一下舊金山的市區，中國人參與政治的積極性最高。在教育委員會也有許多中國人參加。我想就歷史而言，中國在相較於商業和事務之下，對官吏或者政治更關心。

戴：這都是以附著政權的形式參與的政治，奪取不到政權的非常狀況，是不能搞的。

曹：因此，不是說不關心政治，而在某種條件下，其關心就可能高漲。迄今不參加政治的理由已如戴先生所述。總而言之，歷盡艱辛世代的父母們總讓孩子長大了做醫生，成為有錢人，求得穩定的職業，遠離參加政治決定或有這方面影響的領域。不僅遠離政治問題的領域，也遠離社會問題方面的領域，因而，將來會怎麼樣，實在是個棘手的問題。

戴：就參與政治這一點來說，在美日本人和在美華人的一個不同點是，日系人基本是集團主義行動，這一習慣相當濃厚。另一方面，就傳統而言，中國人在資本主義還未完全成熟的情況下出國，資本主義體驗很淡，儘管如此，其個人主義習性比日本人強的多。在個人主義性質的，強烈自我主張的場合，在某種狀況，做為集團參與政治就比較困難。這就是說，日本人甚至在本國，儘管體驗了成熟的資本主義，但由資本主義所派生的市民之各種權力或者說個人主義，從總體而言，因日本的文化及價值體系而沒有進一步發展，至今集團主義的習性還濃厚地殘存著。我以為，在現階段，這一習性對他們在美國的參政而言，起到了正面的作用。

移民國家美國和日本

姜：據最新消息，美國的移民法改正已在下院獲得通過。關於這個問題，對美國的（外裔）特別是亞洲系人們之活動，影響是什麼？

曹：在移民法改正問題上，現在最認真的是墨西哥人。但在少數民族中所得最少的是原住民印地安人。接著是墨西哥人，再來就是黑人。而且，黑人與亞洲系人的差距是很大的。

姜：就我們在日朝鮮人的立場而言，在美國成為問題的參與政治本身，在日本是連被提出來討論的機會都沒有的狀況。即使是看移民修正法，現在已不僅是墨西哥人，從各地來的人都湧入美國，所謂「非法入國者」已有600萬人。根據這次改正案，對於1982年1月以前入國的人給予永久居住權，對這以後入國的人，則對其雇主課以罰金，以此來加以抑制。

其實，聽說在日朝鮮人中也有非法入國者，其潛在人口超過10萬。這些人處於很困難的立場，比如孩子不能就學，要將其做為人家的養子使其入學。或者在交通事故中自己是被害者，也因害怕警察知道而逃遁。就此來看，這個移民法修正儘管有許多問題，對我們來說則是相當羨慕的。

戴：在美國建國二百多年的歷史中，與其受容力相比較，可說沒有歷史的包袱。因此，常有一種應付時效的處理，幾年前的入國者被承認等。從總體來說，我認為這還是有利的一面。然而，日本則不同，即使對漁船難民的處理方法亦是不同的。

曹：在美國，給予永久居住權就成了美國國民，如果在美國住五年，就被給予市民權，也能成為國民。就是在取得市民權和居住權之前，社會保障是不成問題的。一般美國人的想法是，亞洲人全部歸化，得到永久居住權也沒有關係，因為亞洲人是模範少數民族。但是幾百萬的墨西哥人非法居住著，其大部分是社會保障的對象，而且至今還每年有百萬人左右祕密入國。因此，這樣的話題一出來，總是要與亞洲人比較，這就是，以對亞洲人的歡迎來對墨西哥人加以譴責。

戴：這個問題這樣考慮是否妥當。即對墨西哥人來說，加利福尼亞（California）和德克薩斯（Texas）究竟是什麼的問題。如果忘了這就是他們過去的領土，則很不好。

曹：一個有趣的話題。現在不是正在說非法移民多嗎？那麼，美國的原住民「是非法人？大家都是非法人」、「由非法人判斷是否為非法人？這實在令人奇怪」。

戴：回到原點是這麼一回事。我認為其中最大的問題是關係到這一點，怎樣考慮美國和墨西哥人之間的加利福尼亞、德克薩斯、亞歷桑那（Arizona），怎麼考慮過去遺留的歷史問題以及做為歷史的現在和未來？決定性的一點是，只要墨西哥經濟生活的水平不提高，偷入境就會繼續，從而無法根本解決。與此同時，支撐德克薩斯、加利福尼亞、亞歷桑那農業的低工資工人群正是這些墨西哥偷入境者。因為是偷入者，所以沒有最低工資法的保障。我們不要忽視，正是存在著看穿這一點，而對他們的勞動加以剝削的白人經營者群。

曹：我想附加一點，墨西哥人來美國引進低工資勞動，這和戰前朝鮮人來日本勞動很多地方相似。這和今後的課題來看，美國的一部分學者這樣認為：美國經濟不那麼依賴低工資也可以。然而，根本性的問題不僅是美國，只要墨西哥經濟水準低的話，就是幾十萬軍隊守國境也守不住。這就是說，世界經濟，特別是在相鄰近的國家之間，具有互相依存性。必須以這一點來尋求根本解決的方法。

就日本來說，現在比較難的是，與美國多元性這一條件相反，日本過分地強調同一化、單一化。在這個意義上，日本的國際化有必要認定多元性的條件。

戴：在這一點來說，日本最近也開始允許，歸化後保留民族名字。這就明確表示日本社會共有了異分子的存在及多元的存在。由此，其做為日本社會內部國際化的incentive（刺激）而得以發揮作用，我很願意善意地認為，即由此，日本社會中將逐漸出現真正的與日本人國際化相結合的想法。入國管理的行政也真的改變了。我期待著日本法務省能否更接近國際性的感覺，再向應有的國際化相符合的入國行政管理前進一步。

姜：我以為，這次國籍法和戶籍法的改正，在某種意義上是產生了向前發展的突破口。

曹：在這方面，我想，美國的人權問題和少數民族運動是對日本產生了影響。因為我經常在加以比較。

在日本的人們似乎覺得這個日本社會沒有進步。但是，在美國的我幾次來日本，覺得法律方面也正在產生著變化。

姜：不，有相當大的前進（笑）。

戴：對在日朝鮮人運動的成果我是感佩的，此外，日本人也終於在內部承認了多元的存在，並通過將其built-in（嵌入），而能逐漸認為可以該使自己的未來更為豐富，1970年提出的《入國管理法》和最近的《入國管理法》之改變，為什麼其態度會這樣改變呢？這根本的是，日本資本主義不得不國際化來因應的新情況促進了上述改善。因此，我認為，我們如何呼籲來自朝鮮半島人們之人道上的問題，並如何加以解決，這是重要的課題。並且，我們有必要研究以後應怎樣主張。

最後要說的是，有一部分日本人認為，維持朝鮮半島的分裂，維護台灣海峽的分裂是有利的。然而，只要朝鮮半島繼續政局不穩，那麼，就像墨西哥人潛入美國一樣，朝鮮半島也必定有人潛入日本。台灣和中國大陸如能緩和富強的話，又有什麼必要從自己的國家跑到人家那兒去呢？我想強調的是，利用鄰居內部的吵架，即使自己成了有錢人，也無法高枕無憂。

曹：完全是這樣。我想對日本說的是，為了日本本身的和平和經濟穩定，如果長期考慮的話，應該顧及全體朝鮮半島，不要只傾向一方，而且，朝鮮的統一和安定，對日本也是有利的。

姜：我認為，以後還必須創造條件，大講特講亞洲應有的狀態。今天對戴曹二位深表感謝！

本文原刊於《季刊三千里》第40號，東京：三千里社，1984年6月29日，頁108～120

日帝統治下的台灣和朝鮮

——與姜在彥先生對談於日本東京

時間：1984年12月25日

地點：日本東京

對談：姜在彥（花園大學教授）

戴國煇（立教大學教授）

編按：本文為日本《季刊三千里》雜誌社在1985年2月1日登出的對談。姜在彥先生為日本花園大學教授兼《季刊三千里》雜誌的編輯委員。

姜在彥（以下簡稱姜）：今晚是聖誕節，過了年就是1985年了，馬上就是日本敗戰後，對我們來言將是光復40周年了。本期我們的雜誌準備編「日本的戰後責任和亞洲」的特刊號。日帝對台灣、朝鮮的殖民地統治乃是日本對亞洲侵略的起點。其問題究竟如何，今天我們決定並希望毫無顧忌地提出意見來。

我因為對台灣不甚了解，所以為了今天的對談，我在新幹線的電車中讀了戴先生寫的《日本人與亞洲》（新人物往來社）和《新亞洲的構圖》（現代教養文庫）。這兩本書切切實實迫使我們去考慮許多問題，比如，戴先生在書中主張就日本與亞洲的關係來說，非得將台灣當為其原點來探討與思考不可。但我們朝鮮人卻有一個強烈的傾向，即認為：在日本與亞洲的關係上，無論如何都要將朝鮮當作中心來考慮一切。為什麼非要以台灣為原點來看日本和亞洲的關係呢？我想，我們就從這兒談起吧。

戴國煇（以下簡稱戴）：我從1960年代後半，開始在日本發表了些批判日本現狀的各種意見。那個時期恰好被說成是日本的「戰後」已結束的時期，日本再次準備大規模地回歸亞洲的動向日趨明顯。

對此「回歸」，我認為做為一個亞洲人，從亞洲的角度來對這個問題好好地發言是很恰當的。這是因為在我內心深處有著一種受日本軍國主義侵略的被害者意識，同時也有著「共犯者」的側面，雖然只是從犯性質的犯罪意識（因為我生在地主小康家庭，在某種意義上是具備有買辦性格的家庭。因而，必然地不得不被逼著帶有共犯者的一個側面）。另外，因為我自小就酷愛歷史，一直在思考著，為什麼中國晚清的洋務運動和戊戌變法的維新運動都沒有成功，而日本的明治維新以及隨之而來的西洋化運動都獲得了成功？為什麼那麼大的中華帝國會這麼脆弱地被打垮？這些「自問」形成了如下般探討問題的視角。即：要全盤地探討和掌握歐、美、日諸列強對中國的侵略有關問題時，應該包含檢討與分析自己內部的「腐敗架構」，當年的官僚體制和它主要承擔者的社會性格、晚清的政治、社會、經濟結構等方面的問題。還得把這些有機地關聯起來整理與思考，才能見效。如果我們只是作些表面文章，只從被害者的自怨自艾或是自輕自賤的角度來看和日本的關係，那只能一直停留在充滿仇恨的低層次階段或不能自立的階段，將是非生產性的思維，更可以說那只是落後，坐等挨打的毫無成果態度。我們應該先把日本和日本人對象化，並冷靜地重新問一下自己：對我們來說，日本和日本人究竟是怎麼回事？我們如何站在我們自己的民族立場來把它定位好，以資我們民族重新出發的基點。我本人就是一直如此般地沉思及捫心自問的。

姜：這個問題對我們朝鮮人來說亦是共同的課題。本雜誌前一期是「朝鮮的近代（化）和甲申政變」專輯。我認為，甲申政變從某個方面來說就像是清朝的戊戌變法。戊戌變法100天失敗了，而我們的甲申政變（1884年）亦在短短三天就破局。不管怎樣，我們一樣地正面臨這樣的時期，也就是說我們也須把它相對化，然後來探討日本近代化為何能順利進行，而我們卻失敗了的種種原因和它有相關的一些問題。

戴：另外重要的一件事就是，近代日本第一次出兵海外的對象便是台灣。如果僅僅說那是單純的被欺凌，那就失之過簡了。不妨藉當時亞洲的狀況來一併思考，我們易可窺知所謂「征台」事件，則與二個方面有關聯。一是日本的內政——即伴隨著天皇制國家的成立，明治政府迫切需要確定它的國境。國境確定作業在西南角的部分當然是關係到琉球列島也就與「琉球處分」具有一脈相承的密切關係。「琉球處分」是日本用與其當年國力相符合的方法巧妙地把琉球的兩屬關係（一屬於對清朝，另則屬於薩摩藩朝貢的雙重關係）中切斷與清朝的關係，將其完全變為日本之領土的一項政治行動。它的具體內容卻是把琉球王引誘到江戶城並把他架空編入華族（貴族）之列，再把琉球王國改制為沖繩縣納入明治政府的版圖中。但日本政府當年沒有把握透過軍事力量或外交途徑事前讓清朝當局接受其「琉球處分」。正在困境時，從薩摩傳來信息，說是琉球官民因受風災漂流到南部台灣，遭到了台灣南部「蕃人」的殺害。廟堂裡不欠「聰明人」，有人竟主張藉此口實出兵台灣征伐「生蕃」，一方面藉而主張琉球官民係他們的國人，從而迫使清朝承認琉球為其版圖。事實上，日本的作戰是很巧妙的，它特別注意不直接遭遇清朝的官兵和漢族系台灣住民。而一直很「堂皇」的主張日本的出兵完全在於征討你們清朝的化外之民的「蕃人」，教清朝奈何它不得。就這樣，1874年的台灣出兵便給了1879年的「琉球處分」開了方便之大門。除了「琉球處分」以外，我們還有必要重新綜合和有機地抓住上述事件在前階段和「征韓論」的關係，及以後和明治政府的中央內部權力鬥爭，以及有關初期明治政府政局的穩定趨向的關係。

最後一點，眾所周知，日本資本主義最先奪到的殖民地是台灣。明治政府於1895年開始在台灣實施他們的殖民地統治。日本把這一實驗結果用於朝鮮，並擴大到南洋群島、「滿洲」國去。當然，相反地有時亦把在朝鮮半島的經驗搬來台灣或中國東北三省去應用。因而我便說台灣是近代日本對外侵略的原點。

姜：確實如此。日本有針對朝鮮的「征韓論」，而在江華島事件發生的1875年的前一年，出兵台灣，而且同朝鮮相比，台灣淪為殖民地的歷史早了15年。這就是說，日本與亞洲的關係是從台灣起步的，然後發展到朝鮮和中國大陸。

戴：但是，即使是現在，不知為何對近代日本、亞洲關係史懷有關心的日本人，不管在學界或輿論界仍然對台灣少有留意，常跳越過台灣而直奔去沖繩，接著直接關心到朝鮮半島，然後再往中國大陸去，台灣卻被撇下不被當作歷史研究或考慮的對象，真奇怪。

姜：這是一個普遍存在的問題。如何總結戰後40年，在日本人方面很成為問題，但關於殖民地統治的歷史問題，在日本則仍是曖昧模糊，沒有被充分認識。至今這個問題仍未被整理、探討和定位。日本先是與台灣發生殖民關係，接著是朝鮮，然後伸手至中國東北地方。這些關係仍未被整理清楚是憾事。我們加害或被害的任一方，都迫切需要彼此能共同接受的史學判定和解釋。

戴：與此相關聯，我認為最該負起責任的是「台灣人知識階層」。一般來言，在台灣能用日文寫文章，能用日語講話，即具有能與日本人對話的人們，是屬於中產以上階級的知識分子，當然，包括我家兄弟們在內的50歲以上的人們。這些台灣知識分子通常不大批判日本人的台灣統治，有時還為了某些小便宜而甚至於有討好，說些懷舊之情者亦有。在某種意義上，中產以上階級的我的台籍鄉親們，不管他的主觀意識為何，客觀上他都曾經被套進殖民地體制的架構中，扮演過從犯的角色。除非他積極地展開了抗日運動外。

關於共犯架構的涵義在後面我還會詳述。被日帝殖民以前的台灣可說是中國大陸中原政權的國內殖民地，也就是邊陲之地。而且台灣還有少數民族的存在。但就我所知，在朝鮮半島卻找不著少數民族，真有意思。

姜：我在讀台灣史時發現，台灣有高山族系台灣人和客家、閩南出身的漢族系台灣人之區分。日本人好像巧妙地利用了這一點，進行了分割統治（divide and rule）的政策。

戴：確實如此，這些不同系統的當今成為「台灣人」的人群當年彼此間的風俗習慣有異，同時互相間在語言上亦不通。戶口造冊上，日本統治者當然又把它的相異盡量利用上，再把它加以分類並記載在戶籍簿的。

姜：這就是與日本在朝鮮的殖民統治不同之處。對日本來說，在某種方面，對朝鮮的統治更為困難。

戴：對，因在沒有少數民族的朝鮮半島難於施展「分而治之」政策的緣故。

關於這一點，我還有另一個看法。在朝鮮是整個國家被吞併且殖民地化，故而引起的抵抗強烈。但是，台灣卻是利用台灣海峽從大陸被隔離的南海孤島，單獨地被殖民地化，而且台灣居民亦有不同的部落、不同的民族，甚而有不同的語言，因而被分而治之，使不同部落、民族處於互相反目的狀態下，我們台民甚難團結一致來抗日。團結以前易於被分化。另一個是，抗日領導層有一個對岸「大陸」的逃難所，隨時都能避風及逃避。我認為這就大大限制了在台抗日運動的發展。

而且，因為台灣的寄生地主階級之形成，是在日本侵略之前已達到相當程度。所以台灣幾乎看不到像朝鮮那樣，日本人地主進入了鄉村部落進行直接統治和剝削農民。日本人地主若是要如朝鮮一樣地進入台灣的鄉村部落，就必須將原來的地主都得殺光。這就是說，台灣的寄生地主制已相當根深柢固，換句話說，中產階級層很厚實，初期日本人雖然想如此般做，但阻力太大，不得不在後藤新平的巧妙政策開展，不但不把既存地主殺光，還把他們重編納入他們的統治體系中，並動員大地主們的資金開辦了糖業公司來促進在台的殖民地經濟型的開發。在此情況下，中產階級本身也沾上了殖民地統治體系的邊，獲得一小部分的殖民地統治利潤的「殘渣」。

另外，在台灣，依靠殖民地統治型的「經濟發展」是以可見的形式出現的。一方面台灣有製糖工業，另一方面種植甘蔗和種植稻穀是採取連鎖制度，當然，僱用勞動者的機會增加了。因此，在台灣儘管有共產黨，但其階級基礎相對來說是微小薄弱的。

即使就戰後與朝鮮的情況相比較，在南北朝鮮，儘管意識形態不同，但雙方在從殖民地體制下解放出來的民族大義上的出發點卻是相同的。與此相反，台灣和大陸是在被分割的狀況下被殖民地化或半殖民地化，在50年的漫長時間中，不僅阻礙了實質上趨向中華民族「一體感」的形成，而且也產生了以台灣海峽為中心的人為的隔離政策之結果，因而在出發點上大陸和台灣的步伐是不一致的，這不僅在意識形態，在對日本的感覺上也有相當大的分歧和距離。因此，台灣與朝鮮相比，各自的「狀況」是截然不同的。

大米和甘蔗

姜：在台灣，日本人地主沒有形成，但朝鮮如何呢？我們看一下明治時期的朝日貿易，以朝鮮輸往日本的主要是大米和大豆，即是糧食。因此，日本為了確保農地以及將日本的農民移民到朝鮮，創辦了「東洋拓殖株式會社」。那就是殖民。但是以後，日本覺得，與其移民，還不如讓朝鮮人做佃農，向他們收取佃租更合算。這樣，日本地主開始直接進入朝鮮肥沃的糧食產地。不用說，當時也有朝鮮地主。但就其有100町步以上土地的大地主來說，產生了朝鮮佃農和日本地主的關係，愈是穀倉地帶，其關係就愈是強大。

戴：在朝鮮成立了「東拓」，但在台灣畢竟沒有「東拓」的存在。

姜：但在台灣，主要的貿易品也是大米和甘蔗及其製品砂糖吧。台灣的米和日本的米不同嗎？

戴：不同。因此，朝鮮人都成了受害者。朝鮮的大米是日本種（japonica），而台灣則是印度種（indica）為主流。

姜：這就是說，日本人想要的不是台灣米，而是朝鮮的大米。

戴：從嗜好來說確實如此。說起來在長江三角洲即有印度種，又有日本種，但其北上以後，即從山東省傳到朝鮮半島時，印度種就逐漸消失了。與此相反，不知何種原因，傳到台灣並存留下來的只是印度種。另外，即使是同樣的大米，從吃法來看也是完全不同的。同日本人相比，漢民族一般吃油脂部分多的副食，所以，日本種的大米會產生胃腸不好消化。因此，在台灣，一般都吃印度種的大米。

姜：日本通常是一個糧食不足的國家。因此，它就盯住了朝鮮的農業，朝鮮有合日本人嗜好的大米和可做醬湯的大豆。

戴：但是，在這之後更有趣事。在日本的「米騷動」發生前（1918年），在台灣也能生產新品種的「蓬萊米」。那是日本種的。生產是能夠生產了，但因為存在著保護日本國內農業的問題，在台灣不能積極地種植蓬萊米。後來，「米騷動」發生了，慌亂中為了將米轉移入日本，就種植起日本種的大米。漸漸地，佃農種植的比率傾向於日本種，生產性亦提高，於是，在保護日本農業方面，將專賣制度擴大到大米。當然，這一點遭到反對最終失敗了。

姜：這做為殖民地掠奪中大米的問題，是很重要的。但是，我們反過來考慮一下，因為台灣的大米種類不同，所以在將其變作殖民地的意義上說，台灣對於明治初期的日本並沒有多大魅力，是嗎？

戴：台灣是砂糖。正好當時處於國內統一市場形成，國民經濟逐漸成熟的階段，所以國內的甘蔗種植地（當時到靜岡為止都種甘蔗）崩潰了，生產的北限在國際競爭的壓力下南下。最後，甘蔗種植只剩下西南諸島和沖繩列島。這就是說，隨著日本人口的增加，大米的需要亦增加，而且生活水平提高，農業技術發展，甘蔗地都變成了稻田。同時，日本開始了替代進口工業，這就必須從外國購入設備。譬如在1893年，為了進口砂糖而支付的外幣超過3,000萬日圓，這是一個極重的負擔。所以，如能從台灣掠取到砂糖，那麼為進口砂糖而支付的那部分外匯就可以轉到購買設備上去。台灣殖民統治的另一個有利點，就是可以用台灣產的樟腦和烏龍茶換取外匯。

姜：就朝鮮來看，從1920年代開始執行產米增殖計畫，但其目的仍是為了節約因買進口米所耗費的外匯。與日本統治階層盡量謀求在日本國內和殖民地朝鮮達到大米的自給自足一樣，為了節約外匯，他們從台灣掠取砂糖、樟腦和烏龍茶。

戴：因為樟腦在日本國內也能生產，所以主要將其用於出口。樟腦既可成為賽璐璐的原料，也可成為火藥的原料。樟腦說起來還和毛織物有關係，在當時世界工廠英國的蘭開斯特（Lancaster）與毛織物有關的紡織產業發展起來後，為防蟲蛀，以樟腦當防蟲劑是十分必需的。而樟腦的重要供產地是日本和台灣。而在日本，樟木逐漸減少，台灣山地則殘存著許多樟木的原始森林、處女林。

姜：製作樟腦的是高山族嗎？

戴：不，主要是漢族系統的台灣人。在日本人來台灣之前，他們已經開始製作樟腦，而美國等外國商販則來台灣採購。

姜：日本人自然也注意到了。於是它一面在朝鮮掠奪土地，以求彌補日本國內糧食之不足並節約外匯，採取了將糧食直接運回國內的辦法；但在台灣，則通過向國外出口樟腦和烏龍茶等，來積極地謀求取得外匯。

戴：做為日本國內相對過剩人口的排遣地，朝鮮是被怎麼考慮的？

姜：開始是做為移民政策來考慮的。

戴：是因為距離近的原因嗎？

姜：不但近，而且氣候、風土也相似。另外，日本想在朝鮮建立基地，然後向「滿洲」和中國侵略。但正如剛才已說，日本人成了地主，而把朝鮮人做為佃農而使喚。因為收取五成到七成的佃租更能獲利。由此，掠奪佃農的高地稅是初期總督府財政的最大財源。

殖民地的專賣制度

戴：這是財政上的問題。朝鮮的殖民地專賣制度究竟如何？

姜：酒、菸草、人參、鹽成了專賣，其在朝鮮總督府歲入中所占的比例很大，比如，1916年租稅收入中，地稅是53.3%，鹽稅是27%，酒稅是4%。在1930年，專賣收入等的官業收入（包含鐵道收入）占了歲收入的50%。

戴：在台灣，以1897年的鴉片專賣開始，先後有鹽、鹽滷汁、樟腦、菸草、酒、石油、酒精、火柴、度量衡等十類。

姜：那都是為了增加總督府財政的收入。

戴：自然是。在台灣，專賣收入在全部歲入總常費部所占的比例，第一年是30%弱，以後是40%多，在1945年度預算案中接近50%。同年度的專賣差益，即專賣收入和支出的差被估計為190%。這個所謂專賣差益實質上與消費稅的附加完全一樣，但這是由誰負擔呢？

姜：當然是大眾負擔了。

戴：是啊！譬如在戰爭結束時的台灣總人口600萬人中，在台日本人只有40萬。這就是說，560萬的台灣人要承擔這部分負擔。

姜：鹽是一個能左右人生死的東西啊！

戴：正因為如此，它可以附加稅金來專賣。與此同樣重要的是，殖民地中的專賣事業是做為壓制我們被統治方的民族資本的創立、形成、發展的機制來運作的。

姜：擴大專賣領域也正是為了不使民族資本進入那個領域。

戴：因此，民族資本無法成長起來。專賣就是壟斷出售和生產。另一個是，在鴉片專賣和酒的專賣中，給指名銷售的人許可證，即通過許可證制度來懷柔有關人士，或者當日本警察被游擊隊打死。漢族系台灣人成為日本人走狗被游擊隊打死，其遺族通過這許可證來保障生活，從這點來看，許可制有加強殖民地體制的意義。

姜：在朝鮮，沒有這種意義上的許可制度。比如，濁酒的製造權在朝鮮人，但其他一切權力包括銷售都屬於日本人。

戴：如果我們來比較一下專賣制度，那麼，鴉片所具有的意義和朝鮮人參所具有的意義好像是完全不同的。朝鮮人參雖然被控制得很嚴，但鴉片不但以輸入原料到在製藥廠生產加工的過程被嚴格壟斷，與此同時，還以隨心所欲的價錢壟斷銷售。

姜：我還沒那麼深度地思考過專賣制度。

戴：用一句話來表示，這樣的殖民地專賣與日本國內的專賣是截然不同的。

「台灣民主國」和鴉片

姜：讓我們改變一下視角。我讀了《日本人與亞洲》一書之後才知道，台灣殖民化後，立即就有了企圖建立「台灣民主國」

的起義。

戴：我開始也覺得不可思議，為什麼會產生「共和制」的思想，因當台灣統治者也是很腐敗的清朝官吏，帶著這種想法我查閱了資料，結果在這些人中發現有一個人是從巴黎回來的。他就是羅曼・羅蘭（Romain Rolland）的知己陳季同。他做為清朝官吏被派遣到台灣，在日本占領台灣時，創立了「台灣民主國」。就清朝人的傳統思想來說，背叛國家是要被斬首的。所以，他就將台灣民主國的年號定為「永清」，即「清朝永久」的意思。

姜：這就是說，在建立台灣民主國的同時，還保留著和清朝的宗屬關係。

戴：他們想巧妙地將列強捲進來，使其干涉日本對台灣的介入，造成像歸還遼東半島那樣的局面，從而能不割讓國土。我認為，在這個台灣民主國中有二個指導勢力的二種思想在起作用。一是開明的清朝官吏認為台灣被日本這樣的「小國」霸占是一種屈辱，因此想用錢來解決問題，不使台灣被割讓。而對法國來說，要確保中南半島的「穩定」，台灣被日本割讓是很不利的，所以清朝想利用這一點。

另一方面，我們的祖先——在大陸無法溫飽而渡海到台灣的漢人一邊與高山族「戰鬥」（內容是侵略），一邊辛苦勞作，好不容易成為開拓地主或自耕農，但就在這時，日本侵略台灣，這二種領導勢力形成中心，創立了統一戰線，誕生了台灣民主國的抵抗軍。

姜：這個運動是怎樣展開的？

戴：就結局來說，因為法國等列強撒手，原來的設想落空了。儘管如此，開拓地主、自耕農和一般民眾的統一戰線的那部分力量一直戰鬥到最後，然後被分離瓦解了。其分離瓦解手段之一就是鴉片政策。

姜：這和鴉片又有什麼關係呢？

戴：能夠吸鴉片的只是有錢人，鴉片之吸法有二種。一種是有錢人吸鴉片享受；另一種是做為瘧疾等傳染病的麻醉性對症療法，或者是一時解脫重體力勞動者肉體痛苦的「藥」而使用的，這種情況下是使用鴉片的渣的部分。

姜：這麼說來，在朝鮮，肚子疼時亦使用鴉片。

戴：但是，這個鴉片對日本人來說是相當恐懼的東西。比如我們讀一下大佛次郎寫的《鴉片戰爭》〔《阿片戦争》〕一書，此書認為當時（1840年）正是由於鴉片才致使大清帝國崩潰。如果日本人吸了鴉片會怎麼樣呢？其實，在《馬關條約》（1895年）交涉中，李鴻章經常威脅日本說，如果占領台灣，鴉片就要傳入日本，因為台灣人抽鴉片。對此，伊藤博文說，我們會想辦法的。這就是說，日本如果把台灣變成殖民地的話，打算採取絕對禁止鴉片的政策。

你想一想，如果已經上癮的人一旦被禁止抽鴉片，他們會怎麼反應呢？

姜：當然是拚命抵抗。

戴：是的。因為會產生禁斷症狀。開始時，日本發布了禁止令。衛生局長後藤新平也持絕對禁止論。但當他與兒玉總督配合，就任總督府民政局長時，態度一變，採取了漸禁政策。即正式是採取吸飲許可制，但徐徐予以禁止。

姜：以此來削弱抵抗的力量。

戴：即拉拔有錢人，來分裂統一戰線。

姜：這也正因為是後藤新平，才能採取此策吧！

戴：他曾去德國留學獲得博士頭銜。但並非是醫學方面，而是做為公眾衛生、醫學行政部門的研究而獲得學位的。本來，他是一個想進東京帝大法科大學，具有政治家志向的男子。他在《馬關條約》締結前後時正逢任內務省衛生局長。被諮詢時，他說，如不禁鴉片，則危及日本。但他去台灣當地一看，並非那麼危險，而發現要一口氣禁絕是不可能的。

姜：確實如此。如果嚴禁，並非無理，但會遭到生理性的抵抗。

戴：因此，最初的統一戰線有上下一致，共同反日抗日的基礎。在後藤新平做為民政局長到台灣赴任之前，台灣派遣軍司令之一，當時正在征伐台南的乃木希典（以後成為第三任台灣總督）留下了一封有趣的信：

> 恐察之台灣施政亦誠皆不痛快之事而已。人民謀反亦不無理，如乞丐得馬，不能飼養、不能乘騎，終致被咬被踢令人惱怒之結果，貽笑世間，深感慚愧。今後混亂越發相加間……。（致吉田庫三，明治29年1月30日）

即乃木希典致吉田賢吉之信。

這裡的「乞丐」當然是指日本人，「馬」則是指抗日統一戰線，即台灣的游擊隊。在這同時，日本國內出現了「出賣台灣論」，出於無奈，後藤新平、兒玉源太郎搭檔做為代打的人被派遣到台灣。

姜：抗日游擊隊消聲匿跡大概在什麼時候？

戴：漢族系統台灣人組織的最後一次起義是1915年的西來庵事件。

姜：那就和朝鮮義兵差不多時候了。1905年朝鮮成為日本的保護國，對此義兵鬥爭發起，這一鬥爭直到1914、1915年結束。

戴：兒玉源太郎和後藤新平建起了豪華的台灣總督府和總督官邸，在那裡舉行漢詩會和吟詩會，還有「饗老典」，即召集有代表性的老人舉行酒宴，給他們點心錢，以示敬老之意，更有給與某種「紳章」、「勳章」，以籠絡和懷柔他們。後藤新平的殺手鐧就是反抓住中國傳統士大夫的弱點，諸如意志不堅強、虛偽性、愛面子、貪錢、鴉片癮等，來使他們就範。

姜：這就是戴教授一開始說的，能寫東西的人被收買了。

戴：另一方面，在一些有心的知識分子中，有人看到腐敗透頂的大陸，認為如不設法使中國大陸的革命先成功，則台灣之抗日也是軟弱的。其地方也小，不會有很大成果。因此，迂迴大陸的「曲線救台胞」產生了。

姜：在朝鮮，從1920年代開始，文人被逐漸收買，從1930年後半期起，收買達到高峰，那正是中日戰爭開始的皇民化政策的時代。

戴：那是因為你們朝鮮人堅強啊！（笑）

姜：並非如此。不管怎樣，我覺得，在台灣殖民統治中，在籠絡當地上層分子方面，鴉片政策是一個關鍵。因為它遇到的不是思想上的抵抗，而是生理上的抵抗。正因為看到了這一點，日本當局採取了懷柔政策。台灣的統治方法是徹底的收買和分裂政策。

朝鮮總督和台灣總督

姜：台灣總督府的總督中，文官出身者很多吧！

戴：朝鮮總督盡是陸軍，統治很殘暴，所以朝鮮的抵抗也激烈。而台灣則是海軍占優勢——有這麼一種通俗的說法。但實際上海軍出身的總督只有三人：第一任總督樺山資紀、盧溝橋事變（1937年）前一任上任的小林躋造、1940年上任的長谷川清。其中，樺山是從陸軍轉到海軍的軍人，其成為台灣總督是因為他在1874年出兵台灣前後積累了諜報活動的經驗。他之後的台灣總督一直是陸軍。1919年上任的田健次郎是第一個文官總督。

姜：田某雖然是文官，但是警察出身吧。

戴：這一文官總督的出現是同朝鮮的「三一運動」、中國的五四運動有關聯的人事變動。但在這之前，台灣發生了很大的武裝鬥爭。剛才說的1915年的西來庵事件，甚至發生了一個村子被毀滅的大屠殺。因此，台灣的武裝抗日游擊隊消聲匿跡了，並轉變為文化運動。結果，「山」的人們起來了。

姜：所謂「山」是指高山族吧。

戴：山的資源是很豐富的。靖國神社、大鳥井的檜木也都是從台灣運來的。我們的祖先，也就是以大陸到台灣的漢族系開拓農民及地主也曾經整過「山」的人們。只是，日本人更大規模地幹了。

姜：朝鮮也有「森林令」。即使要從山裡取得暖氣用不可缺的木炭和乾柴，也不能隨便進入山裡。

戴：台灣在這之前就將森林國有化了。但是，在我們平原的土地上，寄生地主制也相當成熟，日本人即使奪取這土地也相當困難。

姜：台灣在西來庵事件之後就採取了文官總督制。朝鮮則在三一運動後規定，文官亦能成為總督。儘管如此，文官一次也沒有成為總督過。全部總督都是陸軍大將，只有一人例外，這就是三一運動後在八月後就任總督的海軍大將齋藤實。在台灣，針對西來庵事件採取了文官政治，在朝鮮，想要模仿台灣採取文官政治的是否就是1920年代的「文化政治」。

戴：這二者幾乎是同時進行的。我認為其原因有第一次世界大戰及俄國革命之世界思潮的影響。在台灣，繼文官總督之後，1936年9月海軍預備役的小林躋造就任總督。這時日本的目標已相當膨大。在大陸的戰爭已經徐徐擴大至滿洲事變、上海事變，不久勢必將波及到華南。台灣和華南的關係，即南侵的課題產生了，海軍再次登台。

姜：這就是說，要將台灣海軍基地化。

戴：是的。這樣幹了四年後，海軍現役的長谷川清大將繼任總督。

姜：但是，乍一看，除了乃木希典、兒玉源太郎之外，有名的人物並沒有。

戴：是的，朝鮮則完全不同。第一任統監是伊藤博文，第一任總督是寺內正毅，朝鮮統治由此開始。

姜：從這一點來看，可以說是因為在台灣，懷柔政策取得了成功。

戴：我認為並不僅如此。朝鮮畢竟是「合併」，而台灣則是局部殖民地化。在法律的形式上也是不同的。另外，日本人統治前的台灣是福建少數有錢人和我們窮人的國內殖民地之開拓地。把我們祖先做為開拓要員僱用的有錢人都在大陸建造了本家或本宅。在日本人進入台灣前後早就逃往大陸。比如，台灣第一大財團——林本源家當時的當家人林維源在香港和上海的銀行存了二、三百萬日圓。後藤新平在台灣建立台灣製糖公司時，曾派遣竹越與三郎說服林某出資。台灣是常有大陸的所謂「避難所」。而朝鮮是整個與日本發生衝突。

姜：朝鮮難以就範。

戴：因為朝鮮是整個國家被殖民地化。但仍要對付全國的抵抗力量。連日本庸俗的馬克思主義者都說，台灣的殖民統治是以開明的海軍為中心的，所以遇到的抵抗少，統治得以順利進行。但問題是日本政府是一統的，那為什麼在台灣能順利統治，而在朝鮮就做不到同樣的事情呢？因為殖民地統治經常是綜合性的問題，在考察統治者作法的同時，也要考察被統治者方面所存在的主體的、客觀的諸條件。如不綜合地抓住這二方面的特點，當然就無法理解殖民地問題。事實上，日本對自己統治的對象——朝鮮和台灣，都各自做了調查、研究。然後制定政策加以實施。我們絕不能無視上述情況，製造後藤新平＝孫悟空的所謂「後藤神話」。

姜：確是如此。如果我們看一下台灣的歷史，異民族的西班牙、荷蘭進入過台灣，或者中國大陸也進入過台灣。而朝鮮則有史以來沒有過異民族的統治王朝。這是第一次，而且正是被鄰國日本所統治。

戴：而且是被一個曾經照顧過的弟弟統治（笑）。

姜：民族的自尊被狠狠地傷害了。

戴：整「老師」或者「哥哥」是從根本上違悖傳統的孔子之教導及儒教倫理的。

姜：明治10年代，進入朝鮮的參謀本部密探，徹底調查了文祿、慶長之役的舊戰場址。在1592年4月在朝鮮登陸的日本軍隊於同年6月進入平壤，但再也無法繼續前進。而且，在釜山囤集了三萬石糧食，卻不能輸送到前線。因此在漢城的軍隊司令官宇喜多秀家只能吃小米粥。與此同時，在日軍的後方，各地的義兵抵抗相當強烈。參謀本部對上述情況做了詳盡研究。不僅如此，德富蘇峰當時指導剛創刊的總督府機關報《京城日報》，他經常去朝鮮收集文獻。他這樣說：「在朝鮮，文祿、慶長的舊戰場有許多紀念碑、傳說及與此有關的各種書籍，即使想要消除這些紀念物也都無法著手。這真是件頭疼的事情。」這就是說，不管日本人怎麼說「一視同仁」，豐臣秀吉留下的痕跡就是向朝鮮人灌輸抗日思想的好教材。德富蘇峰由此發出悲歎。朝鮮抵抗的方法或許同台灣是不同的。

朝鮮神宮和台灣神宮

姜：聽說在台灣有台灣神宮；在朝鮮，1925年，即「文化政治」時代，朝鮮神宮出現了。「文化政治」有二個側面，一個是稍微柔和一下武斷統治，用鎮壓和懷柔結合的辦法來進行分割統治，在朝鮮中培植買辦分子的同時，謀求「內鮮一體」、「一視同仁」。因此，在朝鮮神宮裡祭祀著皇祖神的天照大神和合併朝鮮的明治天皇。那個時代在漢城受到的感覺就是朝鮮神宮在南山，階梯高得驚人。而且，在北岳山麓建造了朝鮮總督府的廳舍，朝鮮神宮從南面、朝鮮總督府從北面俯視著漢城市內。

戴：在1925年朝鮮神宮誕生之前，有朝鮮神社嗎？

姜：有。但是，那是為在朝鮮的日本人建造的。

戴：從神社到神宮的升格、發展是非常重要的。朝鮮神宮的等級是官幣大社。所謂神宮，那就像明治神宮和伊勢神宮那樣，不能馬虎了事（笑）。體制方面，則是按照完整的體制方面的理論規則來辦事的。在1925年，將神社升格到神宮的同時，祭祀天照大神和明治天皇。這是具有決定性意義的事情。因為台灣神宮儘管是1900年誕生的，但它的祭神是北白川宮能久親王。他是在「接收」台灣時，做為近衛師團司令官到台灣，然後逝於台灣的皇族。與此同時，台灣神社還祭祀大國魂命、大己貴命、少彥名命。這都和北海道神社祭神一樣。

姜：同在蝦夷（愛奴）使用的是一樣的神。

戴：要言之，就是指殖民地開拓的開拓神。因此，朝鮮在實際上是同台灣一樣的殖民地，但在公開形式方面，依然是「日韓合併」。

姜：做為「同祖同根」。

戴：日本人就是這樣拚命宣傳，使吞併朝鮮變得正當化。

姜：以後，又在百濟的故地建造了扶余神宮，動員學生義務勞動。在祭神中也有「三韓征伐」的神功皇后。

戴：但日本在台灣最早建造的神社，是祭祀有一半日本血統的鄭成功的開山神社。

姜：嗬，日本人建造了祭祀鄭成功的神社了？

戴：鄭成功是中日兩國人的混血兒，是出現在淨瑠璃的「國姓爺」的主人翁。父親鄭芝龍是海賊，同當地的妻子——平戶的田川氏生下了鄭成功。父親鄭芝龍歸依清朝後，鄭成功就與父親分手，為擁護明朝來到台灣，趕走了荷蘭人。從而成為台灣漢族政權的開山祖。我們漢族系統台灣人是為反抗清人而隨鄭成功來到台灣的，所以我們建廟祭祀鄭成功。

日本人的縣知事看到了這種情況，而且台灣人經常朝拜，於是，日本仿效祠廟，將其變成日本式的開山神社，並企圖以此做為統治台灣合理化的「錦旗」，但是這只是某一縣知事的想法，鄭成功的利用價值並不比其所想的奏效。因此而建造了台灣神社。台灣神社好容易成為神宮是在1944年以後了。

姜：在台灣神宮祭誰呢？

戴：台灣神宮重新合祀天照大神。因此，開始說，你們也是同樣真正的日本人，也要徵兵。但是，朝鮮人那時已有了洪中將這樣偉大的軍人。我們則沒有。

姜：洪中將是舊韓國軍的將校。

戴：所以是因此日韓合併嘛！（笑）

姜：但是，朝鮮得到日本如此高的評價，毋寧說其不幸的一面也更大了。

戴：我說的只是忠實。（笑）但是，雖然同是日本帝國主義的殖民地統治，但日本還是頗感棘手的。有這樣的文章記載；建造朝鮮神宮時，如被看成同台灣一樣，就糟糕了。

姜：朝鮮統治和台灣統治之間，連神都有差別。

戴：完全如此。我想向姜先生請教的是，為什麼朝鮮是「創氏改名」，而在我們台灣是「改姓名」。

姜：在朝鮮「創氏改名」有這樣的意義，即將傳統的「姓」中心家族制度替換成日本式的「氏」中心家族制度。

戴：然而，實質上是相同的，為何不用同樣表現？這姑且不說，實際上，朝鮮的「創氏改名」在先。因此，我們台灣人經常被上層辱罵。反過來說大家都不堅強。（笑）

在台灣，紀元2600年（1940年）被強迫改姓名。那時，有這樣的說法。如在此將朝鮮和台灣比較起來說，一個民族常用其他民族的國語是相當困難的！這點都一樣。朝鮮克服自己的困難，捨棄傳統的朝鮮語，盡量常用日本的國語，坦白地說，這也可以說是朝鮮人的愛國心。「創氏改名」在朝鮮有相當進展，但在台灣又幹了些什麼呢？志願兵也好、徵兵也好，在朝鮮都已被實施了。你們呢？——不用說，日本的官員利用朝鮮的事例來進行煽動和威脅，我們對此也做了適當的判斷。

姜：我們朝鮮人經常被日本人這麼說，如果和日本的教師或學生發生了衝突，就會被告知台灣好像能同化，而我們朝鮮人則不行。

戴：總之，我們雙方都被利用了。

教育制度的不同

戴：實際上，僅以日期來看，朝鮮同台灣相比，在教育方面，前者有許多東西比台灣早實施。比如京城帝大和台北帝大的設立時期。台灣帝大是1928年出現的。

姜：京城帝大在1924年就開始了預科。推動其發展的原因就是三一運動。在三一運動之前，有專科學校的規定，並禁止設立大學。其思想依據是：如果讓朝鮮人受高等教育，他們就會傲慢起來，不服從統治。對這樣的殖民地教育的不滿在日益高漲。三一運動後，就興起了要求設立民間大學的運動。然而，日本人認為，如果產生了民間大學，它就會成為「不逞鮮人」之巢穴，於是就先創立了京城帝大。

戴：在台灣，要求創立大學之前，曾也企圖由台灣人自己創立中學，但失敗了。英國的長老教會和加拿大的長老教會設立的中學因國際關係之故而安然無恙。但我們台灣人自己創立的中學卻不被允許。但朝鮮有中學校吧。

姜：在變成殖民地之前，就有許多私立中學。

戴：當時我們想，用我們的稅金創立的學校，為何我們的子弟就不能進去。譬如，我進的中學⋯⋯。

姜：是不是進了同日本人一樣的中學？

戴：是的，在那樣的學校，首先在入學考試的時候都被差別對待。

姜：那和朝鮮是根本不同的。朝鮮有許多私立中學，儘管在被逐漸抑制，但在日本來之前，已紮下深根。其他還有公立中學。在公立中學中，也有不得不為朝鮮人專辦的學校（幾乎都是實業學校）。而且，同日本人學校的名稱有區別，是普通高等學校。但在戰爭末期，由於皇民化政策，日本人、朝鮮人混讀的學校產生了。

戴：台灣以後也是這樣。然而，在以日本人為中心的中學，如果定員有40人，那台灣人最多只有二、三人。

姜：漢城的京城中學也是這樣的情況。日本學生為主，摻雜著二、三個朝鮮學生。

戴：在進入官界的朝鮮人中，有總督府局長和知事吧。

姜：要是朝鮮人成為總督府局長或各道（等於縣或省）知事，其父親大多是賣國的親日派。

戴：在台灣，即使從一高到東大出身的人，最高官位也只是總督府課長。台北帝大第一任校長是研究朝鮮史的幣原坦。

姜：就是寫《朝鮮史話》的作者。

戴：他同朝鮮總督府的教育政策有很深關係。

姜：不，在總督府初期，他做為教育顧問來朝鮮。

戴：之後，他就任廣島高等師範大學校長，文部省的圖書局長，並參與台北帝大的設立。在某種意義上，首先是在朝鮮建立京城帝大作試驗，然後考察其情景，將其方式帶入台灣建立台北帝大。

姜：朝鮮雖然有京城帝大，但這不是朝鮮人自己的學校。比如，1929年，以光州為中心興起了抗日學生運動，在這之前的1928年，在朝鮮40萬日本人中，大學專科學生320人。而當時朝鮮人口一般被估計為2,000萬人，其中大學專科學生僅190人。

戴：台灣比例更少，或者最多是同你們一樣的比例。

殖民地統治的人性破壞

戴：在殖民地時代，台灣知識分子階層在就職面社會都受到民族歧視。但其物質基礎，則因總督府體制而受到某種程度的保障。他們以光復（回歸中國）為契機，期待著自己能在經濟社會甚而是政治上能成為完全的主人翁。但是，又與戰後進駐台灣的國民黨接收當局發生衝突，期待落空，夢幻破滅。這是一個極大的衝擊。就如出外當養子的孩子，50年後回到本家一看，「父母」、「兄弟」都已不那麼好了。因此，發生「近親憎惡」和「夢幻破滅」的反動，一部分人甚至產生了日本殖民地統治比較好的幻覺症狀。特別是北京產生新政權後，由於台灣知識階層在意識形態上反共和容易傾向保守的階級本質，逐漸地就將殖民地問題轉到別的層次問題上去。有人就持這樣的觀點。儘管和他們的意圖無關，但客觀實際上，他們起到了對朝鮮批判日本給潑冷水的作用。

姜：聽說，在日本人中有這樣的想法，認為台灣人是紳士，不批判日本。

戴：是啊，只有我被說成是變種，對我敬而遠之。日本人中有這樣根深柢固的解釋：台灣人忠厚老實，只有朝鮮人老是訴說不平不滿。例如，在日本學術界，在研究戰前時期日本資本主義發展時，也疏漏了殖民地問題。我真想說，他們究竟在研究什麼？

姜：沒有殖民地的帝國主義哪裡有？這不是將台灣、朝鮮納入其中的帝國主義研究，而只是用日本一國的觀點進行研究，其課題只是研究日本的產業資本，壟斷資本。

戴：另一個不應該的是，日本全然不問殖民地化不純的動機，與其毒辣殘酷的過程，而只取其結果的一面，說什麼傳染病減少了、農業搞上去了等。但是，我一直說，如果日本人不明白殖民地統治絕不是一個好體制，那我們和一般日本國民將來還會遭難。

另外，最重要的是，在殖民地統治中，掠奪物資並不是大不了的事。舉個例子，日本受到了這樣嚴重的轟炸和原子彈爆炸，也並不怎麼困難地重新創造出新的物質。這是史實。最大的問題是，由於殖民地統治，疏遠了人與人的關係，破壞了人性。這是殖民地統治最大的罪惡。

姜：而且，人性破壞的後遺症在40年後的今天還在繼續。

戴：因此，進步的學者以及日本人都應該了解這一點。

姜：把帝國主義做為問題而又抽去殖民地問題，這不單純是個方法論錯誤的問題，而是其思想立場有問題。換句話說，這似乎是沒有充分把握這樣一點：殖民地統治不僅破壞了殖民地人們的人性，也破壞了帝國主義國家自己的人性。這是日本進行殖民地統治而失去的最大東西，日本人本身的人性被麻痺了，以至於感覺不到被統治者的痛癢。

戴：要讓經濟如此發展，享受著「昭和元祿」而天下昇平的昨天和今天的日本來理解這一點是相當困難的工作。因為朝鮮人發揮著批判的知性，在頑強努力著，我想日本也會大大地認真起來（笑）。

姜：本月號是「日本的戰後責任和亞洲」特集，所以我們要把視線從朝鮮進一步擴大到亞洲。實際上，聽了戴先生的發言，我也深感同樣遭受殖民地境遇的國家之間並沒有互相了解。與此同時，韓國和台灣現在做為新興工業國的模範生而出現在世界，在某種意義上，現在正是這樣一個重要時期：日本與台灣和韓國不是上下關係，而非以平等關係相聯繫不可。今後，在學術上對台灣和朝鮮的殖民地比較論必須補充完善。

最後，向日本學者提點希望。戰敗至少是日本近現代的重大關鍵點。希望日本學者認真整理這方面的歷史經驗教訓，其中包括殖民地統治。這一工作是今日日本與亞洲相處的基本前提。

戴：正如在經濟上不管多麼優勢，羅馬、長安也要崩潰一樣，金錢和物質是脆弱的。因此，像人一樣生活，像人一樣同鄰居交往，發展人性完美的學問，我希望日本成為這樣一個文化國家成熟起來。如是停留在暴發戶國家的水平，那做為鄰居是難過的、不安的，這是十分可惜的。

本文原刊於《季刊三千里》41號，東京：三千里社，1985年2月1日，頁26～39

轉換期的國際關係與台灣．亞洲

——下河邊淳vs.戴國煇

時間：1987年2月9日

地點：東京總合研究開發機構

對談：下河邊淳（東大工學部建築科畢業，爲日本總合開發計畫的權威人士。經歷過日本中央政府經濟企畫廳高級職位後，上任國土廳事務次官。在當時的首要職位爲「總合研究開發機構——NIRA理事長」）

戴國煇（立教大學教授，詳歷略）

戴國煇（以下簡稱戴）：聽說下河邊先生這次是首度訪問台灣，能否談一下您這次訪台的契機以及大致的日程安排？

美國的經濟政策和台灣、日本

下河邊淳（以下簡稱下河邊）：我是應台灣經濟建設委員會的主委之邀請訪台的。但是，我決定去台灣的動機則是基於下述的想法：1985年之後是世界歷史的一個轉換期，說其是轉換期的論據是：1985年，美國放棄了美元威信不可動搖的原則，提出了通過採取美元降值來尋求國際協調的方針。不僅如此，正如俄國戈巴契夫（Mikhail Gorbachev）在演說中所表明的那樣，我覺得蘇聯政權也從1985年開始有了一些本質性的變化。我最關心的是：在這一轉換期中，亞洲將如何因應？其結果將如何？

懷著這樣的想法，恰巧又受到邀請，我便想跑一趟，以了解台灣方面是如何來看待這一種轉變的時代氣息的？此外，我認為以前日台關係的框框已不能套當前驟變中的形勢，而必須從新的角度和架構來因應1985年以後的日台關係。帶著上述想法，我前往台灣。主要同經濟關係方面的人士進行了交談。因無法安排充裕的時間訪台，我便於元旦剛過（台灣是過舊曆年，故對我正好是可以恰切的時期），尚未向朋友們拜好年，就於1月6至9日飛往台灣造訪。在四天期間，會見了不少學者、政府人士和財界領導人們等，從早到晚，與各界菁英高談闊論。

戴：那麼，下河邊先生這次訪台的總體感想是什麼呢？

下河邊：一個特別深的印象是，就1985年以前的台灣政策而言，台灣最重視與美國的關係，唯美國之馬首是瞻，而且以為對美國發言作出相當忠實的反應便是台灣利益的導向所在，這就是那個時代政策的特徵。

但是，就1985年後台灣政策的印象來說，對美國政策的爭論相當激烈，甚至討論到美國政策究竟對台灣關係是對或錯，即是正確還是錯誤的問題。

特別要指出的是，在台灣的青年菁英中，有許多是留學美國、英語精通的人士。他們似乎覺得，美國最近的經濟政策多少處於較為困窘的狀態，甚至產生了某些對台灣而言是難以忍耐或接受的東西，他們爭論著，究竟如何來調整和維持台灣與美國的關係。

由此他們認為，似乎有必要以新的視角來研究一下日本和美國之間的關係究竟是怎麼回事。因此，宮澤〔喜一〕大藏大臣決定去美國會見美國財政部長一事，台灣也相當給予注意。美元降值體制究竟會給日美關係帶來怎樣的結果，這個問題對台灣而言並非不關痛癢的事。

戴：將這些意思概括而言，便是日圓升值、美元貶值將以何種形式波及台灣，此外，在日、美、台圍繞美元降值的構圖中，美元對新台幣之相互關係的定位，已成為新的課題。

下河邊：迄今為止，美台雙方的政策是力圖使新台幣與美元並行。但是，美國放棄了上述保值的措置，就時勢匯率看，是向著提高新台幣的幣值方向發展。如此這般，台灣經濟之窘境或許會超出日本甚多。

戴：到目前為止，台灣對美貿易黑字似乎超過了500億美元。但是，炫耀這個數字是包含著較為濃厚的政治因素，用以同中國大陸的落後相對比。從外面看，以往卻很少從實質性的、原理性的、經濟學角度來看待問題。台灣有關機關內部是如何議論的則不太清楚。只是，就在下河邊先生訪台之後，台灣的新聞論調發生了變化。

在美元貶值、日圓升值的過程中，特別是去年，日本有相當數量的資本進入台灣，對此台灣有關人士開始提出疑問。開頭當然是歡迎日本企業之增資或進入的，但是馬上就察覺到，台灣實際上是否已成為日本的代罪羔羊，日本實際不能再將大量產品直接輸進美國，所以便通過台灣使台灣在某種程度上擔起日美貿易摩擦的負荷，實際上台灣產品的素材大多來自於日本，台灣產品輸進美國掙回來的美金還得流至日本。台灣由此是否會成為美國的第二個靶子？上述的危機意識已出現在新聞論調中。從這一意義來看，正如剛才下河邊先生所指出的，在台灣人士中似乎已明顯產生了如下的問題意識：即不得不將日美關係做為自己課題的一部分來加以考慮。

社會資本整頓是台灣經濟的當務之急

下河邊：是的。這是因為台灣即使增加對美的出口，零件仍必須要從日本進口，故而很擔心從日本購進高價的東西轉賣給美國的這種結構將惹來困境。但是，更基本的問題是，目前台灣經濟的依賴出口度已超出45%。國際金融如此般的不穩定，出口依存度過高當然令人不安。所以我認為，台灣經濟最基本的問題是擴大內需，減低出口依存度。

好在迄今為止，台灣的財政尚稱健全。我與台灣人士稍稍論及到，台灣是否應與日本不同，以出售大型債券，而招募大量國內資金藉而整頓與擴充社會資本為上策。與俞國華行政院長會見時，他自己說其實他自己一直是從事中央金融方面的工作。以往採用的是穩重、過分謹慎的政策，他是台灣有名的經濟專家。

戴：確實如此。俞氏就任行政院長之前，是國府的大掌櫃。與其說是經濟專家，更應該說是銀行家。

下河邊：我們談到，在這種形勢下，在台灣內部還是必須進行積極的投資，我表示同意。我們的談話超過了預定的時間許多。我也被問到，做為一個專家，該怎樣來擴充及處理台灣的有關社會資本之問題，俞先生希望能得到我的建議。這或許是一個比日本不得不提出「前川報告」（日本首相的諮問機關＝經濟審議會經濟構造調整特別部會「前川春雄——前日本銀行總裁會長」於去年〔1986〕4月所提出的「調整日本經濟結構之基本方針」之報告）之狀況更為深刻的問題。

戴：台灣經濟自1984年以來就不景氣，尤其是1985年發生了「十信」事件，故而陰影籠罩，令人擔憂。但是，去年日圓突然高漲，日本企業為了迴避日圓升值之負面影響，（資本）大幅度向台灣滲透。僅就日本不景氣而加劇對台灣的投資這一點而言，還是大受國府當局歡迎的，但是，現在稍有不慎將陷入困境。正如下河邊先生所言，出口依存度過高，而且就貿易黑字在GNP（國民生產總值）中所占的比率而言，日本為3.7%，已經是相當值得憂慮的了，而台灣則高達19%，所以更為危險。如台灣成為美國的一個靶子，美國採取保護主義的話，則台灣將不得不處於一個極為窘迫的立場。台灣迄今為止能夠一直保持相對的穩定，主要依靠經濟的奇蹟，以此來迴避來自海峽對面的各種壓力。這一關鍵性的經濟如成問題的話，則可預見到台灣將不得不面臨相當大的困境，問題將變得非常深刻。

下河邊：當然會十分深刻。因此，考慮到台灣經濟之問題，我認為降低出口依存度，如何重建台灣經濟結構的議論變得格外重要起來。

我認為首先還是社會資本的整頓與擴充。加強台灣內部南北間聯繫的社會資本應進行諸如交通、通訊等相當大型的投資，台北市的城市規劃也應更加積極推行為好。

戴：那麼，財政當局是否正在朝這個方面努力呢？

下河邊：是的。因為穩重派院長已說應更積極一些。從院長那裡回來後，跟我回去的台籍人士非常吃驚地說，好像沒有聽到過院長這麼說過，所以院長的意思不正是在向這一方向努力的嗎？回來日本之後，看到報紙報導決定開始社會資本大型投資的消息，我想這下的確是開始向這個方向發展了。

進入變革時期的台灣社會

戴：對上述情況從政治經濟學角度加以剖析的話，自去年以來，以蔣經國為中心，力謀革新，解除了迄今為止組成新黨的禁令，朝著承認新政黨，即「民主進步黨」建立的方向發展。另一個重大變動就是企圖中止持續將近40年的戒嚴令。

台灣正在導入依據自由主義方式的市場原理，來進一步提高經濟的水準，而戒嚴令對此是一種極為不利的體制。從政府當局立場考慮對戒嚴令或許可能是一個善意的解釋，即在遷台之初，由於共產黨的威脅甚大，從而不得不實行此令以維持政權和既存秩序之安定。但是，高度經濟增長一上軌道，社會發生結構性的激變，民智既開，內外往來頻繁，再加之民間各種力量的活性化，將箍子緊緊套在人們頭上的狀況變成了提高層次的阻力。為此，當權者自然企圖中止戒嚴令，或者說不得不中止藉而因應未來的各種挑戰。

就最近的狀況來說，甚至發行新的報紙都將被承認。迄今為止，不用說創刊新的報紙，就是已經發行的報紙要增頁也遭禁止，所謂「報禁」則指此而言。

下河邊：選舉制度也開始有所變化。管理選舉制度的女局長是一個十分有趣的人物。聽說女性居於這個位置還是第一次，所以她顯得精神抖擻，從她那兒聽到許多關於女性奮鬥的事情。女性走向社會還是相當顯著的。在座談有關台灣經濟計畫時，全部人員均為青年，其中竟有一半為女性。同樣的情況在中國大陸和韓國，則一半是年長者，女性往往只有一個人。

戴：下河邊先生一直是從綜合開發的視角來考慮問題的。而且，是從與世界的關聯，或者與亞洲的關聯來考慮日本的綜合開發的。我認為，在現實形勢下的台灣，正處於一種伴隨著不得不邀請下河邊先生之必然性的緊急狀況中。迄今為止，台灣只要唯美國之言是聽，並且與日本順利提攜，便怎麼也能夠邁進。但是，從今往後，美國不顧強國之面子與羞辱，以降低美元幣值來應付經濟困境，甚至放棄保持做為美國式世界秩序維護者（Pax Americana）的威信，在這種情況下，台灣現在已陷於不知往何航行的迷航之中。

下河邊：從政治角度或形式論方面而言，正如剛才戴教授所言。但是，台灣人或許更為聰明。我們從戒嚴令的詞彙及制度概念中得到的印象與他們不完全一樣。他們照樣悠閒地度日。

就像說到東京國際化時，必然就會產生日本人與其並不習慣的外國人雜住之社會。屆時如何保持社會的秩序一定是十分頭痛棘手的，甚至愛滋病也會進入。法學家是如何考慮那時的秩序呢？或許總不會是入境時按個指紋就可了事的吧？台灣的人們是有智慧的，在這樣的方面是很有意思。

戴：下河邊先生因只逗留四天，恐怕會忽視另一個方面的問題吧！

確實人們經常說，只有5%的戒嚴，95%是自由的。戒嚴令僅僅只是保留了萬一不測時強權發動的權限。但是，最近台灣城市犯罪相當厲害，因此，產生了一種極為透徹的認識，即將這一城市犯罪的凶惡犯看成是長年實施戒嚴令的副產品。這種戒嚴令總不屬單純普通法治國家中，所謂緊急避難性的戒嚴令。仍然做為前法治國家性質的戒嚴令，即存在著未被納入正常法治體系的執行組織及其下屬的民間「線民」，這一部分不良分子和黑社會是否已相重疊，或搭上線勾結一氣，「橫行」霸道。在台灣，除警察以外，還有主要承擔實施戒嚴令的台灣警備總司令部，這是通常法治國家中法體系內沒有的特別措置，這一種本來該屬於臨時、緊急避難性質的，逐漸走上「反面」。因而是阻礙了社會進步，尤其是阻礙民主化。

台灣現在正處於向成熟社會發展的近代化過程之中，所以，它也正是處於不排除非正常與非「合法」部分，就不能再提高一步的進退維艱之中，當局承認儘管有戒嚴令，但民間武器流量數字驚人，這是很具諷刺意味的社會現象。

國民黨內部改革派中已出現了下述議論：應解除戒嚴令，加強做為法治國家的內核，促進民主化。我認為這是一大進步。沒有這些，則占最後5%實質性之戒嚴令是否有在法律下被實施之保證也是不無疑問，學術界和有心人士普通存在這樣的顧慮。

重新認識制度為地球規模之傾向

下河邊：但是，因為制度這個東西總是帶著正負兩個方面，或許會有這樣的顧慮。但是，在台灣社會的基礎中，最根本的問題恐怕還是在於諸如家族倫理和三民主義等將來如何紮根。

戴：現在您提到的三民主義是意識形態。三民主義在台灣做為意識形態，做為正當化的理由，或者做為值得奉持的價值體系能否發揮作用？現在是否在發揮作用？今後做為脊骨哲理能否在民眾的生活哲學中紮根？對上述問題作何思考自然是很重要的課題，您是如何看待？

下河邊：在1985年戈巴契夫體制形成的過程中，我們察覺到社會主義的議論又有了新的展開。然而社會主義者總是盡力要描繪出對於他們來說的理想構圖，但是，在那種情況，只有當他們承認要受到其所處國家的歷史及自然環境的約束，他們的政策才可能是現實的政策。我認為這是最重要的一點。

迄今為止，因為形式化的社會主義是人所共見的，因而產生了許多即使使用相當無理的手段，也一窩蜂擁去的社會主義運動，我認為這乃是錯誤的。因此，就以中國大陸來看，也開始使用「適合於中國」的這樣的詞彙，在這個意義上，連日本也在摸索什麼是理想的社會，因此，並不是資本主義沒有缺陷。

由此，現在地球上的任何一個國家，都是以自己的地域，自然及歷史等環境為基礎，來努力創造新的理想社會，我認為這一點是全球共有的普遍性需求。台灣有其歷史、意識形態以及自然環境，所以問題是如何以此為基礎來展開與因應將來。因此，最好的事情是其追尋到的結果為整個世界所理解。我認為，台灣在以家庭為中心這一點上，具有東亞所具備的共通性。

戴：現在，就家族而言，因受美國化的影響，離婚率急遽上升。此外，美國的生活樣式及色情污染在青少年中迅速擴展，已讓人極為擔心。在台灣最饒有興味的事情是，它已變成一個赤裸裸表示物質欲望、非常活性化的社會。因此，我們所考慮的新文明或者新文化的創造將會怎樣呢？

亞洲共同的課題與台灣

下河邊：我認為，這個問題是日本和台灣共有的。20世紀的日本和台灣都在朝著戴教授說的方向，三千里馬似地努力著。但是，東西只有握在手上才會覺得，這或許是條必經之路。歷史性的基本東西並沒有失去。

戴：我擔心的是，台灣不斷在發生著的各類犯罪。在台灣新聞的三版紀事可以看到，為何民間有那麼多武器，這實在是一個大疑問。現在戒嚴令還存在著，卻經常在民間發生用槍的凶惡犯罪。台灣的經濟在美國、日本的傘翼下高度增長，這是可以給予好評的。只有犯罪，卻不是像東京，而是正走上紐約化之路。關於這個問題，台灣內部是怎麼看待的？我前年和去年返台五次，對台灣社會的急遽變化感到吃驚。完全是追求利潤、追求功利的動機處於首位的物欲優先之社會狀況。

日本是中流意識濃厚，中產階級基礎紮實。儘管也有城市和農村的差距，即過疏過密的問題，但依然是充分考慮了保持農家所得和勤勞者所得的雙向平衡。

而台灣呢？只有台北、高雄這樣的近代化城市周邊發展迅速，中間的農村部分卻極不平衡。其一部分流入城市，城市中產生了某種貧民窟的狀況。特別是您看到的交通擁擠，那種計程車的駕駛方式，汽車事故多得驚人。大家都希望這個問題的解決與地下鐵等社會資本的投資結合起來，但很難實行。

下河邊：在台北，我與有關人士也議論了關於汽車的問題。那時正如戴教授所說，因為是非常麻煩的工程，圍繞著怎麼辦自然是議論紛紛。我當時就說，擔當這個工作的人們不必想得太多，因為我們所能夠做的是有限度的，如果我們遇事便想要全面解決，那專家們都得要患上神經衰弱症了。因此，還是輕鬆自然地進行這一工作為宜。

根據我的經驗說，東京的汽車交通也有過與台北一樣的時期。計程汽車粗暴恐怖，被稱作「神風出租車」而無人敢問津。非法停車和事故頻頻發生，我們廢寢忘食地想辦法。但是，與其說我們的工作有效，還不如說汽車更增加，神風駕駛自然不可能了，亂跑也消失了，後者的因素可能更大。

因此，台北還是因車少，所以還能亂開，汽車一多，絕對不可能那樣了。而且，聽說台北也不能根本取締非法停車。日本也一樣，路上車多得無可奈何。我們也拚命地造停車場，要求大樓也能建停車場，但成效甚微。倒還是被阻攔的汽車司機大發雷霆，其他的車也不能停了，司機之間相互刺激，非法停車現象也自然地逐漸減少了。聽說台北這個現象很嚴重，請他們帶我去現場看，馬路上有空間，我乘坐的車能夠繞著往前超車，在東京是絕對不可能的。

失去某種秩序的這種情況是城市發展中必然產生的現象。因而我說出「從長期來看也不必擔心」。這麼說一定讓有關台灣人士吃驚的吧！

戴：這樣的理論我還是第一次聽到。

下河邊先生這麼說有安慰的性質。實際上，就我在東京30年所見，在有這種狀況的同時，日本的官僚非常有能力，他們有一邊向前看，再向前看一邊展開政策的特點。比如，針對東京的人口太多而有，設施撤離之作戰。我回台灣的時候就說過，撤離大企業或許較難，但可以將有名的學校移往郊外。那樣一來的話，交通量就不會集中在台北市中心，可以引出相反方向去。上學孩子們的家長也會稍稍往郊外移居。此外，政府機關也可以考慮撤離市中心。

下河邊：開設台北的地下鐵也好，主要設施撤離台北也好，這恐怕都只能是以後的事情。迄今為止，為了確立台灣經濟，投資只集中於生產性高的方面，技術也進來了。這在某種程度上是成功的。但從基本建設來看，這已達到限度了。因此，應該在目前賺錢的時候，發行債券，吸收民間資金，創造出新的社會資本。

舉一個代表性的例子，我認為新竹工業區幹得很出色。我要求視察了那裡，怎麼評價其所做的工作似乎還有許多問題。建造那樣的新式工業區，大概是建設一種類似「筑波研究學院新區」吧！或許這樣的狀況該在日本得到較高的評估。當前，知道的日本人大概不甚多吧！

經濟相互依存性愈來愈強的亞洲

戴：我是出生於台灣的，當然希望台灣更好起來，因此，往往將台灣與日本相比較，進行了較多的批評。在台灣，總是將力量集中在二年、三年或者五年就能短期弄出效果的各種事業上，這樣就較易受到好評。另一個是，存在著與中國大陸隔海相望的緊張感，當局總想著盡早讓大家知道其政經業績之念頭。因此，我感覺到，真正花10年、20年的時間來展開政策，或者描繪著理想藍圖來展開政策的形式，與日本相比，似乎欠缺些。

下河邊：在台灣經濟建設委員會中，已決定了台灣全土的開發計畫。從我們角度來說，日本是自召開奧林匹克（1964年）之後形成了擴充發展社會資本的狀況。因此，台灣今後大約是怎麼幹的問題了。

但是，那麼寫的出口依存度是很不穩定的因素，所以，必須從基本建設著手整建，為將來建設創造好前提條件。

戴：您和各種人物見面，是否有這樣的感覺，面對當前新的世界經濟結構重編的狀況，台灣是否真正冷靜地，不單單出於對中共和中國大陸的考慮，而是清楚地已具備有世界範圍中的台灣今後會怎樣、應該怎麼辦的問題意識？

下河邊：我去台灣之前，就有一種印象，即台灣的人士具有戴教授所說的那種遠見。

戴：訪台後能夠確認出這一些嗎？

下河邊：是的。聽韓國KDI（韓國開發研究院，Korea Development Institute）研究所所長說，他也具有同樣的感覺。在亞洲，日本、中國和NICs（新興工業化國家，Newly Industrialized Countries，此指亞洲四小龍）開始具有共同的課題了。無論在什麼地方，那種感覺是鮮明的：即依存於美國，能向美國輸出的時代到此將得變化了。中國的政治統一很困難，似乎是個長遠的課題。但經濟的聯繫將先行，不，可以說是不得不聯繫，不得不向前邁出。人們說，台灣經濟結構本身通過香港同大陸市場連接在一起的狀況正在逐漸形成。無視中國大陸經濟，韓國經濟將不能成立，日本經濟亦是如此。因此，亞洲在經濟上的互相依存關係正在逐漸加強起來。台灣經濟與大陸經濟形成怎樣的關係是一個不得不接近與思考的課題。但是，一碰到政治層面，就不那麼簡單了。經濟本來就具有超越政治局面而擴展的傾向。即使是戈巴契夫政權的經濟政策，也不是拘泥於資本主義或社會主義那樣的架構狀況，世界已走上不分意識形態、一個如何相互依存的方向，問題就在這裡。

政治體系和經濟體系自1985年以來已有些許變化。因此，在政治領域中，怎麼能夠一邊確立自己的政治意識形態，一邊理解對方的意識形態體制，已成了勝負的關鍵。問題不是互相融合在一起，而是必須具有再認識自己、同時能否理解對方政治的智慧。

戴：如果不重建思考的新框架，就不能找出新的出發點。稍轉換一下話題，下河邊先生幾次訪問大陸，見到了那裡的要人和決策者，這次又首次訪台。兩相比較，在事物思考方法的柔軟性和認識世界方面有何差異？

下河邊：不論在北京，還是在台北，我所見面並談話的人都是為數不多，甚為優秀的人物。因此，從戴先生這樣生在台灣、熟知台灣的人來看，或許可以說我會見的人只是台灣極少一部分的優秀分子，就大陸的情景來說也是同樣。蘇聯也不例外，在蘇聯科學院，能與我們交流並無拘無束談話的人也是少數優秀分子。

但是，率直地說，這樣的優秀分子是否能完全代表那個國家我就不明白了。因為這既有那個國家的利害關係，也有其立場。但是，從我們角度看，做為某一種專家來說，任何國家都有優秀的人才，優秀人才之間的交談當然不會是那樣生硬的。最近，在太平洋經濟合作會議（Pacific Economic Cooperation Conference，PECC）上，台北人士和北京來人有正式的機會可以同席而坐，在那兒大家都交往得不錯。

戴：我不曾去過大陸，但覺得可以將中共和國民黨看成是雙胞胎，缺點甚為一樣，優點也相近。只有一個不同的是，在台灣，雖然有城市和農村發展的差距，但與中國大陸相比較，不均等發展的差距並不那麼大。從人才數量和人口關係來說，台灣較易運轉，這就是說，只要車頭啟動，後面的車能夠跟上。中國大陸曲折太多，除最優秀的一部分人外，缺乏中產階級，再有文革的傷痕，加之教育體系不完整。火車頭即使想要將後面的車從泥濘深淵裡拉出來，但後面就是難以加速，這不就是中國大陸的現狀嗎？

下河邊：這個要素恐怕會一直存在。就國家的立場來說，十億人口的國家要具有一個整合性的自信談何容易。就是在一個小小的台灣中，既有台灣出生成長的人，也有從大陸來的人，又有從美國留學歸來者，因此，不能那樣簡單地概括地理解，大家都有各自複雜的心境。

即使日本，雖說日本民族是「一個」，但想法也不盡相同。要是不能認識到現代社會就是這樣形成的，就不能很順利地向前邁進與因應。

本文原刊於《日中経済協会会報》第163期，1987年2月20日，頁10～17

戴國煇全集 19
【採訪與對談卷二】

著 作 人　戴國煇
策劃／總校　林彩美

編 輯 製 作　財團法人台灣文學發展基金會
10048台北市中山南路11號6樓
02-2343-3142
編 輯 委 員　王曉波　吳文星　張錦郎　張隆志
陳淑美　劉序楓（依姓氏筆畫序）
主　　編　封德屏
執 行 編 輯　江侑蓮　王為萱
美 術 設 計　不倒翁視覺創意

出　　版　文訊雜誌社
發 行 人　王榮文
發 行 所　遠流出版事業股份有限公司
10084台北市中正區南昌路二段81號6樓
（02）2392-6899
http：//www.ylib.com

排　　版　浩瀚電腦排版股份有限公司
印　　刷　松霖彩色印刷事業有限公司
初　　版　民國100年（2011）4月
定　　價　全27冊（不分售）精裝新台幣16,000元整
ISBN　978-986-6102-02-8（全集19：精裝）
978-986-85850-4-1（全套：精裝）

國家圖書館出版品預行編目（CIP）資料

戴國煇全集．18-26，採訪與對談卷／戴國煇著．
－－初版．－－台北市：文訊雜誌社出版；遠流
發行，2011.04
冊；　公分
ISBN　978-986-6102-01-1（第1冊：精裝）．－－
ISBN　978-986-6102-02-8（第2冊：精裝）．－－
ISBN　978-986-6102-03-5（第3冊：精裝）．－－
ISBN　978-986-6102-04-2（第4冊：精裝）．－－
ISBN　978-986-6102-05-9（第5冊：精裝）．－－
ISBN　978-986-6102-06-6（第6冊：精裝）．－－
ISBN　978-986-6102-07-3（第7冊：精裝）．－－
ISBN　978-986-6102-08-0（第8冊：精裝）．－－
ISBN　978-986-6102-09-7（第9冊：精裝）

1. 史學　2. 文集

607　　100001715